いちばんわかりやすい

保育士 合格テキスト

上巻 '25年版

成美堂出版

本 書 の 使 い 方

必修

重要度

過去の試験の分析結果から、重要度をつけました。が多いほど重要度の高いものです。

出題 point

この項目で学習する内容のうち、試験に頻出のポイントです。どこに的をしぼって学習すればよいのかがわかります。

check

本文の理解を助ける内容や、本文から一歩進んだ内容などをまとめました。

試験に向けて覚えておきたい基本ポイントをコンパクトにまとめました。

図表やイラストでインプット！

本文の内容を覚えやすいように、図表にまとめたり、イラストを使用してイメージしやすくしました。

必修

3章 子ども家庭福祉

重要度

Section 4 子ども家庭福祉の現状と課題

出題 point
- 子育て支援事業と母子保健との関連
- 多様な保育ニーズとしての児童虐待・貧困・障害
- 子育て支援施策の展開

1 少子化と子育て支援サービス

1 子育て支援の施策

少子化の進行、核家族化、夫婦共働き家庭の一般化、家庭や地域の子育て機能の低下など、児童や家庭を取り巻く環境の変化や、子育てに対する社会的支援の必要性の高まりから、子育て支援施策の推進が図られました。

(1)「今後の子育て支援のための施策の基本的方向について（エンゼルプラン）」（1994 年）

子育て支援　　　の出発点として位置付けられます。　　　事と育児との両立のための雇用環境の整備」をはじめ、　　　様な保育サービスの充実」のほか、「学校教育」「母子保健　療」「住宅」までを範囲としていました。

覚えよう！

●エンゼルプランの 7 つの柱（重点施策）
①仕事と育児との両立のための雇用環境の整備
②多様な保育サービスの充実
③安心して子どもを生み育てることができる母子保健医療体制の充実
④住宅及び生活環境の整備
⑤ゆとりある学校教育の推進と学校外活動・家庭教育の充実
⑥子育てに伴う経済的負担の軽減
⑦子育て支援のための基盤整備

198

check
少子化を示す指標の一つである合計特殊出生率は、わが国では 1990 年代半ばから 1.5 を下回った低水準が続き、2023（令和 5）年は 1.20 であった。

少子高齢化
→ p.162

check
エンゼルプランでは、子育て支援のための施策の基本的方向として次の 5 つが示された。①子育てと仕事の両立支援の推進、②家庭における子育て支援、③子育てのための住宅及び生活環境の整備、④ゆとりある教育の実現と健全育成の推進、⑤子育てコストの軽減。

赤シートを活用！

本文の解説中、覚えておきたい部分を赤字にしていますので、付属の赤シートを使って確認・暗記することができます。

3 多様な保育ニーズへの対応

1 子どもの貧困

「国民生活基礎調査」によると、2012（平成24）年の日本の子どもの貧困率は16.3%で、日本の子どもの6人に1人が貧しい生活を送っているという結果でした。2010（平成22）年の世界と比較してみると、相対的貧困率◆はOECD（経済協力開発機構）が公表している加盟国34か国のなかで10番目に高い水準でした。

このような流れを受けて、2014（平成26）年には「子どもの貧困対策の推進に関する法律」が施行され、同年に「子供の貧困対策に関する大綱」が閣議決定されました。その結果、子どもの貧困率に関する最新調査である「2022（令和4）年国民生活基礎調査」では、子どもの貧困率は11.5%と改善されてき〔…〕は44.5%（大人が2人〔…〕数が厳しい生活状態によ〔…〕

2 多文化共生

多文化共生とは、国籍〔…〕文化的な違いを認め合い〔…〕共に生きていくことを〔…〕

法務省によれば、在留〔…〕約342万人にのぼり、〔…〕す。言語、文化、民族、〔…〕えると、子どもとその家〔…〕あります。多文化共生に〔…〕総務省を中心に、多文化〔…〕進されています。

児童福祉法は、外国〔…〕を対象としています。〔…〕が尊重される多文化共生〔…〕

アドバイス
「子どもの貧困率」は、相対的貧困率から算出している。

子どもの貧困率
⋯▶ p.152

用語
◆相対的貧困率
等価可処分所得の貧困線に満たない世帯員の割合をさす。世帯所得をもとに国民一人一人の所得を計算して並べ、真ん中の人の所得の半〔…〕

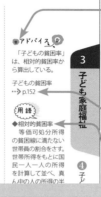

アドバイス
試験に関するちょっとした情報や、学習のヒントなど、本文を読むときに役立つマメ知識です。

⋯▶ 参照ページ
関連する解説が掲載されているページです。
下 「下巻」参照ページを示します。

用語 **人物**
本文中に出てくる用語や人物、専門的な用語を簡単に説明しています。

練習問題
ここで チャレンジ
項目ごとの内容を確認するための問題です。近年の過去問を基に作成していますので、本試験対策として知識を確認できます。

CONTENTS

4章 社会福祉

巻末資料

〈略　語〉
本書では、次の略語を用いている場合があります。
児童福祉施設設備運営基準：児童福祉施設の設備及び運営に関する基準
障害者総合支援法：障害者の日常生活及び社会生活を総合的に支援するための法律
認定こども園法：就学前の子どもに関する教育、保育等の総合的な提供の推進に関する法律

保育士試験ガイダンス

試験内容等については変更になる可能性があります。事前に必ずご自身で、試験実施機関である（一社）全国保育士養成協議会の発表を確認してください。

1. 受験資格を確認

保育士は、児童福祉法18条の4に規定された資格で、「登録を受け、保育士の名称を用いて、専門的知識及び技術をもって、児童の保育及び児童の保護者に対する保育に関する指導を行うことを業とする者」と定義されています。

保育士試験の受験資格は、学歴によるものと、勤務経験によるものがあります。区分が細かく規定されているため、詳細は試験実施団体等にご確認ください。

2. 試験に関する問い合わせ先

一般社団法人 全国保育士養成協議会

〒171-8536　東京都豊島区高田3-19-10

保育士試験事務センター

フリーダイヤル　0120-4194-82

（オペレータによる電話受付は、月〜金曜日9：30〜17：30　祝日を除く）

（代表電話）03-3590-5561

ホームページ　https://www.hoyokyo.or.jp/　（e-mail）shiken@hoyokyo.or.jp

---

❀ **'25年度後期試験に向けた法改正はブログでフォロー**

本書編集後の法令等の改正のうち、'25年度後期試験への出題が予想されるものについては、本書専用のブログに掲載する予定です。本書の最終ページに記載の正誤情報等確認用アドレスから閲覧してください。改正点は出題される可能性が高いので、必ずチェックしましょう。

保育の心理学

学習ポイント

・人間の発達や心理について学ぶ科目です。乳児期からの子どもの心理的発達の特徴は重点的に理解しておきましょう。運動、感情、言語、認知、遊び、愛着、社会性の発達など広い範囲から出題されています。関連する心理学者の理論も理解しておきましょう。

・人間の生涯発達を学んでおきましょう。胎児期、乳幼児期、学童（児童）期だけでなく、青年期、成人期、中年期、老年期も出題範囲です。

・子どもを取り巻く環境についての内容（環境との相互作用に関する理論など）は重要ですので押さえておきましょう。

・子育て家庭の現状と支援について、基本的事項を理解しておきましょう。特別な配慮を必要とする家庭への支援や、子どもの心の健康に関わる症状も押さえておきましょう。

 発達をとらえる視点

出題
point
- 発達を学ぶ意義と発達観
- 保育における子どもの各年齢（時期）の発達
- 発達を規定する遺伝的要因と環境的要因

 1　発達観と保育観

1　階段的発達観とその変化

　子どもの発達や学びの過程の理解は、保育において適切な援助を可能とします。そのときに役立つのが発達心理学の視点であり、それには子どもがなぜ、どのように発達していくのか、という発達観を身に付ける必要があります。

　代表的な発達観は、階段的発達観です。発達は階段を一段一段上がるようにいくつかの**発達段階**を経て進み、逆行したり、一段飛ばしにしたり、と順序を違えることはない、とする考え方です。

check
　順序を違えないことを「発達の順序性」、逆行しないことを「発達の方向性」、一段飛ばしにせず、連続して進むことを「発達の連続性」と呼ぶ。

■ 階段的発達観 ■

各発達段階を1段ずつ上がるように発達していく

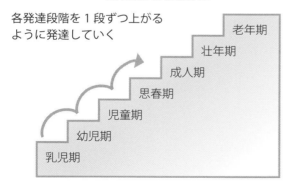

乳児期／幼児期／児童期／思春期／成人期／壮年期／老年期

階段的発達観は、発達をわかりやすくとらえるには非常に有効な考え方で、フロイト、ピアジェ、エリクソンなどにより様々な発達理論が展開されてきました。近年では、発達への理解が進む中で、発達観には、次のような修正が加えられるようになってきました。

①**生涯発達の視点**：発達するのは子どもだけでなく、**すべての人間**が生涯発達し続けると考えられています。この考えは、バルテスやエリクソンの理論にみられます。

②**文化や環境の影響**：子どもの発達は単独でなく、社会や環境、大人や友人など様々な相互作用の中で進むと考えられています。ヴィゴツキーの理論にみられます。

③**個人差の重視**：発達のスピードや経路はすべての子どもによって異なり、発達の段階は大まかな目安であるという考え方です。

2 発達過程の理解の重要性

保育所は、子どもの状況や発達過程を踏まえ、環境を通して、養護及び教育を一体的に行うことを特性としています。

保育所保育指針では、子どもの各年齢の発達を乳児・1歳以上3歳未満児・3歳以上児に分けて示しています。「子どもの発達」に関する内容は、第2章の各時期の「基本的事項」に示されています。

各時期の保育のねらい及び内容を子どもの発達の側面からまとめて編成したものが「健康・人間関係・環境・言葉・表現」の5領域です。また、幼児期の終わりごろの具体的な姿として「幼児期の終わりまでに育ってほしい姿」が示されています。いずれにしても、一人一人の子どもの発達には「個人差」があることを考慮し、適切な援助が求められています。

■ **保育所保育指針第2章に示された各時期の発達の特徴** ■

乳児	視覚、聴覚などの感覚や、座る、はう、歩くなどの運動機能が著しく発達し、特定の大人との応答的な関わりを通じて、情緒的な絆が形成される。

check
保育においては、発達全体を見渡す視点を持ちながらも、目の前の個々の子どもを見て、上手に発達心理学を使う必要がある。

幼児期の終わりまでに育ってほしい姿
➡ p.105,317

1歳以上 3歳未満児	歩き始めから、歩く、走る、跳ぶなどへと、基本的な運動機能が次第に発達し、排泄の自立のための身体的機能も整うようになる。つまむ、めくるなどの指先の機能も発達し、食事、衣類の着脱なども、保育士等の援助の下で自分で行うようになる。発声も明瞭になり、語彙も増加し、自分の意思や欲求を言葉で表出できるようになる。自分でできることが増えてくる。
3歳以上児	運動機能の発達により、基本的な動作が一通りできるようになるとともに、基本的な生活習慣もほぼ自立できるようになる。理解する語彙数が急激に増加し、知的興味や関心も高まってくる。仲間と遊び、仲間の中の一人という自覚が生じ、集団的な遊びや協同的な活動も見られるようになる。

3 乳児・1歳以上3歳未満児の保育の充実

　また、保育所保育指針では、保育のねらいと内容を、同様に3つの年齢段階に分けて示しています。この時期の保育が重要であることから、「乳児保育」と「1歳以上3歳未満児」では記載に充実が図られています。

　特に、「乳児保育」では自我の芽生え、自己肯定感につながっていく**基本的信頼感**の形成が重要であることが記述されています。この時期には発達の諸側面が重なり合っていることから、3つの視点（「**健やかに伸び伸びと育つ**」「**身近な人**と気持ちが通じ合う」「身近なものと関わり**感性**が育つ」）でねらいと内容が示されています。

　また、自尊心や自己制御、忍耐力といった**社会情動的スキル**や**非認知能力**を身に付けることの重要性も示されています。

4 生きる力

　保育所保育指針では、保育所において「生涯にわたる**生きる力の基礎を培う**」ことが記されています。

　そのために、育みたい資質・能力として「**知識及び技能の基礎**」「**思考力、判断力、表現力等の基礎**」「**学びに向かう力、人間性等**」を保育活動全体によって育むものとしています。

check
中央教育審議会第一次答申（1996〔平成8〕年）「21世紀を展望した我が国の教育の在り方について」において、これからの子どもたちに必要な資質や能力を「生きる力」と称するとした。

2 発達を規定するもの

1 遺伝的要因と環境的要因

　イギリスの哲学者**ロック**は、子どもを、書き込まれる内容次第でいかようにもなっていく「**白紙（タブラ・ラサ）**」のようなものと考え、幼いころの経験を重視しました。一方、フランスの哲学者**ルソー**は、子どもの生まれ持った自然な資質が開花していくことを重視し、その**邪魔をしないこと**が大切だと考えました。

　子どもの発達において、遺伝と環境の及ぼす影響は、直接、保育や教育の問題に影響するため、発達心理学においても多くの議論が重ねられてきました。

①遺伝的要因とは、主に両親からの**遺伝**によって規定される要素を指します。心理学では主に、一卵性双生児を用いた**双生児研究**が行われています。

②環境的要因とは、**外部の環境**が発達に与える影響のことを指します。たとえ遺伝的に同一の子ども（一卵性双生児）でも、与えられた**環境**によって、その発現には差異が生じることが知られています。

2 成熟優位説と環境優位説

(1) ゲゼルと成熟優位説

　馬や牛などの**離巣性◆**の動物の場合、新生児は生まれてからすぐに立って歩くことができます。これは、遺伝的に規定された運動機能が、胎内である程度完成している証拠といえます。このように後天的な環境に左右されずに遺伝的な資質が発現していく発達の仕方を「**成熟**」といいます。

　子どもの発達において、成熟優位説を唱えた代表的な研究者は**ゲゼル◆**です。彼は学習が成立するためには、学習を可能とする**準備状態（レディネス）**が成熟している必要があり、それは経験では補えないと考えました。つまり、ハサミの使い方を学習するためには、その年齢相当の運動機能が成熟している必要がある、と考えました。

用　語

◆離巣性
　生まれてすぐに巣や親もとを離れ、自立して生活する性質のこと。反対に生まれてからしばらくは親に養われて親もとにとどまる性質を就巣性という。
…▶ p.34

人　物

◆ゲゼル
　Gesell, A.L.
(1880-1961) アメリカの心理学者。ゲゼルは学習を可能とする準備状態を「レディネス（学習の準備性）」と呼んだ。

⑵ ワトソンと環境優位説

　生まれてから環境との関わりの中で身に付けていく行動の変化を「学習」と呼びます。子どもの発達において、環境優位説を唱えた代表的研究者は**ワトソン**◆です。彼は、**パブロフ**◆の実験に刺激され、「白ネズミを怖がる」という行動を、幼児に後天的に学習させることに成功しました。

　このことから、遺伝的な要因にかかわらず、どのような行動も、学習によって獲得が可能であると考え、学習が成立するための法則の理解を重要視しました。その流れは、今でも行動主義と呼ばれ研究が続けられています。

③ 遺伝と環境の相互作用

　発達においては、遺伝を重視する立場と環境を重視する立場とが対立してきました。しかし、遺伝と環境の双方が発達に寄与するという輻輳説が示され、現在では相互作用説が一般的になってきています。

⑴ シュテルンの輻輳説

　ドイツの心理学者シュテルンは、発達は遺伝的要因と環境的要因が加算的に作用し、その和で決まる、とする輻輳説を提唱しました。この輻輳説を図式化したのがルクセンブルガーです。例えば、右の図で、Xが左に移動すれば遺伝の影響が強くなり、環境からの影響が小さくなります。

⑵ 相互作用説

　遺伝と環境の影響は、足し算のように単純なものではなく、相互に作用しあっていると考えるのが相互作用説です。なかでも、ジェンセンは、環境要因から受けた影響が、ある一定の水準に達したときにその特性が発現する、という環境閾値説を提唱しました。もって生まれた才能を伸ばすにはそれなりの環境が必要であるという考え方です。

　例えば、音楽の素質が開花するには、ある程度の環境や訓練等の環境的な要因が必要で、**閾値**◆が高いとされています。また、学業成績も環境の重要度が高いといえます。一方で、身長のように環境にそれほど影響を受けないものは

閾値が低いと考えます。

　このように、遺伝的素質が具体的な形としてあらわれるためには**一定の環境的要因**が必要であり、また、必要な環境的要因の量や質は、それぞれの**遺伝的要因の特性**によって異なると考えるのです。

ここで チャレンジ

問題　次の記述で正しいものに○、誤っているものに×をつけよ。

1. 輻輳説は、「遺伝か」「環境か」と両方を対置するのではなく、その両者が加算的に作用するとする考え方である。

2. 環境優位の考え方をする研究者に、ゲゼル（Gesell, A.L.）がいる。

3. 相互作用説では、遺伝と環境の影響は足し算のように単純なものではなく、相互に作用しあっていると考える。

4. ゲゼル（Gesell, A.L.）は、生得的に内在する能力は時期に応じておのずと展開していくと考え、学習ができるようになる心身の準備性があるとした。

5. シュテルンは、環境要因から受けた影響が、ある一定の水準に達したときにその特性が発現する、という環境閾値説を提唱した。

6. 環境閾値説では、遺伝的素質があらわれるために必要な環境的要因の量や質はそれぞれの遺伝的要因の特性によって異なると考える。

7. 生活習慣を身に付ける過程においても、幼児が主体的に取り組めるように、保育士等は個人差を踏まえた配慮をすることが大切である。

8. 乳児期は、情緒的な絆が形成され、人に対する基本的信頼感を育む時期であり、子どもの欲求に対しては特定の大人の応答的な関わりが必要である。

解答

1 ○　**2** ×　**3** ○　**4** ○　**5** ×　**6** ○　**7** ○　**8** ○

2　ゲゼルは成熟優位説の立場にある。

5　環境閾値説を提唱したのは、ジェンセンである。

子どもの発達過程

出題
point
- 感覚、運動、感情、言葉、認知の発達
- 愛着の発達と基本的信頼感の獲得
- 社会性の発達と心の理論、社会的相互作用

 1　身体的機能と運動機能の発達

1　感覚の発達

　感覚の発達は、胎児期に始まり、**生後半年頃**までには一通り備わります。

(1) 触覚

　５感の中で、最も早いうちから発達し始めるのが**触覚**です。**妊娠8週頃**には、皮膚感覚が口唇部から発達し始めます。**妊娠4か月頃**になると、おなかの中で指しゃぶりをするようになります。

(2) 味覚・嗅覚

　生後間もない新生児のうちから、**甘い**、**苦い**といった味覚を区別することができます。また、新生児は母親の**母乳の匂い**を嗅ぎ分けることもできます。

(3) 聴覚

　胎児期から様々な音に反応することが確認されています。母親の高い声（マザリーズ）を好むことや、大きな音に対して心拍数が上昇することなどがわかっています。

(4) 視覚

　新生児の視力は **0.01** 程度であり、焦点が合うのは目の前20 ～ 30 センチほどの間です。これは、ちょうど抱きかかえられたときに母親の顔が見える程度の距離です。

★**check**✦
　近年、新生児の能力について再検討が進み、生まれたばかりの新生児でも、持てる能力を生かして環境に働きかけ、応答していると考えられるようになった。このような考え方を「有能な赤ちゃん」と呼ぶ。

★**check**✦
　話しかけの声のリズムに合わせて身体を動かす「相互同期性」は、新生児期からすでにみられる。

ファンツの**選好注視法◆**の実験では、乳児は知らない物を**注視する**傾向があり、この時点で顔に似た図形を好むことがわかっています。そしてこのような状態から、**生後半年頃**には、0.1 程度の視力を獲得していきます。

2 運動機能の発達

運動機能の発達は、胎児期から準備される自動的な運動反応である**原始反射**の段階から、バランス感覚の発達、移動運動の発達を経て、複雑な**協調運動**の発達へと進みます。協調運動とは、目、手、足など複数の器官を協調させて行う運動のことです。

3 原始反射（新生児反射）

新生児の運動で代表的なものに反射があります。反射とは、特定の刺激に対して自動的に起きる運動のことです。反射自体は大人にもありますが、新生児にみられる反射を原始反射と呼びます。唇に手が触れると吸おうとする**吸啜反射**など、来るべき運動機能を準備し、未熟な運動機能を補うために存在していると考えられます。そのため、大脳を中心とする**中枢神経系**が発達し、姿勢や筋肉をコントロールすることが可能になってくると消失していきます。

■ 原始反射の主な種類 ■

- **把握反射（ダーウィン反射）**：手のひらに触れた物を強く握ろうとする。
- **バビンスキー反射（足裏反射）**：足の裏をこすると、足指を扇状に開く。
- **吸啜反射**：唇に触れた物を吸おうとする。
- **モロー反射（抱きつき反射）**：仰向けにする、頭の位置を急に変える、大きな音や光を出す、などの刺激によって、両手両足を広げた後、抱きつくようにする。
- **緊張性頸反射**：仰向けの状態で頭部を左右に向けると、向けているほうの手足を伸ばし、反対側の手足を曲げる。
- **自動歩行反射（原始歩行）**：両脇を支えて足を床に触れさせると、歩くように足を交互に動かす。

用語

◆選好注視法
　アメリカの発達心理学者ロバートL.ファンツ(1925-1981)が行った実験。乳児の前に2つの図形を提示し、どちらを長く見つめるかという点から、乳児の視覚について検証した。
図の例：

check
　原始反射が消失時期を過ぎても残っている場合は、中枢神経系の発達の遅れが疑われることがある。

原始反射
⇒⇒ 下 p.114

4 バランス感覚

全身のバランスをコントロールし、様々な状況の中で姿勢を制御することを、バランス感覚の発達といいます。**首がすわる**ことに始まり、座ったり、立ったり、という基本的な姿勢の制御ができるようになると、**4歳頃**には走ったり、跳びはねたり、片足で立ったりと、全身のバランスを取る能力が発達し、身体の動きが巧みになります。

5 粗大運動

バランスを崩して重心を移動させる**移動運動**や、姿勢に関わる運動を粗大運動といいます。**寝返り**に始まり、四つん這いでの**はいはい**、**つかまり立ち**を経て、独力で歩けるようになると、より多様な**探索行動**◆が可能になります。

6 微細運動

手足を用いた精密な動作を微細運動といいます。**生後6か月**を過ぎると、物をつかむことが巧みになっていきます。これは、目と手を協調させて、同時に行うことが必要な動作である点から、**協調運動**ということもあります。

2歳を過ぎると指先をうまく使えるようになり、衣類の着脱なども自分でやろうとし始めます。

7 運動発達の方向性

運動発達には一定の方向性があり、①**頭部**から**尾部**（脚部）へ、②身体の**中心部**から**周辺**（末梢）へ、③**粗大運動**から**微細運動**へと発達していきます。

2 感情の発達と自己制御

1 感情の分化

ブリッジスは、生後間もない時期の感情は**未分化**であり、はじめにみられるのは神経系の**興奮状態**であると考えました。乳児が示す不快や苦痛に親が適切な対応を繰り返すことで感情が分化していき、生後3か月頃を過ぎると**怒り**や**嫌悪**を表現できるようになります。また、運動機能の発達

用 語

◆探索行動
　子どもが不慣れな環境におかれたときに示す行動を指す。幼児は特定の大人を安全基地として利用することで、積極的に探索行動を行う。
探索行動
•••> p.25

安全基地
•••> p.63

✦ check ✦
　乳児が生後2か月頃、自分の手を目の前にかざして熱心に見つめるような行動を「手かざし（ハンド・リガード）」と呼ぶ。

✦ check ✦
感情の分化の例：

快

➡ | 喜び | 愛情 |
　 | 得意 | など |

不快

➡ | 苦しみ | 怒り |
　 | 恐れ | 嫉妬 |
　 など

が進み危険な状況を体験することで**恐怖心**が芽生えます。一方、親の歓喜や言動に対しては誇らしく、得意げになり、大人への**信頼感**や**愛情**につながっていきます。

2 情緒応答性と情動調律

　養育者は、乳児が言葉を話せないうちから、その表情や行動などを手がかりに、それらに呼応して情緒をなぞり応答します。このときの適切な応答を**エムディ**は**情緒応答性**と呼び、この現象を**スターン**は**情動調律**という言葉で説明しました。

3 自己意識（自我）、自己認知

　生まれたばかりの新生児は、まだ「自分」という感覚に乏しく、自分と他人の区別もついていません。それが可能になるのは、**1歳半頃**といわれています。自己の認知に関する実験としては**ルージュテスト**があります。

■ ルージュテスト ■

　子どもに気づかれないように鼻の頭に口紅をつけておき、その後、子どもに鏡を見せたときの反応を見る実験。鏡を見て自分の鼻を触れば、鏡の映り姿は自分と認知していることになる。自分の鼻を触る子どもは**1歳半頃**から増え始め、**2歳頃**には多くなる。

4 自己主張と自己抑制

　自分の気持ちや欲求を主張するようになる**自己主張**は、自己意識の高まりと共に、**1歳半過ぎ**から増えていき、**2～3歳頃**には目立つようになります。一方、集団生活においては、自分の気持ちや欲求を我慢したり、順番を待つ必要も出てくるわけですが、これは**自己抑制**と呼ばれます。自己主張と自己抑制は自己を制御する能力であり、自己主張は**4～5歳頃**までには落ち着いていきますが、自己抑制は**6～7歳頃**まで発達し続けます。

check
　ルージュテストは、ルイスとブルックスガンが生後9～24か月の子どもに行った実験である。

check
　幼児が自分の気持ちや欲求を強く主張するようになる時期を、「第一次反抗期」と呼ぶ。

5 乳幼児期の防衛機制

　自分の欲求が満たされないと無意識にストレスから身を守ろうとします。このような自我の働きを**防衛機制**といいます。乳幼児期にも次のような行動で感情を調整している子どももいます。

■ 主な防衛機制 ■

退行	今の発達よりも低い発達段階に後戻りして欲求を満たそうとする。
抑圧	不安や嫌なことを思い出させることを意識から排除しようとする。
逃避	現実から逃れて欲求を満たそうとする。
合理化	もっともな理由をつけて自分を正当化する。

6 新生児の行動評価

　ブラゼルトンは新生児の泣きやすさや泣きやみやすさに個性があるととらえ、新生児と環境との関わりを通して新生児の行動評価を作成しました（**新生児行動評価**）。新生児の最良の反応を引き出し、望ましい行動発達への援助を手助けする指標となっています。

3 言葉の発達

1 ターン・テーキング

　新生児の頃から、相互にやりとりするコミュニケーションの原型がみられます。授乳時の母子間のやりとりでは、新生児が吸乳を休むと、母親が話しかけたりして、その後また吸乳が再開します。このような役割を順番で交替する相互のやりとりは、**ターン・テーキング**と呼ばれます。言語を用いて会話するときの、互いに順番を交替して行うやりとりの学びは、すでにこの頃から始まっているのです。

2 音声の発達

　新生児が発する初めての音声は**産声**であり、その後は泣き声によって快不快を伝えるようになります。

(1) 生後 2 か月頃から（クーイング）

生後 2 か月頃からは、「アー」といった、のどを鳴らすような音声をつくれるようになります。これをクーイングと呼びます。

(2) 4 か月頃から（喃語<ruby>喃語<rt>なんご</rt></ruby>）

4 か月頃になると、乳児は様々な音声を発するようになります。初めの頃は音の高さやリズムの異なる1音節の音声で、これが喃語（不完全喃語）と呼ばれるものです。そして喃語が次第に整えられ、同じ音を反復して発声できるようになったものを、反復喃語（規準喃語）と呼びます。

反復喃語は、6 か月頃から聞かれるようになります。乳児は母親からの働きかけに対して、次第に身振りなどとともに喃語で応答するようになっていきます。

3 言葉の理解

乳幼児が言葉を獲得するためには、言葉を表出する能力とともに、言葉を理解する能力が必要です。言葉を理解する能力は、幼児が初めての意味のある言葉（初語）を発するためにも必要な能力です。

(1) 指さし

言葉が出るまでの乳幼児は、親との関わりにおいて、前言語的なやりとり、例えば身振りを用いて自分の欲求や気持ちを表現するようになります。身振り表現の代表的なものが指さしです。

(2) 二項関係から三項関係へ

6 か月頃の乳児にとって、自分と周囲との関係は、自分と母親、自分とおもちゃ、といった単純な関係（二項関係）です。9 か月頃になると、驚いたり喜んだりするとき、その対象を指さして、親と共有するようになります（共同注視、共同注意）。この、自分と相手との間に共有している注意の対象が入る関係を三項関係と呼びます。この関係が、後に象徴機能◆の発達に伴って、言葉を介したコミュニケーションの基礎となっていきます。

👑 check
咽頭部が広がり、舌、唇、あごの形態が発達し、筋肉を協調して動かすことができるようになることで喃語が出現する。

👑 check
新生児期からみられる大人からの働きかけへの同調をエントレインメントという。
…▶ p.27

用 語

◆象徴機能
今ここにないもの（目の前にないもの）を、頭の中でイメージ化して、それを言葉や身振りなど、別のもので表現する（表象する）能力のこと。

■ 大人との関係における指さしの発達 ■

① 大人（親、保育者など）が指さした方向（にある対象物）を子どもが見ることができるようになる。
（大人がする指さし：共同注視（共同注意）としての機能）

↓

② 子どもが何かを見たり、見つけたときに、「あ！」と声を出すなどして指さしをし、「見て！」などの思いを大人と共有しようとする。
（子どもがする指さし：共同注視（共同注意）としての機能）

↓

③ 大人が「○○はどれ？」などと、子どもにたずね、子どもが聞かれたものを指さす。
（子どもがする指さし：応答の指さし。やりとりとしての機能）

4 言語の発達

(1) 1歳頃から

　このように、音声の発達と、三項関係の成立によって準備された結果、1歳頃になると、「マンマ」など、初めて意味のある単語を発するようになります（初語）。その後は、身近な単語や身振りを用いて、呼びかけや拒否、欲求などを盛んに伝えようとするようになります。

　この時期のコミュニケーションは1つの言葉で完結するため、これを一語文と呼びます。一語文は、様々な意味を込めて使われます。例えば、「パパ」という一語で、「パパ、来た」という意味であったり、「パパ、見て」という意味であったりします。

　また、この時期は、言葉の意味を広げたり、狭めたりして使うという特徴もあります。例えば、「ワンワン（犬）」を犬だけでなく、犬と同じ4つ足の動物である猫やライオンにも使ったり（語の過大般用／語彙拡張）、逆に「ニャンニャン（猫）」を、自分の家で飼っている猫だけの意味で使ったりします（語の過小般用／語彙縮小）。

　そして、1歳半頃になると、語彙も増え始め、「ママ、来た」のように2つの単語による二語文を話せるようになってい

きます。

(2) 2歳頃から（語彙爆発）

発声が**明瞭になっていく**とともに、**扱える語彙の増加**がめざましくなっていきます。これを**語彙爆発**と呼びます。この頃から、日常生活においても言葉を用いて自分の気持ちを表現し、**自己主張**できるようになっていきます。

5 外言（がいげん）から内言（ないげん）へ

3歳頃の子どもたちは、一人でないときでもブツブツと独り言（独語：パーソナル・スピーチ）をつぶやいていることがあります。**ピアジェ**◆はこれを、思考のための内的な言語が、他者に向けられた社会的な言語に移り変わっていく過程で生じると考えました。つまり、子どもの独語は未熟なため、うまく他者に向けられない言葉であり、その意味で「自己中心的言語」なのだと考えました。

それを批判したのが**ヴィゴツキー**◆です。彼は逆に、言語は他者とコミュニケーションをとるための言葉（外言）として生じ、発達の過程で自分の頭の中で情報を整理し、思考するための言葉（内言）としても用いられるように変化していくと考えました。

今では、子どもの独語は、**会話のための言葉**が、思考のための道具に変化していく過程で生じるものと理解されています。

4 認知の発達

認知とは知ることであり、**認識**とも呼ばれます。認知過程という場合は、人間が感覚・知覚したものについて思考し、判断するまでの一連の心的過程を指します。

認知発達について、代表的な研究を行ったのが発達心理学者ピアジェです。ピアジェは認知の発達を**同化と調節**◆という2つの働きによって、子どもが世界を認識するための「**枠組み**」（シェマ）を変化させていくプロセスと考え、主に4つの段階からなる認知発達の理論を提唱しました。

人 物
◆ピアジェ
Piaget, J.
(1896-1980) スイスの発達心理学者。

人 物
◆ヴィゴツキー
Vygotsky, L.S.
(1896-1934) ロシアの発達心理学者。

check
子どもの独語を注意して聞いていると、「こうかな、あかな」「あ、違う」など、自分の思考を助けるために自分に向けて語りかけていることがわかる。

用語
◆同化と調節
「同化（アシミレーション）」とは、体験したことを、「枠組み」に取り込んでいくこと。
「調節（アコモデーション）」とは、「枠組み」に取り込めない体験に合わせて、「枠組み」の方を変えていくこと。

■ ピアジェの認知発達段階 ■

①感覚運動期		0 〜 2 歳頃
②前操作期	前概念的思考	2 〜 4 歳頃
	直観的思考	4 〜 7・8 歳頃
③具体的操作期		7・8 〜 11・12 歳頃
④形式的操作期		11・12 〜 14・15 歳頃

(1) 感覚運動期 （0 〜 2 歳頃）

　感覚運動期には、同じ行動を繰り返しながら（循環反応）、次第にそれを複雑化させていきます。その結果、幼児が象徴機能を獲得することで次の段階に進みます。

■ 感覚運動期 ■

第 1 段階	反射期（誕生からほぼ 1 か月くらいまで）	例 把握反射により物をつかめる。
生得的な反射に基づき外界とかかわりはじめる。		
第 2 段階	第 1 次循環反応期 （1 〜 3 か月）	例 クーイングのように喉をしめて息を出すと音が出ることに気づき、繰り返す。
動くものを目で追ったり、手にさわったものを口に持っていったりするなど、反射的行動とは異なる動きがみられるようになる。		
第 3 段階	第 2 次循環反応期 （3 〜 8 か月）	例 目と手が協応し、ガラガラに手を伸ばし触れると音が出ることに気づき繰り返す。
関心のあるものに触る（リーチング）と音が出る等、ある行動が周囲に対してどういう結果をもたらすかといった道具化された反応があらわれる。		
第 4 段階	2 次的シェマの協応期 （8 〜 11 か月）	例 少し離れたところにあるおもちゃをとるためにおもちゃについている紐を引っ張ろうとする。
直接的には到達できない目的を追求したり、目的を追求するためにいろいろな手段を用いたりするようになる。		
第 5 段階	第 3 次循環反応期 （11 か月〜 1 歳 4 か月）	例 高いところにあるおもちゃをとるために台や棒を使って様々な方法で試し、新しい手段を発見する。
自分の行動に新しい結果を積極的に求めようとする。意図的（実験的）に確かめることによって、自分の行動の調整を図る能力が発達する。		
第 6 段階	心的表象の発現期 （1 歳 4 か月〜 2 歳）	例 高いところにあるおもちゃをとるために、頭の中で見通しを立て、最初から有効的な手段を用いる。
物事に取りかかる前に予想して、目に見える試行錯誤的な行動よりも、目に見えない行為（思考力を働かせるなど）によって解決する工夫がみられる。過去に見たことや現実にない事象を心の中でイメージして扱うことができる。		

(2) 前操作期（2〜7・8歳頃）

前操作期は、2〜4歳の前概念的（象徴的）思考の段階と、4〜7・8歳の直観的思考の段階に分けられます。

前概念的思考の段階では、言葉の使用と象徴機能の発達によって、人形を赤ちゃんに見立てる、といった見立て遊びや、「〜のふり」といったふり遊び、簡単なごっこ遊びがみられるようになります。

続く直観的思考の段階では、漠然としていたイメージ（表象）が関連付けられ、整理されて、目の前の犬と、「プードル」や「動物」といった一般的な概念との対応関係が理解できるようになっていきます（概念化）。ただし、この時期には、保存の概念が獲得されていません。保存の概念は、場所を移動するなどして見かけが変わっても、その物自体に手を加えなければ、大きさ、長さ、量などの本質は変化しないという考え方です。保存の概念が未獲得であると論理的な思考が難しく、例えば、並べたおはじきの間隔を広げたり列を増減させたりして見かけを変化させると、幼児は正しい数の判断ができなくなります。

また、他者からの視点があるということが理解できず、物事を自分から見える姿や、見かけだけで判断するという自己中心性があります。

(3) 具体的操作期（7・8〜11・12歳頃）

保存の概念を獲得する時期です。具体的な物事であれば概念を用いた論理的思考（操作）が可能になり、見かけの変化にまどわされずに判断できるようになります。また、自分から見える姿にとらわれることなく他者の視点を理解できるようになり、自己中心性から脱していきます。

(4) 形式的操作期（11・12〜14・15歳頃）

具体的ではないものであっても、論理的思考の対象とするようになります。仮定の話（仮説）を現実に当てはめて、その「もっともらしさ」を組織的に検証することができるようになります（仮説演繹的思考）。

👑 **check**

前操作期の幼児は「石が泣いている」など、生命や意思がないものの働きを認めることがある（アニミズム）。また空想上のものが現実の世界に実在すると考えることがある（実念論）。

👑 **check**

最も獲得が容易なのが数の保存で、質問の工夫次第で7歳以前でも可能となる。

量や長さの保存→重さの保存→体積の保存の順に理解が難しくなっていく。

5 愛着の発達

1 母子関係

ボウルビィ◆は、**ハーロー**◆らのアカゲザルの実験に影響を受け、母親と子どもの間にある情緒的絆（愛着：**アタッチメント**）の重要性と、その発達の段階を示したことで知られています。

乳児には、生まれつき、泣く、笑う、抱きつく、見つめるなど、養育者の養育行動を引き出す行動（愛着行動）が備わっています。特に、不安なときに慰めるなど、養育者がいち早く**一貫した応答を繰り返し示す**ことで、乳児は養育者に強い信頼と愛情を寄せるようになります。この最初の人間関係を通して、乳児は他者に対する**基本的信頼感**を獲得していくのです。

この情緒的絆（愛着：**アタッチメント**）の特定の対象は、母親といった養育者だけに限られるものではありません。父親や祖父母のほか、保育者などもその対象となることが知られています。

■ ハーローのアカゲザルの研究 ■

> **ハーロー**は、アカゲザルの赤ちゃんに代理母として針金製の人形と布製の人形を与え、どちらを好むかを実験しました。その結果、たとえ布製の代理母からミルクを貰えなかったり、針金製の代理母に哺乳瓶がついていたりしたとしても、赤ちゃんは**布製の代理母**に好んでしがみつくことがわかりました。
>
> このことから、愛着の形成には、単なる生理的欲求以上に、接触や温かさなどによる慰めが必要であることがわかります。

2 ボウルビィの愛着理論

ボウルビィは、愛着の発達を、乳幼児の**愛着行動**や養育者とのやりとりから、4つの段階に分けています。

(1) 第1段階（出生〜12週頃）：初期の愛着段階

人物を問わず、目で追ったり、声の方向を向いて注視し

たりします（注視行動）。

(2) 第2段階（12週頃〜6か月頃）：愛着形成段階

特定の人物を目で追ったり、ほほ笑みかけたり、声を発したり、身振りなどで相手を自分に引き付けようとします（信号行動）。

(3) 第3段階（6か月頃〜2・3歳頃）：明確な愛着段階

信号行動に加えて、子どもからしがみついたり、後を追ったりするようになり（接近行動）、特定の人物との間に明確な愛着関係が成立します。同時に人見知りが始まり、見知らぬ人物や状況に不安を感じると、愛着対象にしがみつき、安心を求めるようになります（安全基地）。不安な状況でも必ず守ってもらえるという確信を持てるようになると、養育者を安全基地として利用しながら、少しずつ周囲を探索し（探索行動）、世界を広げていけるようになるのです。

…check
「人見知り」の出現は、養育者との間に愛着関係が成立しているサインとなる。

安全基地
…▶ p.63
探索行動
…▶ p.16

(4) 第4段階（3歳前後〜）：目標修正的協調関係の段階

養育者の感情や状況をある程度推測できるようになり、自分の行動を調節できるようになります。それに伴い、注視行動、信号行動、接近行動などの愛着行動は弱まっていきます。

3 ストレンジ・シチュエーション法

エインズワース◆が、親子間の愛着の質を調べるための実験法として開発したのがストレンジ・シチュエーション法です。この実験は1歳前後の乳幼児を対象に、主に3つの場面での反応を観察します。

👤人物
◆エインズワース
Ainsworth, M.D.S. (1913-1999) アメリカの心理学者。愛着理論や安全基地の研究で知られている。

> ストレンジャー場面：見知らぬ他人（実験者）が入室。
> 分離場面：子どもを残して、母親が退室。
> 再会場面：母親が入室し、子どもと再会。

エインズワースは、乳幼児にみられる愛着パターンを、実験結果から主に3つに分類しました。

① Aタイプ（回避型）

はじめから母親に無関心で、母親との分離に混乱をみせ

…check
愛着の質の違いは、内的なスキーマ（内的ワーキングモデル）を形成し、その後の人間関係の持ち方に影響を与えるが、各タイプの分布には文化差があり、必ず問題を生じるわけではない。

ず、再会時にも母親を避ける様子をみせる。

② **Bタイプ（安定型）**

母親がいれば他人の存在は気にしない。母親との分離に混乱し、母親との再会によって安心する。

③ **Cタイプ（アンビバレント型）**

母親との分離に混乱し、母親との再会によっても不安が収まらず、抱きつく一方で怒りや抵抗をみせる。

4 ホスピタリズム

幼児の愛着行動に対して、一貫して応答する養育者が存在しない状況を、母性剥奪状況（マターナル・デプリベーション）と呼びます。この場合、生理的欲求を満たされていた場合でも、心身の発達や対人関係、精神的な安定に大きな影響が生じます。ボウルビィが観察した当時は、養護施設に入所している児童にみられたため、ホスピタリズム（施設病）と呼ばれ、母性的養育が必要な理論的根拠となりました。現在では、むしろ家庭における虐待との関係が問題視されています。

のちに、ABCの3分類に収まりきれない第4のタイプである無秩序・無方向型の存在も見いだされた。

 6 社会性の発達

1 「3か月微笑」と「8か月不安」

乳児は、生後間もない頃から人の声や顔に反応します。新生児でも、大人が舌を出したり、口を開けたりすると同じように共鳴動作をします。これは原初模倣とも呼ばれるもので、新生児は意図して顔の表情を作っているわけではありませんが、人間における相互のやりとりの元となるものです。

新生児の微笑は、特定の誰かに向けられたものではなく、生理的な反応として始まります（生理的微笑）。それが生後3か月頃になると、あやしてくれる人に向けてほほ笑むようになり（3か月微笑）、その後次第に、母親の顔など、特定のものにほほ笑むようになります。このように、外からの

check
「3か月微笑」「8か月不安」は、アメリカの心理学者で精神分析学者であるスピッツが提唱した。

刺激によって生じる社会的な意味を持った微笑を、「社会的微笑」と呼びます。

また、誰にでも笑顔を向けていた乳児が生後8か月頃になると見知らぬ人を怖がったり、不安を示したりするようになります（8か月不安）。これは一般に「人見知り」といわれるものであり、乳児が個人の違いを認識し、養育者との間に特別な関係（愛着関係）を築いた証拠でもあります。

2 エントレインメント

生まれて間もなくから新生児と養育者の間に、響き合うような相互作用がみられます。養育者の呼びかけに対して新生児は体を動かし、養育者はそれに同調して呼びかけを続けます。コンドンとサンダーは、これをエントレインメントという現象として報告しました。

3 共同注視（共同注意）

9か月頃になると、他人の視線を追って、自分も同じ物に注意を向けたり、注意を向けたい物に、視線や指さしで他人の注意を向けさせたりするようになります。このように自分と他人が同じ対象を同時に見て、何を見たり、指さしをしているかを相互了解することを共同注視（ジョイント・アテンション）といいます。

4 社会的参照

視覚的断崖の実験◆において、乳児は机の上を、母親のところまで這っていくことを求められます。しかし、机の板は一部が透明になっており、いわば視覚的な断崖絶壁になっているのです。このとき乳児は、向こうで待っている母親が、心配そうにしたり、不安そうにしていたりすると渡りません。つまり、母親の表情を判断材料に用いていることがわかったのです。

このように、乳幼児は1歳前後になると、判断に迷うような状況のときに、他人の表情などを手がかりにできるようになっていきます（社会的参照）。

用 語

◆視覚的断崖の実験
　エレノア・J・ギブソンとウォークらによって行われた実験で、もともとは乳児が奥行き知覚を備えているかを測定するために行われた。

5 心の理論

2歳以降、子どもたちに**自己主張**が目立つ頃になると、子どもたち同士の間でも意見の衝突が起き、お互いの思いがぶつかることがあります。この時期、子どもたちはまだ自分の考えと他人の考えが別ものであるということがわからないため、「相手の気持ちになって考える」ことができません。

動物学者**プレマック**らは、このような「相手（他者）の気持ち」を推測するための能力や枠組みのことを、「心の理論」と呼びました。「心の理論」の発達には議論がありますが、イギリスの発達心理学者バロン＝コーエンは、「**サリー・アン課題**」を用いた研究から、おおむね4歳頃には「心の理論」を発達させ始めるとしています。

自己主張
••▶ p.17

check
バロン＝コーエンは、自閉症児の特徴を、「心の理論」の障害と考えた。

■ サリー・アン課題 ■

1．サリーとアンの前に、バスケットと箱がある。
2．サリーがバスケットにボールをしまって立ち去る。
3．アンがボールを箱に移し替えて立ち去る。

子どもに以上のお話をしたあと、「戻ってきたサリーは、『バスケット』と『箱』、どちらを先に探すでしょうか？」と質問する。

子どもが自分の知識（ボールは「箱」の中）と、サリーの知識（ボールは「バスケット」の中）を区別し、サリーの心の動きを推測できると、「バスケット」と答えることができる。しかし、「心の理論」が未発達だと、自分の知識から「箱」と答えてしまう。

check
サリー・アン課題とは、誤信念課題と呼ばれる実験の一つで、ほかに有名なものに「スマーティ課題」がある。
この場合、子どもに直接、お菓子（スマーティ）箱の中に入っている「鉛筆」を見せ、「他の人に見せたら、何が入っていると言うと思うか」を尋ねる。

6 集団の発達

(1)幼児期の集団

4歳頃になると、仲間とのつながりが強くなる分、**競争心**も激しくなり、仲間同士での葛藤の経験も増えます。そして5歳頃には、**決まり**や**ルール**を守ることを覚え、集団として行動することができるようになっていきます。

6歳頃になると、**仲間**の中でのルールや意思を重視し、大人に認められるよりも、**仲間**に認められることを求め、集団の一員であることに喜びを感じるようになっていきます。

集団の中での自分の役割を意識するようになり、組織として行動できるようになります。

(2) 児童期の集団

児童期になり、学校に通うようになると、集団の形が変わっていきます。男の子同士で徒党を組んで危険な遊びをしたり（ギャンググループ）、女の子同士でいつも一緒の行動をとったり（チャムグループ）、といった特徴がみられるようになります。これらの集団は、大人の判断に頼っていた子どもが自立していくために必要なもので、拠り所としての高い凝集性と同質性を求めてつくられるものです。

(3) 青年期の集団

青年期になると、自分で判断し考えられるようになっていきます。同じ考えを持った人同士の集団よりも、異なった考えを持った人と互いの意見をぶつけ合えるような関係の集団が求められるようになっていきます（ピアグループ）。

ピアグループ
••▶ p.44

7 道徳性の発達

ピアジェは、子どもの道徳性は他律的道徳性（大人の指示や権威など、既存の道徳に従うこと）から自律的道徳性（自分たちで話してルールを決めたり変えたりすること）へ進むと考えました。ピアジェはまた、子どもの道徳的判断の基準についても、8〜9歳頃を境として、行為の結果（被害の大きさなど）から行為の動機（悪気の有無など）を重視するものへと移行すると考えました。

ピアジェ
••▶ p.21

コールバーグ◆は、道徳的判断の発達について研究するために、モラルジレンマと呼ばれる方法を用いました。モラルジレンマは、「病気の妻を助けるために、高価な薬を盗むことを認めるか認めないか」という状況に対する反応から、道徳的判断の発達を調べようというものです。

コールバーグの道徳性発達理論では、人間には3つの道徳水準があることを説明しています。水準1は、前慣習的段階と呼ばれる段階で、「損か得かで判断する道徳」段階です。水準2は、慣習的段階で、集団（会社など）や法律、規範に

◆コールバーグ
Kohlberg, L.
(1927-1987) アメリカの心理学者。モラルジレンマ（道徳的葛藤）は小中学校の道徳教育の授業にも展開されている。

♛ check
コールバーグの道徳概念は、「正義」に偏りすぎているとの批判（ギリガン）もある。

基づいて道徳的振る舞いをする段階です。水準３は、**脱慣習的段階**で、存在する社会的な規範や法律に従うだけでなく、普遍的な倫理的原理に基づき、自らの良心から非難を受けないようにすることで、道徳的振る舞いを行う段階です。

8 向社会的行動

困っている人を助ける、悲しんでいる人を慰める、自分のものを人に分けるなどの行動を**向社会的行動**といいます。**アイゼンバーグ**◆は、幼児期から青年期までの向社会的な道徳判断の発達は、次第に内面化していくと考えました。

9 役割取得（社会的視点取得）能力の発達

他者の立場に立って、相手の考えや感情を推測し、理解する能力を**役割取得能力**といいます。役割取得能力の発達段階を示した**セルマン**によれば、幼児期の終わり頃までは自分と他者の視点の区別は難しいとされています。

 覚えょう！ ● ● ● ● ● ● ● ● ● ● ● ● ● ● ●

●**集団の分類**●

①**ギンググループ**
小学生頃の男の子に特徴的な集団で、一緒に同じ遊びをしたり、ルール破りをしたりすることで一体感を得る。

②**チャムグループ**
中学生頃の女の子に特徴的な集団で、同じ趣味や関心など、共通点や類似点を確認し合うことで一体感を得る。

③**ピアグループ**
高校生以降にみられる集団で、お互いの価値観や理想を議論し、ぶつけ合う中で異質性を認め合う。

7 社会的相互作用

1 発達の最近接領域

ヴィゴツキーは、子どもの発達において、大人たちやその背後にある文化との相互作用を重視し、子どもの知的発達を**自力で問題解決できる水準**と、**周囲の援助や協力によって初めて解決できる水準**とに分類しました。この２つの発

ヴィゴツキー
•••> p.21

人 物
◆**アイゼンバーグ**
Eisenberg, N.
（1950 ～）アメリカの心理学者。子どもにみられる向社会的行動の動機についての発達的変化を示した。

達水準の間は、「発達の最近接領域」と呼ばれます。

　例えば、A児は、折り紙で手裏剣を一人で作れるとします。もう一方のB児は、一人では手裏剣を作れません。しかし、保育者やA児から教えてもらったり、本を見ながらヒントを得たりして作ることができました。A児とB児の発達には「へだたり」があります。この「へだたり」が発達の最近接領域であり、子どもの発達の潜在領域を意味しています。

　このように、大人が子どもの「発達の最近接領域」に上手に働きかけることで、子どもは、大人との関わりにおいてできていたこと（精神間機能）を、次第に自分だけでできるようになっていきます（精神内機能）。

２ エコロジカル（生態学的）システム

　ブロンフェンブレンナー◆は、子どもとその環境は相互に影響し合うものと考え、子どもと環境との相互作用を、子どもを同心円状に取り巻いているシステムから説明しました。それぞれのシステム（環境）は子どもの成長や、時代の変化などからも影響を受け、流動的に変化します。

■ 子どもを取り巻くエコロジカルシステム ■

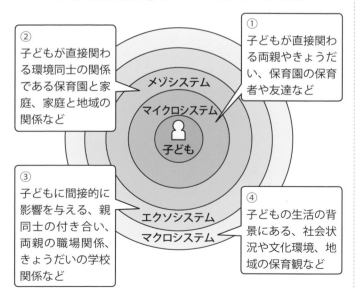

② 子どもが直接関わる環境同士の関係である保育園と家庭、家庭と地域の関係など

① 子どもが直接関わる両親やきょうだい、保育園の保育者や友達など

③ 子どもに間接的に影響を与える、親同士の付き合い、両親の職場関係、きょうだいの学校関係など

④ 子どもの生活の背景にある、社会状況や文化環境、地域の保育観など

メゾシステム
マイクロシステム
子ども
エクソシステム
マクロシステム

👤人　物
◆ブロンフェンブレンナー
　Bronfenbrenner, U.（1917-2005）ロシア出身のアメリカの心理学者。

👑check
　取り巻く環境との関係の中で子どもを理解し、支援することが重要である。

31

ここで **チャレンジ**

問題 次の記述で正しいものに○、誤っているものに×をつけよ。

1. ブロンフェンブレンナー（Bronfenbrenner, U.）は、子どもを取り巻く環境をアシミレーション（同化）とアコモデーション（調節）の概念からとらえた。

2. ボウルビィは、親子間の愛着の質を調べるための実験法としてストレンジ・シチュエーション法を開発した。

3. ハーロー（Harlow, H.F.）は、猿の代理母実験から、愛着形成における接触刺激の重要性を示し、愛着対象は安全基地として機能することを示した。

4. ピアジェ（Piaget, J.）は、並べたおはじきの間隔を広げ、見かけを変化させると幼児は数の正しい判断ができなくなることを示した。

5. 心の理論とは、相手（他者）の気持ちを推測するための能力や枠組みのことをいう。

6. 乳幼児期の防衛機制の一つで、現在の発達より低い段階に後戻りして幼い行動を示すことを抑圧という。

7. 原始反射であるバビンスキー反射は、手のひらに触れた物を強く握ろうとする反射行動である。

8. 3歳になると身体のバランスをとる能力が発達し、様々な全身運動が巧みにできるようになる。

9. ピアジェ（Piaget, J.）の認知発達段階では、2〜4歳を前概念的思考の段階とした。この時期には、見立て遊びやごっこ遊びがみられるようになる。

解答

1× **2**× **3**○ **4**○ **5**○ **6**× **7**× **8**× **9**○

1 子どもと環境要因との相互作用を、子どもを同心円状に取り巻くエコロジカルシステムから説明した。

2 ストレンジ・シチュエーション法を開発したのはエインズワースである。

6 抑圧ではなく、退行についての記述である。

7 把握反射の説明である。バビンスキー反射は、足裏反射である。

8 全身のバランスをとる能力が発達するのは4歳頃である。

1章　保育の心理学

section 3　生涯発達

出題 point
- 初期経験の重要性
- 生涯発達と発達課題
- エリクソンの心理・社会的発達理論

1　初期経験の重要性

1　インプリンティング（刷り込み・刻印付け）

　人間を含めた動物にとって、出生後早期に経験する**初期経験**は、非常に重要な意味を持っています。

　ローレンツ◆は、ハイイロガンのヒナが、生まれてから初めて見た（音を出し動く）ものを、親だと思い込むことを発見しました。これを**インプリンティング**といいます。

　インプリンティングは**生後約30時間**の間に、**一度の学習**で成立し、後から修正することができません。そのためヒナにとっては、生まれてから1日の間の初期経験が、生涯に決定的な影響力を持ってしまうことになります。

2　臨界期と敏感期

　発達においては、インプリンティングのようにある時期を逃すと後で獲得ができず、獲得した後では修正が効かない時期が存在します。これを「**臨界期**」と呼びます。

　例えば、胎児期において主要な器官が形成され、脳が発達していく時期などに薬物や疾患の影響があると、器官の発達に遅れが生じることがあります。ただし、出生後の人間の主要な発達において、取り返しのつかない臨界期が存在するか否か、という点については議論があり、愛着関係の形成や母国語の獲得などについては、取り返しがつかな

人物

◆ローレンツ
　Lorenz, K.
（1903-1989）オーストリアの動物行動学者。

check

　インプリンティングは、人間でいえば愛着の形成に当たる。人間の場合は再学習が可能であり、早期のケアがあればその後の影響は少ない。

いほどではないが、学習や獲得に有利な時期という意味で、「敏感期」という言葉が使われることがあります。

3 離巣性・就巣性

ポルトマン◆は、哺乳類や鳥類を「離巣性」の動物と「就巣性」の動物に分類しました。

「離巣性」とは、**生まれてすぐに巣立つ**という性質のことで、馬や牛などの大型哺乳類がこの性質を持ちます。離巣性の動物の特徴は、少産で長い妊娠期間を経て、ある程度**成熟してから生まれる**という点です。

「就巣性」とは、生後**一定期間巣に居座る**という性質のことであり、ネズミなどの小型の哺乳類や鳥類がこの性質を持ちます。多産で短い妊娠期間を経て生まれ、生後は**未成熟**なため、一定期間巣の中で保護され、養育されます。

離巣性と就巣性の違いは生存戦略の違いであり、できるだけ多くの子孫を残そうとするためだといわれています。

4 二次的就巣性と生理的早産

人間の場合、「**離巣性**」の特徴を持ちながら、新生児は未成熟で養育を必要とする「**就巣性**」の動物のように振る舞います。ここからポルトマンは、人間を「**二次的就巣性**」に分類し、人間だけがこのような特殊な振る舞いをする理由として、「**生理的早産**」をあげました。

生理的早産とは、人間の胎児が本来胎内にいるべき期間よりも**1年ほど早産**で生まれてくることを指しています。生理的早産は、人間の脳が進化の過程で大型化したために、成熟するまで胎内にいると母親の骨盤を通ることができず、出産が困難になったために起こったものです。だからこそ、新生児は出生後、より多くの養育を必要とするのです。

覚えよう！

●**初期経験の重要性を唱えた人物とその考え方**●
- ローレンツ …… インプリンティング
- ポルトマン …… 離巣性と就巣性、二次的就巣性と生理的早産

◎アドバイス◎

人間の乳幼児が養育を必要とする根拠としての、初期経験の重要性を押さえておこう。

2 生涯発達と発達課題

1 生涯発達

　従来、発達心理学は、「児童心理学」「青年心理学」と呼ばれることもあり、子どもが大人になるまでの発達の過程を中心に扱っていました。しかし、その考え方では、大人になってからの変化が考慮されず、残りの人生は老化でしかなくなってしまいます。

　子どもを残すことが人生の目的となる動物たちと違い、人間は大人になってからも様々な発達を続けます。そこで、発達心理学では、近年、新生児期から老年期までの**生涯における発達過程**を視野に入れた「生涯発達」という表現が使われるようになってきました。

2 ライフサイクル（人生周期）と発達課題

　生涯発達という観点から人間の一生をみるとき、それは誕生から死までを1周しながら次の世代へと続いていくライフサイクル（人生周期）ととらえることができます。そして、ライフサイクルのそれぞれの時期（**ライフステージ**）には、次のステージに進むために達成が望まれる課題があります。

　ハヴィーガーストは、これを「発達課題」と呼び、発達課題をうまく達成できないと、次のライフステージへの移行に影響がでるだけでなく、現在の適応にも問題を生じると考えました。

3 エリクソンの心理・社会的発達理論

　ライフサイクルを8つの発達段階に分け、生涯発達理論の草分けとなったのが、精神分析家の**エリクソン**◆です。エリクソンは、**S.フロイト**◆の発達理論を受け継ぎ、自身の**アイデンティティ（自我同一性）**の理論と統合しながら発展させました。

　エリクソンによれば、自我はそれぞれの発達段階において、発達を脅かす**心理・社会的危機**を体験し、それを克服することで次の発達段階に進んでいく**強さ**を手に入れてい

check
　バルテスは、老年期の「英知」という観点から、生涯発達の重要性を主張した。

人物
◆エリクソン
　Erikson, E.H.
（1902-1994）アメリカの精神分析家、発達心理学者。
◆ S.フロイト
　Freud, S.
（1856-1939）オーストリアの精神科医で、精神分析理論の提唱者。
　エリクソンの心理・社会的発達理論の前半は、フロイトの精神・性的発達理論をベースにしている。

くとされます。

　例えば、乳児期の発達課題は「**基本的信頼感**」の獲得ですが、それは、養育者や環境を信じられなくなるような状況を乗り越えることを意味します。そして、不信を乗り越えて環境を信頼することで、乳児は人格的な強さ（ここでは「希望」）を身につけることができるのです。

　逆に、ここで環境を信じきれなかった乳児は、その後の発達段階においても、繰り返し同じ課題に引き戻されることになります。

■ エリクソンのライフサイクル（人生周期）■

check
　幼児期後期は「遊戯期」、成人期は「中年期」と呼ばれることもある。

発達段階	発達課題	心理社会的危機	獲得される強さ
①乳児期 （0〜1歳頃）	基本的信頼感	「信頼」対「不信」	希望
②幼児期前期 （1〜3歳頃）	自律性	「自律」対「恥・疑惑」	意志
③幼児期後期 （4〜6歳頃）	自主性	「自主性」対「罪悪感」	目的
④学童期 （6〜12歳頃）	勤勉性	「勤勉性」対「劣等感」	能力
⑤青年期 （12〜22歳頃）	アイデンティティ(自我同一性)	「自我同一性」対「自我同一性拡散」	忠誠
⑥成人期前期 （22〜30歳頃）	親密性	「親密性」対「孤立」	愛
⑦成人期 （30〜65歳頃）	生殖性（世代性）	「生殖性」対「停滞」	世話（ケア）
⑧老年期 （65歳〜）	統合（完全性）	「統合」対「絶望」	知恵（英知）

 3 胎児期及び新生児期の発達

1 胎児期と新生児期

　受精卵が子宮内膜に着床してから新生児として出生するまでの間を**出生前期**といいます。出生前期は、さらに受精卵が胚葉になるまでの**卵体期**（〜2週間）、**胎芽期**（3週間

～8週間）、胎児期（3か月頃～出生）に区分され、特に胎芽期は、人間としての主要な器官が分化し、形成されていく重要な期間です。そして、**出生後28日未満の時期**を新生児期といいます。

2 多相性睡眠

人間の睡眠は、浅い眠りである**レム睡眠**◆と、深い眠りである**ノンレム睡眠**を交互に繰り返しています。胎生16週から18週になると、すでにレム睡眠の特徴である**急速眼球運動**がみられ、30週頃には明確になっていきます。

新生児は、大人と比べてレム睡眠の割合が多く、睡眠時の半分を占めています。睡眠中の多くはウトウトしているような浅い眠りの状態にあります。

また、大人と同じように昼は覚醒して夜に睡眠をとる「**単相性睡眠**」になるのは5～10歳頃であり、それまでは1日の中で覚醒と睡眠を繰り返す多相性睡眠で、発達につれて少しずつ覚醒の時間を増やしていくことになります。

3 母体からの影響

身体的機能が形成される時期は、外部からの刺激に非常に敏感で、母体から様々な影響を受けます。その意味で、発育に影響を受けやすいのは、妊娠初期に当たる**胎芽期**です。

(1) 母親の飲酒や服薬

妊婦がお酒を飲むと、血中のアルコールが**胎盤**を通って胎児にまで届きます。通常、アルコールは肝臓によって分解され、体外に排出されますが、胎児はまだ肝機能が未発達なため、発達に影響を生じます。特に、母親の慢性的な飲酒によって生じた様々な症状を、**胎児性アルコール症候群**と呼びます。

また、薬物もアルコールと同じく胎盤を通して胎児に影響を与えるため、**妊娠中の服薬**には注意が必要となります。過去には、つわりを止めるために処方された薬によって、新生児の四肢に形態的異常がみられたケースもあります。

用 語

◆レム睡眠

レム（REM）睡眠とは、急速眼球運動（Rapid Eye Movement）を特徴とする睡眠を指す。

浅い睡眠状態では、眼球が左右に動いていることからそれとわかる。

逆に、深い睡眠状態ではこの眼球運動が消失することから、ノンレム睡眠と呼ぶ。

check

当初、妊婦に処方されたサリドマイドは、後に胎児の発達に大きく影響し、四肢の発達を阻害し、社会的な問題となった。

■ 胎児性アルコール症候群 ■

　妊娠中に母親が飲酒すると、胎児にアルコールの影響（害）が及び、生まれてくる子どもに次のような胎児性アルコール症候群があらわれることがある。
①出生前及び出生後の発育障害
②中枢神経系の障害（神経学的異常、知的障害など）
③頭部顔面域の形成障害（小頭症、短眼瞼裂など）

(2) 母親の喫煙

　妊婦の喫煙は、血中の**ニコチン**や**一酸化炭素**により胎児が**酸素欠乏**や栄養不足となり、発達に大きな影響を及ぼします。頻繁に喫煙をする母親と、喫煙しない母親を比べた場合、**低出生体重児**◆が生まれるリスクは2〜4倍になるといわれます。

(3) 母親の心理的問題

　胎児は、母親の精神的動揺に反応して心拍や胎動が変化することが知られています。母親の出産後の抑うつ状態は**マタニティブルーズ**として知られており、一過性のものがほとんどですが、中には**産後うつ**に移行するケースもあるので注意が必要です。母親の心理的問題は、子どもとの相互作用に大きな影響を与えるため、継続的な支援が必要になります。

◆低出生体重児
　出生時の体重が2,500g未満の新生児を指す。ちなみに、新生児の平均体重は約3,000gである。

4　乳幼児期の発達

1　乳児期（1か月〜1歳頃）の発達の特徴

　出生後の1年間に、乳児はめざましい発達を遂げます。体重は**約3倍**に増加し、身長も**1.5倍**ほどになります。新生児期にみられた原始反射はほとんどが消失し、代わりに生後3〜4か月頃には**首のすわり**、6か月から1歳頃には**座る**、**はう**、**立つ**といった姿勢制御が可能になり、1歳3か月頃には**歩く**ことができるようになります。

check
　児童福祉法では（出生から）満1歳に満たない者を乳児としているが、発達心理学では、乳児期を新生児期と区別し、生後1か月からとする区分けがある。

また、**クーイング**、**喃語**を経て初めて意味のある言葉（初語）を話し始めるのも1歳頃です。

2 乳児期の考え方の特徴

乳児が、見えている（知覚している）世界を認識するうえで重要なのが、**物**（対象：object）の性質を理解することです。物の性質には、**永続性**、**恒常性**、**同一性**などがあります。

■「物」の性質の理解■

①**永続性**の理解：物は見えなくてもそこに存在すると理解できること
②**恒常性**の理解：見る距離や角度が違っても、物の大きさや形を一定のものとしてとらえられること
③**同一性**の理解：物は一度に一つの場所にだけ存在すると理解できること

ピアジェによると、乳児の考え方の特徴は「**物の永続性**」を理解できていないことにあります。乳児は、対象となる物を隠されると探すことができなくなることから、乳児には目の前にある物のみが存在し、隠された物もそこに存在し続けていることを理解できないと考えました。

ピアジェは、乳児が「物の永続性」を理解するのは**8か月頃**と考えましたが、近年の研究では、もっと早い時期から理解していることがわかってきています。

ピアジェ
••> p.21

👑**check**✨
　バウアーらの実験では、3か月の乳児でも、対象がスクリーンの裏に入っていったのに、スクリーンを取り払ったときそこに対象が見えないと、心拍数に変化がみられることが知られている。

3 乳児期の発達課題「基本的信頼感」

エリクソンの発達段階において、乳児期とは新生児期を含む**0〜1歳頃**までを指します。この時期の発達課題は、「基本的信頼感」の獲得です。乳児は養育者に依存しなければ生きていけない存在であり、養育者は乳児を取り巻く環境＝世界そのものといえます。乳児は、養育者との間に結ぶ**愛着関係**を通して、「世界は信じるに足る」と感じられるようになっていきます。

4 幼児期（1〜6歳頃）の発達の特徴

1歳から1歳3か月頃までには、9割の幼児が**歩き始め**、

1
保育の心理学

❸
生涯発達

2歳頃までには転ばずに**走る**ことができるようになり、指先の動きが急速に発達していきます（**微細運動**）。4歳を過ぎると全身の**バランス感覚**が発達していき、5歳を過ぎる頃までには、**基本的生活習慣**が身に付き、仲間とともに活発に**運動遊び**をするようになります。

　また、**言語発達**と**認知発達**がめざましいのもこの時期の特徴です。2歳を過ぎると、使える語彙は爆発的に増加し、**二語文**、**三語文**へと次第に複雑な構文を用いることができるようになります。3歳頃になると、出来事の順序に関する知識（**スクリプト**）を言葉にすることができるようになり、次第に、文脈や社会的場面によって言葉遣いを変えることもできるようになっていきます。5・6歳頃までの幼児には、反響語（オウム返し）や独り言といった**自己中心的言語**が多くみられます。ヴィゴツキーによれば、こうした独り言は大人との間で交わされた言葉であることが多く、後の学童期においては、次第に内面化されて自己コントロールのために用いられることになります（**メタ認知◆**）。

5 幼児期の考え方の特徴

　幼児期の考え方は、ピアジェのいう前概念的思考（2〜4歳頃）、直観的思考（4〜7・8歳頃）を特徴としています。

(1) 前概念的思考

　前概念的思考においては、自分と他人の違いが理解できず、他人の視点をとることができません（**自己中心性**）。ここから、幼児特有の考え方が生じます。例えば、見かけに左右されてしまう「**フェノメニズム**」、物や自然現象に命があるとみなす「**アニミズム**」、壁のシミや木のウロなどに人間の表情を読み取ってしまう「**相貌的知覚**」、目に見える物や自然現象を人間がつくったと考える「**人工論**」などがあげられます。

(2) 直観的思考

　4歳頃から、幼児も外界の事物を**概念化**して相互に関連付けられるようになっていきます。しかし、概念同士のつな

check
　立つ、歩くなどの大きな筋肉を用いる運動を「粗大運動」と呼び、指先など小さな筋肉を用いる繊細な運動を「微細運動」と呼ぶ。
　運動機能は、まず粗大運動が成立し、次第に微細運動へと進んでいく。

粗大運動・微細運動
…▶ p.16

用語

◆メタ認知
　自分の考えや行動を意識することをいう。

がりは未だ直観的であり、そこから特有の考え方が生じます。例えば、自分が「知っていること」にとらわれて、見ているものに正しく反応できない「知的リアリズム」などがあげられます。

6 幼児期の発達課題

エリクソンは、幼児期を「幼児期前期（1～3歳頃）」と「幼児期後期（4～6歳頃）」に分けています。

(1) 幼児期前期「自律性」

この時期の幼児は、自己意識が高まるにつれ、激しい自己主張を行うようになっていきます。「第一次反抗期」として知られていることからもわかるとおり、自己主張は親への反抗としてあらわれますが、それを許し、支援することで、自分を制御できるという感覚（自律性）を獲得していきます。それが許されないと、幼児は「自分ではできない」という「恥」の感覚に圧倒されます。

(2) 幼児期後期「自主性」

幼児期後期は「遊戯期」と呼ばれることもあります。基本的生活習慣が確立し、自分でできることが増えていくと、子どもたちは様々な方面に積極的に活動範囲を広げていきます。複雑になっていくごっこ遊びの中で父親・母親として振る舞ったり、空想の世界で王様・お姫様になったりと、自己を拡大していくことで、「こうありたい」という目的感覚を獲得していきます。

ただし、自分からやることには危険もあります。やりすぎて怒られたり、ケンカで相手に怪我をさせたり、「自分を悪い子だ」と感じると、「罪悪感」に飲み込まれ萎縮してしまうことになります。

覚えよう！

●幼児期の思考の特徴●
・フェノメニズム　　・アニミズム　　・相貌的知覚
・人工論　　　　　　・知的リアリズム

check
自律性の獲得のための具体的な課題として、「排泄のトレーニング」があげられる。

5 学童期から青年期の発達

1 学童期（児童期：6〜12歳頃）の発達の特徴

学童期は、6〜12歳頃までの、日本では小学校入学から卒業にかけての時期に当たります。この時期の発達で特徴的なのは、子どもたちの**認知発達**が新しい段階に進むことと、**社会的な関わり**が広がり、子どもたちだけの世界をつくるようになっていくことです。

(1) 学童期の考え方の特徴

学童期の子どもたちは、ピアジェのいう「**具体的操作期**」にあり、物事を見かけだけで判断することなく、論理的に思考することができるようになります。物体の性質に関して、数や量、体積の**保存の概念**を理解し、利用できるようになるのもこの時期です。ただし、論理的思考が可能なのは具体的な対象や経験の及ぶ範囲に限られます。

また、学童期に入ると、次第に自分の思考や行動への知識が増し、それを意図的にコントロールできるようになるのも特徴です。これを**メタ認知**と呼びます。このメタ認知によって、自分の行動を**モニター**し、結果を**予測**し、適切に**評価**できるようになると、学ぶこと自体が喜びになります。これを**内発的動機づけ**◆といいます。

(2) 学童期の子どもたちの社会性

学童期の子どもたちは、次第に親よりも同世代の子どもたち同士でより多くの時間を過ごすようになり、**仲間集団**を形成していきます。こうした仲間集団は**ギンググループ**と呼ばれ、強い仲間意識と、**集団内の規範**を持ち、しばしば大人の価値観や介入を排除しようとする傾向があります。また、自己意識が高まり、自分の**欠点**や**長所**を自覚できるようになってきているため、この時期の子どもたちにとって、仲間集団に所属し、仲間に認められることは、とても重要な意味を持っています。

用語

◆内発的動機づけ
　賞罰のように、外からの要因によって行動を引き起こすものを「外発的動機づけ」といい、興味や関心のように、外からの要因に依存せずに行動を引き起こすものを「内発的動機づけ」と呼ぶ。
…▶p.56

2 学童期の発達課題「勤勉性」

エリクソンによれば、学童期に求められるのは、ルールの中で課題に取り組み、それを達成することです（勤勉性）。それに成功すれば自分の中に有能さを確認することができますが、失敗すれば、自分が劣っているという感覚（劣等感）に押しつぶされてしまう危険性があります。

3 青年期（12〜22歳頃）の発達の特徴

学童期の子どもたちが第二次性徴に差し掛かることで、子どもたちは青年期前期（思春期）に移行します。

第二次性徴とは、声変わりや発毛、初潮など、子どもから大人の体への変化を指します。自分が他人の目にどう映っているのかということに対して非常に敏感になり、それまで疑問を持たずに従ってきた社会のルールや親の価値観にも疑問を持つようになります。

自分が何者であるのかがよくわからなくなる、この不安な状態を、「アイデンティティ（自我同一性）の拡散」と呼びます。自己意識の高まりから大人に反抗的な振る舞いが目立つようになるため、この時期を第二次反抗期と呼ぶこともあります。

この時期は、ピアジェの認知発達においては「形式的操作期」に相当します。青年期の考え方の特徴としては、抽象的な内容についても論理的に思考できるようになること、問題解決のために仮説を立て、それを検証して解答を導く科学的な方法論を身につけること（仮説演繹的思考）、世界が必ずしも自分の思い通りになるわけではないという前提から考えられるようになること（脱中心化）があげられます。

4 青年期の発達課題「アイデンティティ（自我同一性）」

親の価値観を離れ、抽象的な思考が可能になると、青年期は様々な立場に身を置き、アルバイトやサークル活動などで役割実験を行いながら、「私は何者だろうか」と自分に問いかけ、答えを探すようになります。この問いは、最終的には将来への展望を持ち、進むべき道を選択するという

check
近年では、第二次性徴の始まりが、以前より早くなる傾向がある。これを「発達加速現象」という。

形で終わります。そうして得られた、「私はこういう人間だ」という一貫した自己の感覚を、**アイデンティティ（自我同一性）**と呼びます。

この時期、仲間集団は、学童期にみられたようなギャンググループ、チャムグループから、**ピアグループ**へと変化していきます。ピアグループは、人生や社会について、お互いの**意見をぶつけ合い**、お互いの**異質さを認め合う**ような友人関係です。このような集団の中で新しい自分を模索しながら、最終的には親の影響を離れた、自立した人間としての自分を確立していくのです。このプロセスを、**心理的離乳**といいます。

♛check
学生時代など、アイデンティティ獲得のために社会から認められた猶予期間を、「心理社会的モラトリアム」と呼ぶ。

ピアグループ
‥‥▷p.29

5 アイデンティティ・ステイタス（自我同一性地位）

アイデンティティの獲得は、エリクソンの理論の中核をなす概念であり、一度達成された後も、人生の節目において繰り返し問われることになります。

そこで**マーシア**◆は、このことを実証的に理解するために面接を行いました。面接では、自分の立場を選択するために葛藤（**危機：クライシス**）を経験しているか否か、選択した自分のあり方への積極的な関与（**傾倒：コミットメント**）がみられるか否かが質問され、それにより**アイデンティティ・ステイタス**として4つの分類を提唱しました。

👤人物
◆マーシア
Marcia, J.E.
1966年にエリクソンの概念を発展させ、アイデンティティ達成のプロセスであるアイデンティティ・ステイタス（自我同一性地位）を提唱した。

■ アイデンティティ・ステイタス（自我同一性地位） ■

同一性地位	危機	傾倒
①同一性達成	経験した	している。
②モラトリアム	その最中	しようとしている　⇒迷っている段階で、その不確かさを克服しようとしている。
③早期完了	経験なし	している　⇒自己の目標と親の目標の間に不協和はない。どんな体験も、幼児期以来の信念を補強するだけ。融通の利かなさが特徴的。
④同一性拡散	経験した、経験していない	していない。

マーシアの分類で特徴的なのは「早期完了（フォークロージャー）型」の存在です。彼らは、危機を経験せずに、自分の在り方を選択し、積極的な関与をしている人たちです。

しかし、マーシアのその後の研究によれば、こうした人たちも、青年期以降、「本当にそれでいいのだろうか」と危機を経験することがあります。これは「拡散型」への移行です。そこから、「モラトリアム型」を経て、「やはり私にはこれしかない」と感じれば、今度は「達成型」に移行することになります。青年期以降も、アイデンティティは幾度も変化し、再構成されていくのです。

 ## 6 成人期、老年期の発達

1 成人期前期（22〜30歳頃）の発達課題「親密性」

成人期前期は、成人としての社会への参加が本格的に始まる時期です。この時期に課題となるのは、アイデンティティを持ったまま、他人との間に親密な関係性を築くことです。

様々な生活領域において、親密な関係性を築き、社会人としてのライフスタイルを確立していくことが望まれますが、アイデンティティの確立が不確かな場合、他人との深い関わりを避け、社会的に孤立していく危険性があります。

2 成人期（30〜65歳頃）の発達課題「生殖性（世代性）」

成人期の発達課題は、次の世代を守り育むことです。成人期には、職業人としての立場を確立し、結婚して家庭を持つことで、社会的に最も活躍できる時期に入ります。この時期には、職場と家庭において、責任の範囲は自分だけでなく、自分が関わる関係すべてに及ぶようになります。この段階においても、自分のことのみに集中し、後続を育成することへの配慮がない場合、世界は次第に狭まり、停滞してしまいます。

3 中年期の危機

　レビンソンは、成人期を中心とした男性成人の発達段階において、成人期を**成人期前期**、**成人期中期（中年期）**、**成人期後期（老年期）**の３つに分類しました。ここでいう中年期とは、**40 〜 60 歳頃**までを指します。

　中年期に入ると、体力の衰えや先がみえてくるといった**否定的変化**によって、次第に**自己の有限性**を自覚するようになっていきます。再び「自分はこれでよかったのか」というアイデンティティの危機が再燃することになるのです。

　ユング◆は、「**人生の午後**」である中年期を、それまで社会や家庭に対して築いてきた自己を見つめ直し、本来の内的欲求や自分自身を発達させていく「**個性化**」の時期と考えました。

　中年期の危機においては、自分の歩んできた道を振り返ることで、再度、自分のアイデンティティを**再体制化**していくのです。

4 老年期（65 歳〜）の発達課題「統合」

　老年期は、**退職**や**身体機能の低下**などによって、次第に社会の第一線から退いていく時期です。職業生活や家庭生活を中心としてきたこれまでとは異なる大きな変化を求められると同時に、親しい人たちとの**死別**を経験し、迫りくる自分の体力の低下や病気・死への不安などを感じるようになっていきます。このような中で、残りの人生にどのような意味や価値を見いだして過ごしていくかが重要となります。

　この時期の発達課題は、**自我の統合**を果たすことです。自分の生きた証や意義を確かめて、「自分の人生には価値があった」と感じ、自分を受容できると、様々なものを失っていく**喪失体験**に立ち向かうことができます。しかし、それができない場合は、来たるべき死は耐え難いものとなり、やり直す時間がないという認識によって、**絶望**へと至ってしまいます。これが、**エリクソン**のいう老年期の危機です。

check

　レビンソン（Levinson, D.J.）は、成人期前期から中年期にかけては、安定した生活構造をつくる時期と生活構造が変化する過渡期が交互に現れると考えた。

👤 **人 物**

◆**ユング**
　Jung, C.G.
（1875-1961）スイスの精神科医、分析心理学の創始者。
　精神分析医だったユングは 38 歳のときに葛藤の末フロイトの元を離れ、その後、自分独自の心理療法理論を構築していった。

エリクソン
•••▶ p.35

5 サクセスフル・エイジング

　高齢化が進み、平均寿命が延びている現代では、充実した高齢期を送るための研究が進められてきています。

　加齢に伴う心身や社会の変化に適応し、豊かな人生を送っている状況を サクセスフル・エイジング と呼びます。豊かな人生経験や仕事で培った技術などを生かして、地域の社会活動に参加したり、趣味のサークルなどへ参加したりすることを通して、他者とつながり、交流する中で充実感や幸福感を感じている例があります。保育所などの子どもたちと高齢者が交流する 世代間交流 も、地域や子どもたちのためだけでなく、高齢者自身の老年期を充実させるものとして進められています。

6 ターミナルケアと死の受容

　人がライフサイクルの最後に向かい合うことになるのは、自分自身の死です。老年期においては、疾患の治療よりも、いかに最期まで豊かな生活を維持できたか、という「QOL（クオリティ・オブ・ライフ）」の考え方が優先されます。近年、こうした視点から「ターミナルケア（終末期医療）」が行われるようになってきました。

　キューブラー＝ロス◆は、末期患者へのインタビューから、死の受容を 5 つの段階を経て進むプロセスと考えています。

■ 死の受容のプロセス ■

①自分の死を認めない「**否認**」の段階
②周囲に感情をぶつける「**怒りや悲しみ**」の段階
③運命と取引しようとする「**取引**」の段階
④落ち込み、抑うつ的になる「**抑うつ**」の段階
⑤自分の死を受け入れる「**受容**」の段階

　このプロセスからわかるのは、一見否定的にみえる「否認」や「怒りや悲しみ」も、最終的に死を受容するために必要な段階であり、周囲の人間はそれを受け止め、そのプロセスをともに歩む必要があるということです。

人物

◆キューブラー＝ロス

　Kübler-Ross, E. (1926-2004) スイス出身、アメリカの精神科医。『死ぬ瞬間』において、死にゆく人の心理を、死の受容のプロセスとして著した。

問題　次の記述で正しいものに○、誤っているものに×をつけよ。

1. 出生後の乳児は１年間にめざましい発達を遂げる。体重と身長は出生時の約３倍になる。

2. エリクソン（Erikson, E.H.）の乳児期の発達課題は「基本的信頼感」の獲得である。

3. マーシア（Marcia, J.E.）によれば、自我同一性地位における早期完了（フォークロージャー）型は、自分の目標と親の目標との間に不協和がない。

4. 睡眠はレム睡眠とノンレム睡眠に区分され、新生児は成人よりも睡眠中のノンレム睡眠の割合が大きい。

5. レビンソン（Levinson, D.J.）によると、成人期前期から中年期にかけて、安定した生活構造をつくる時期と生活構造が変化する過渡期が交互に現れて進むという。

6. エリクソン（Erikson, E.H.）の幼児期前期（１～３歳頃）の発達課題は、自主性の獲得である。

7. モラトリアムの期間に入る頃には、すでにアイデンティティを確立し、大人としての責任、役割を担っている。

8. 人間は「離巣性」の特徴を持ちながらも、新生児は未成熟で養育を必要とする「就巣性」の状態で生まれてくる。このことからポルトマン（Portmann, A.）は人間を「二次的就巣性」と分類した。

解答
〰〰〰〰〰〰〰〰〰〰〰〰〰〰〰〰〰〰〰〰〰〰〰〰〰〰〰〰〰〰〰〰〰〰

1 × **2** ○ **3** ○ **4** × **5** ○ **6** × **7** × **8** ○

1 身長は約1.5倍に成長する。

4 多いのはレム睡眠である。

6 自律性の獲得である。

7 モラトリアムはアイデンティティを確立するための猶予期間を指しており、アイデンティティは確立していない。

section 4　子ども家庭支援

出題
point

- 子どもを取り巻く状況と課題
- ライフコース、子育て家庭への支援
- 子どものこころの問題、発達障害

 1 子どもを取り巻く状況と課題

1 家族・家庭の多様化と現状

　近年、社会状況などの変化に伴って、家族・家庭の形態やあり方が**多様化**しています。いろいろな選択肢をもった生き方も広がり、共働きで子どもをもたない DINKs（ディンクス）という家族パターンや、事実婚などの法律上の婚姻関係によらない家族もあります。

　世帯構造でみると、**単独世帯**が増加傾向で推移しています。これには、**晩婚化**や**非婚化**なども関係しているといわれます。世帯の規模は**縮小**し、世帯人員数も**減少**傾向がみられます。このような中で、**出生率の低下**、**少子化**が継続した課題となっています。きょうだいの数の減少、核家族化の進行による祖父母との同居の減少、都市化等による地域のつながりの希薄化などから、人間同士の生身のコミュニケーションの機会が減少していることは否めません。これからの時代、保育所等や地域の子育て支援において、保育士が子どもたちにコミュニケーションの機会を提供し、支援していくことは重要かつ求められていることといえます。

2 家族・家庭の機能の変化

　現代においては、**家族・家庭の機能の外部化**が進んでいます。この外部化とは、家族・家庭が担っていた機能（の

---

check
DINKs とは Double Income No Kids の略である。これに対し、共働きで子どもを育てる家族は DEWKs（デュークス：Double Employed With Kids）といわれる。

check
家族の形態について、再婚等により、前のパートナーとの間で生まれた子どもがいる家族形態はステップファミリーと呼ばれる。

一部）が、家族・家庭外の担い手により提供されることを指します。例えば、子どもの塾通い（教育）、外食（食事）、保育所（育児）や介護サービス（介護）の利用などです。現代では、家族・家庭の機能を補うかたちで外部の担い手が家族・家庭を支えているともいえるでしょう。保育士も家族・家庭を支える重要な担い手として、活躍が期待されています。

3 ライフコースと仕事・子育て

多様な生き方や価値観が存在する現代においては、ライフコースという概念が注目されています。ライフコースとは、個人がたどる人生の道筋のことです。似た概念にライフサイクルがありますが、これは皆が共通にたどる人生の道筋のことをいいます。

ライフサイクルが、社会や時代の影響を受けにくい、周期的で一様な人生のモデルを描くのに対して、ライフコースは、社会や時代の影響を受けながら、変化を続けている個人の人生をとらえようとするものです。そこには、個人と環境の相互性、個人の人生の多様性、人生を自分で選択する個人の主体性が重視されています。

現代においては多様なライフコースがあることを踏まえ、保育士は各家庭を支援していくことが大切です。

4 親になることと親としての育ち

初めての子育てでは、わからないことや戸惑うことも多いと思われます。現代では、親自身のきょうだいの数の減少や地域の対人関係の希薄化などから、子どもの世話をする経験が少ないまま親になる人が増えています。そのような中で、アウェイ育児やワンオペ育児といったことばが生まれる現状もみられており、子育ての孤立化が心配されています。保育者が、子育てを取り巻くこのような社会的状況を踏まえて、親の不安や戸惑いに寄り添った支援を行っていくことが重要です。

一方、子育ての肯定的側面として「親としての育ち」に着目すると、子育ての経験を通して、親自身が成長したり

check
ライフサイクルの代表的なものには、エリクソンのライフサイクルがある。
･･･＞p.36

check
アウェイ育児とは、自分の生まれ育った市区町村以外で子育てをすることをいう。
ワンオペ育児とは、家事や育児などを一人で行うことを指すことばである。「ワンオペ」は「ワンオペレーション」の略。

発達を遂げるといった側面もあります。「育児は育自」といわれるように、子どもを育てるという経験は、親自身の成長や発達を育むものでもあるわけです。

5 子育て期の問題

　家事・育児の分担、仕事と家庭の両立など、子育て期の夫婦には直面する課題があります。その中で、現代では**晩婚化**、**晩産化**が進んだことや、平均寿命が延びたことなどから**ダブルケア**を行っている人もみられます。ダブルケアとは、子育てをしながら、自分や配偶者の親の介護も担っている状態を指すことばです。ダブルケアの負担から体調をくずす人や、仕事を減らしたり、辞めたりする人もおり、そのサポートが求められています。

2　子育て家庭への支援

1 子育て支援

　保育所の子育て支援は、保育所を利用している保護者に対する子育て支援と、**地域の保護者**に対する子育て支援の両方が求められています。

　子育て支援を行う際には、保護者への**受容**と**共感**、**傾聴**により気持ちを受け止め、**信頼関係**を構築することが重要です。その上で、保護者の**自己決定**を尊重し、**子育ての喜び**を感じられるように努めていきます。

　また、関係機関との連携や協働が必要なケースが増加しています。保護者と子どもの**プライバシー**に配慮し、保育所全体での適切な**体制構築**が求められています。

2 特別な配慮を要する家庭

　子どもに障害や発達上の課題がみられる場合には、その保護者にも個別の支援を行うよう努めることが保育所保育指針に記されています。また、保護者自身が障害や病気を抱えている場合も特別な配慮が必要となります。

　特別な配慮を要する家庭への支援では、市町村や関係機

check
保育所保育指針では多様な背景をもつ保護者・家庭に対して、地域の関係機関と連携し、適切な対応をすることが強調されている。

関との連携・協働が重要です。特に虐待が疑われる場合には、速やかに市町村または児童相談所に通告し、適切な対応を図ることが保育所保育指針に記されています。

　ほかにも、**ひとり親家庭**、**貧困家庭**、**外国籍家庭**など、特別な配慮を要する家庭への支援が求められています。

3 親子関係・家族関係の理解

　家族の関係を理解するための理論として**家族システム論**があります。家族システム論では、家族をひとまとまりの単位（システム）として捉え、その構成員が互いに影響し合っていると考えます。よって、この理論では家族に起きた問題を、原因があって結果があるという直線的な因果関係（**直線的因果律**）ではなく、原因と結果は影響し合って循環している（**円環的因果律**）と考えます。例えば、親子関係において、「母親が口うるさいせいで子どもが反抗的になった」ことと、「子どもが反抗的になったせいで母親が口うるさくなった」ことは、どちらも原因であり、結果かもしれません。このように円環的な関係として家族を理解しようとするのが家族システム論であり、子育て家庭の支援においても重要となる考え方です。

4 レジリエンス

　子育て家庭の支援で、**レジリエンス**という概念が重視されています。レジリエンスとは、元々は回復力、弾力、復元力を表すことばですが、そこから、ストレス等に適応していく力、柔軟に対応していく力などの意味で用いられたりするなど、広い意味で捉えられている概念です。人には困難や逆境に出会っても、それを克服していこうとするレジリエンスがあるといわれています。保育士が、子どもや保護者自身がもっているレジリエンスに着目することは、支援を考える上で重要です。**自己効力感**など、複数の要因がレジリエンスを高めることと関係しているといわれています。

check
不適切な養育のことをマルトリートメントという。保育士は保護者の困りごと等の把握、早めの支援を心がけ、マルトリートメントを予防していくことが重要である。

check
家族関係の理解に関して、3世代程度の家族の関係を図で表したものはジェノグラムと呼ばれる。家族を多世代にわたって把握する方法として用いられる。

check
自己効力感とは、ある事態や課題に対してもつ、自分にはできるという期待や自信のことをいう。バンデューラが提唱した概念である。

バンデューラ
･･･〉p.59

3 **子どものこころの健康に関わる問題**

1 乳幼児期にみられるこころの問題

　指しゃぶり、爪噛み、性器いじり等、子どもの癖が気になる場合があります。癖の中には心理的な問題（**神経性習癖**）がある場合もあります。

　睡眠障害としては、睡眠途中で覚醒し、怖がり叫ぶ症状である**睡眠時驚愕症（夜驚症）**、排泄障害としては、おもらしをしてしまう**夜尿症、遺尿症**などがあげられます。

　突発的で、急に反復される動きや発声がある**チック**、発語が円滑にいかない**吃音**、家庭などでは話せるものの、保育所などの特定場面では話せない**場面緘黙（選択性緘黙）**なども、乳幼児期にみられるこころの問題です。

2 子どものアレルギー

　アレルギー疾患のある子どもが増加傾向にあります。**アトピー性皮膚炎**、食物アレルギー、気管支喘息など多様です。なかでも食物アレルギーの子どもに関しては、**アナフィラキシーショック**を起こす危険性があり、慎重な対応が必要です。

3 反応性アタッチメント症

　反応性アタッチメント症とは、虐待などの不十分な養育が前提となり、養育者と子どもとの間で正常な愛着形成ができなかった結果、他者を恐れ、過度に警戒するなどの、対人的な交流が抑制された行動を示すものです。

4 脱抑制型対人交流症

　反応性アタッチメント症とは逆の行動特徴で、他者に対して過度になれなれしかったり、見慣れない大人に警戒心なく近づき、ついていくなどの行動を示すものとして**脱抑制型対人交流症**があります。この脱抑制型対人交流症でみられる症状も、養育者との間の愛着形成が正常に遂げられなかったことで起こるものです。

check

　他者を過度に警戒する行動と、他者に警戒心なく、過度になれなれしくする行動は正反対のようにみえる特徴であるが、両者共に、虐待などの不十分な養育により愛着形成がうまくいかないことで起きる可能性のある特徴である。

5 心的外傷後ストレス症（PTSD）

　災害や事故、虐待などで、子どもが心的外傷（トラウマ）を負ってしまうことがあります。心的外傷後ストレス症（PTSD）は、子ども自身や身近な人の、生命や身体の安全が脅かされる体験（心的外傷・トラウマ）が原因として起こるものです。眠れなくなるなどの過覚醒、被害を思い出させるような場所等を避ける回避、被害体験を突然思い出してしまうなどの再体験などが主な症状です。

4 発達障害

1 発達障害とは

　脳機能の一部の問題により、心身の発達に障害がみられている状態を総称して発達障害といいます。発達障害は、DSM-5-TR では神経発達症とされています。神経発達症には、自閉スペクトラム症、注意欠如多動症、限局性学習症、知的発達症（知的能力障害）などがあげられます。それぞれの特性に応じた支援を行うことで、保育現場への適応が図られています。

2 主な発達障害

　主な発達障害とその特徴については下記の通りです。

自閉スペクトラム症	特定物への強いこだわり、反復的行動、他者とのコミュニケーションに困難が生じるなど
注意欠如多動症	不注意、多動性、衝動性など
限局性学習症	知的には正常であるが、読字、書字、計算など（少なくとも1つ）に困難が生じるなど
知的発達症（知的能力障害）	知的機能の遅れと生活適応機能の限定がみられるなど

問題 次の記述で正しいものに○、誤っているものに×をつけよ。

1. 個人がたどる人生の道筋のことをライフコースという。現代においては、ライフコースが多様化してきているという特徴がある。

2. 保護者からの相談には、まずは保護者への受容と共感、傾聴により信頼関係を構築することが重要である。

3. 心的外傷後ストレス症（PTSD）は、災害や事故、虐待などにより、子ども自身や身近な人の、生命や身体の安全が脅かされる体験（心的外傷・トラウマ）が原因として起こる。

4. 関係機関との連携はとても重要であるので、支援するためであれば、保護者と子どもの個人情報は関係機関にいつでも伝えてよい。

5. 睡眠時驚愕症（夜驚症）は、睡眠途中で覚醒し、怖がり叫ぶという症状である。

6. 突発的で、急に反復される動きや発声が起こる症状は、場面緘黙（選択性緘黙）でみられるものである。

7. 家族システム論では、家族に起きた問題を、原因と結果は影響し合って循環しているという円環的因果律で考える。

8. 家族を多世代にわたって把握する方法として、3世代程度の家族の関係を図で表したものはジェノグラムと呼ばれる。

解答

1 ○ **2** ○ **3** ○ **4** × **5** ○ **6** × **7** ○ **8** ○

4 保護者と子どものプライバシーには十分な配慮が必要である。虐待の通告などの一部の場合を除き、個人情報を伝える際には本人への説明と同意が求められる。

6 チックの症状である。

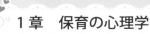

 子どもを理解する視点

出題
point
- 動機づけと様々な学習、記憶
- 遊びの分類、ごっこ遊びの発達
- 環境との相互作用

子どもの生活と学び

1 生活習慣の形成

　食事や排泄、衣類の着脱といった**基本的生活習慣**が形成されるのは、おおむね **3 歳**頃となります。基本的生活習慣が身に付くことで、おおむね **5 歳**頃にはある程度自立した生活が可能になり、「自分のことは自分でできる」という自信と**自主性**につながります。

　子どもにとって、生活習慣を身に付けていくことは、遊ぶこととともに、生涯続く「学び」の基礎となります。

2 動機づけ

　人間に行動を起こさせる原因となるものを「動機づけ（モチベーション）」と呼びます。一般的には「やる気」と呼ばれているものです。主な動機づけには、**外発**的動機づけ、**内発**的動機づけがあります。

■ 動機づけの種類 ■

外発的動機づけ	怒られる、ほめられる、やらされるといった、外からの働きかけによって行動を促すもの
内発的動機づけ	興味や関心など、子どもの自由な好奇心から行動を促すもの。その行動自体が目的であるもの

check
　好きで絵を描いている子どもに、大人が「上手に描けたらごほうびをあげる」「無理やり絵を描かせる」といった行動によって外発的に動機づけを行うと、内発的動機づけが低下するといわれる。このことをアンダーマイニング効果という。

56

生活習慣のほとんどは、はじめは「ほめられるから」「怒られるから」といった**外発的動機づけ**によって始まります。しかし、日常の中で繰り返し行うことで、次第に自分のものになっていくと、「やらないと落ち着かないから」「大切だから」というように**主体的**に行われるようになります。

また、子どもの「やる気」に関しては**原因帰属**の考え方も重要です。原因帰属とは、ある出来事の原因を何に求めるか（帰属させるか）ということです。例えば子どもをほめるとき、原因帰属で考えると、「がんばったね」は子どもの努力をほめており、「かしこいね」は子どもの能力をほめています。このように何に帰属させて支援をするかという視点は保育で大切です。

3 「学習」とは

環境優位説に立つ発達観を持っていたワトソンは、**パブロフの実験◆**に影響を受け、ある幼児を対象に条件づけの実験を行いました。

■ アルバート坊やの実験 ■

> はじめに白ネズミを見せ、幼児が関心を示したところで大きな音を立て、驚かせます。
> これを何度か繰り返すと、幼児は白ネズミを見ただけで泣き出すようになり（**恐怖条件づけ**）、それは白くてネズミに似たもの全般にまで広がりました（**般化**）。

この実験の結果から、ワトソンは、人間は生まれたときは「**白紙（タブラ・ラサ）**」の状態にあり、すべての行動を「学習」によって身に付けていくと考え、行動主義を提唱しました。

ここでいう「学習」とは、外からの特定の「**刺激**」に対して特定の「**反応**」を起こすようになることを指し、「**条件づけ**」と呼ぶこともあります。複雑な習慣や学習内容も、丁寧に順を追って元をたどると、単純な**刺激と反応の組み合わせ**に還元できると考える行動主義は、今日の心理学に大きな影響を与えています。

♛ **check**
子どもが失敗したときには、「能力」ではなく、「努力」に帰属させて「努力が足りなかった」「努力すればできるようになる」と励ました方が、動機づけは下がりにくいといわれている。

ワトソン
‥‥▶ p.12

用語
◆パブロフの実験
「パブロフの犬」として知られる実験。イヌにベルの音を聞かせながら餌を与えることを繰り返していると、犬は次第にベルの音を聞かせるだけで唾液を出すようになった。パブロフは、これをイヌがベルの音と餌の関係を学習した結果であると考えた。
こうした学習を「古典的条件づけ（レスポンデント条件づけ）」と呼ぶ。

パブロフ
‥‥▶ p.12

4 試行錯誤学習と洞察学習

　ソーンダイクは、猫の問題箱の実験で学習は試行の積み重ねによって問題が解決し、試行錯誤を繰り返すことで問題解決にかかる時間は短くなっていくとしました。これを試行錯誤学習と呼びます。一方、ケーラーは、チンパンジーがバナナを手に入れる実験を通して、洞察力により問題を解決するという洞察学習を提唱しました。

5 強化学習（オペラント条件づけ）

　ネコが偶然近寄って来たときにエサをあげると、次の機会にネコが近寄ってくる確率は高まります。これを、行動の「強化」と呼び、行動の強化に使われるごほうびや罰を「強化子」と呼びます。

　このように、自分からたまたま行った行動（オペラント行動）が、その結果によって強化されたり、消去されたりすることを、「強化学習」または「オペラント条件づけ」と呼びます。賞罰を用いて、子どもに望ましい習慣を身に付けさせようとする場合、我々は意図せずオペラント条件づけを行っているといえます。

6 スキナーのプログラム学習（行動分析）

　ワトソンの行動主義を引き継いだ**スキナー**◆は、強化学習を用いた段階的な学習法であるプログラム学習を開発しました。そこには次のような基本原理があります。

①**スモールステップの原理**：まず、獲得させたい目的行動までのステップを細かく分け、子どもにできることから、段階的に身に付けさせること

②**即時フィードバックの原理**：行動の強化は間をおかず、すぐに行うこと

③**積極的反応の原理**：子どもが自ら行動し、積極的に反応するようにすること

④**マイペースの原理**：子どもが自分のペースで学習できるようにすること

人 物
◆スキナー
　Skinner, B.F.
（1904-1990）アメリカの心理学者であり、行動分析の創始者。

check
　プログラム学習の基本原理は、応用行動分析として発展を続けている。

7 ブルーナーの発見学習

一方で、**ブルーナー**◆は、一斉授業や暗記中心の学習を批判し、学習における子どもの積極的な関わりと発見のプロセスを重視する「発見学習」を提唱しました。そのプロセスは、「課題の把握」→「仮説の設定」→「仮説の検証」→「まとめ」と進みます。

発見学習で重要なのは、課題に対して、子どもたちが自分で答えを出し（仮説の設定）、その正しさを検証し修正する（仮説の検証）というプロセスです。ブルーナーは、発見学習には、外発的動機づけでなく、内発的動機づけによって学習が進められる利点があることを強調しました。

8 バンデューラの社会的学習理論

社会的学習とは、模倣や観察によって社会における振る舞い方やそのルールを学習することを指します。

子どもは、ほかの子が怒られている場面を見ているだけでも、その子の行動と、その行動の結果とを学習することができます。**バンデューラ**◆は、このように行動の直接強化を伴わない学習を「モデリング」（観察学習）と呼びました。

9 学習性無力感

行動しても、結果が連動しないことを繰り返し経験すると、「何をやっても無駄だ」とやる気をなくしてしまうことがあります。このことを**セリグマン**◆は学習性無力感と呼びました。

10 記憶

記憶には、覚える（記銘、符号化）→覚えておく（保持、貯蔵）→思い出す（想起、検索）という過程があります。

■ 記憶の過程①　記銘の方略（覚え方）■

リハーサル	頭の中（黙ったまま）や声に出して繰り返して（復唱して）覚えること。
体制化	関連性をまとめたり、分類したりして覚えること。

人物

◆ブルーナー
Bruner, J.S.
(1915-2016) アメリカの教育心理学者。

人物

◆バンデューラ
Bandura, A.
(1925-2021) カナダの心理学者。社会的学習理論や自己効力感の研究で知られる。

人物

◆セリグマン
Seligman,M.E.P.
(1942 －) アメリカの心理学者。学習性無力感を提唱。人間のポジティブな側面を探求するポジティブ心理学の提唱者でもある。

感覚記憶	視覚、聴覚、触覚などの感覚情報の記憶。保持時間は瞬間的（約１秒から数秒程度）である。覚えておこうとして、注意を向けられた情報は短期記憶へ転送される。
短期記憶	数秒から数十秒程度といった（短い）保持時間を特徴とした一時的な記憶。保持できる容量には限界がある。十分なリハーサルを受けた情報は長期記憶へと転送される。
長期記憶	情報の保持時間は半永久的で、保持できる容量も無限といわれる。 <長期記憶の分類> 意味記憶：一般的な知識の記憶 〕宣言的記憶 エピソード記憶：出来事の記憶 〕（言語の記憶） 手続き記憶：言語によらない行動や思考の記憶（泳ぎ方など）

■ 記憶の過程③　想起の仕方 ■

再認	選択肢の中からひとつを選ぶような想起の方法。
再生	覚えた内容、事柄をそのまま思い出し、再現する想起の方法。

※再認の方が再生よりも容易であるといわれている。

2 子どもの遊びと学び

1 遊びの分類

　遊びの分類としては、ピアジェによる分類、ビューラーによる分類、パーテンによる分類がよく知られています。

■ ピアジェによる分類（認知発達による分類）■

機能遊び（実践遊び）	感覚や運動機能自体を楽しむ遊び。感覚運動期に属する０・１歳児に特徴的な遊び。
象徴遊び	象徴機能の発達によって可能となる遊び。２歳頃を過ぎ、言葉の発達と共に象徴機能を獲得すると、「ふり遊び」や「ごっこ遊び」などを楽しむようになる。
ルール遊び	社会的なルールを共有する遊び。ルールを共有することで、集団の中で勝敗を競う遊びなどを楽しむことができる。

ピアジェの認知発達段階
･･･> p.22

　ルール遊びは、社会のルールだけでなく、論理的思考の学習にもなっている。

■ ビューラー◆による分類（心的機能による分類）■

機能遊び	感覚遊び、運動遊びなど。主に0〜2・3歳頃。
受容遊び	絵本、TVを見たり、音楽を聞く遊び。主に1歳頃〜。
虚構遊び	想像遊び、ごっこ遊びなど。主に2〜5歳頃。
構成遊び	積み木、折り紙、工作といった何かを作ったりする遊びなど。主に2歳頃〜。

■ パーテン◆による分類（社会的参加による分類）■

何もしていない行動	その時々に興味あるものを見つめていたり、何もしないでぼんやりしたり、ぶらぶらしている。
一人遊び	近くで遊んでいる子どもがいても、一人で遊んでいる。
傍観（遊び）	他の子どもが遊ぶのを見ていて、話しかけたりもするが、一緒には遊ばない。
平行遊び	他の子どものそばで同じようなおもちゃで遊んだり、同じような活動をするが、互いにやりとりはしない。
連合遊び	他の子どもと同じような活動をして一緒に遊ぶ。組織化されておらず、役割分担はない。
協同遊び	子ども同士で同じ目的をもち一緒に遊ぶ。役割分担があり、組織的に動いて協力したりもする。

2 ごっこ遊びの発達

　ごっこ遊びとは、子どもが、事物・場所・人物に別の意味を与え、その中に入り込んで想像の世界を楽しむ遊びです。年齢とともに、より複雑で、多様な遊びに展開していきます。

■ ごっこ遊びの発達 ■

2歳頃：象徴機能の発達によりごっこ遊びができるようになる。
3歳頃：基本的生活習慣を身に付け、様々な場面での行動の順序（スクリプト）がわかるようになるため、ごっこ遊びもストーリー仕立てになっていき、家族の振る舞いや立場をマネすることで、より複雑になっていく。
4歳頃：心の理論が発達することで自分の持っているイメージが他人とは異なることを理解できるようになり、複雑なイメージの世界を他人と共有できるようになる。
5・6歳：ごっこ遊びはますます複雑になり、役割分担のある集団遊びに発展していく。

人物
◆ビューラー
Bühler, C.
(1893-1974) オーストリア・ドイツの心理学者。発達心理学により、乳幼児や青年の心理学的発達を研究し、幼児発達検査を作成した。

check
「構成遊び」は2歳頃から始まるが、微細運動が発達するにつれ、年齢とともに次第に複雑な遊びとなっていく。

人物
◆パーテン
Parten, M.B.
(1902-1970) アメリカの心理学者。幼児の社会的相互交渉のあらわれとして、遊びを「一人遊び」から「協同遊び」に至る発達段階に分類した。

check
2歳を過ぎてもごっこ遊びができない場合は、自閉スペクトラム症などを疑うことがある。

3 環境との相互作用

1 直接体験、間接体験と環境

　子どもが自分の身体感覚を通して**直接的に体験したこと**を「直接体験」といい、本や映像、会話などから**間接的に体験したこと**を「間接体験」といいます。

　子どもが成長していくと、メディアや友達から得た間接体験が増えていき、特に就学後は間接体験を中心とした勉強が増加します。乳幼児期は特に、様々な身体感覚を用いた多様な直接体験を与えるような環境設定が大切です。

2 アフォーダンス

　よりよい保育環境を設定するためには、**子どもと環境との相互作用**を念頭に置く必要があります。**ギブソン**◆が提唱したアフォーダンスとは、**環境との相互作用**において、環境の側が行為するための手がかりを発している（**アフォード**している）ことを指します。

　例えば、通常の椅子は大人にとって、その「高さ」や「平らさ」という特徴から、「座ること」をアフォードしています。しかし、子どもにとっては、同じ特徴が「下に潜りこむこと」「足をブラブラすること」をアフォードするかもしれません。

　保育所内の環境を設定するとき、それが子どもに何をアフォードするのか、という視点からとらえ直すことで、子どもが思わず触りたくなったり、関わりたくなったりするような、**魅力的な環境を工夫する**ことが可能になります。

3 環境と学び

　子どもを取り巻く環境の重要性が注目されるなか、学習は個人だけで完結するものではなく、様々なものと相互作用しながら生じるとする考え方が重視されてきています。

　レイヴとウェンガーは**状況的学習論**を提唱しました。学習は「**社会的状況に埋め込まれている**」ものであり、学習者個人の中だけでは生じず、学習者が参加する共同体（の状況）の様々なものと相互作用しながら生じるとしました。

┄┄ check ┄
　未知の現象への驚きや、自然の不思議さ、美しさに感動するような体験を、レイチェル・カーソン（Carson, R.L.）は「センス・オブ・ワンダー」と呼んだ。

👤 人物
◆ギブソン
　Gibson, J.J.（1904-1979）アメリカの知覚心理学者。視覚的断崖の実験（p.27）で有名なエレノア・J・ギブソンとは夫婦。

┄┄ check ┄
　レイヴ（Lave, J.）とウェンガー（Wenger, E.）の状況的学習論、正統的周辺参加の考え方は、社会的、文化的な相互作用を重視したヴィゴツキー（p.21）の理論を広げたものともいえる。

また、この状況的学習論を、**正統的周辺参加**という考え方で説明しました。正統的周辺参加とは、**新参者**（新しく共同体に参加する者）の共同体への参加過程のことで、学習者は参加形態（役割）が深まるにつれて、その共同体での関係の変化などが相互作用として生まれ、実践への理解を深めていくというものです。新参者は最初は簡単で周辺的な仕事を任されますが、だんだんと責任の重い仕事を任されていきます。このように実践的に参加する過程で学びを深めていきます。保育においても、子どもたちは保育所等の共同体に参加し、学んでいるといえます。環境との相互作用の中で子どもたちのあり方を検討する考え方は**状況論的アプローチ**と呼ばれており、重要です。

・・・check

状況論的アプローチに対し、従来の個人の認知情報処理過程の学びに重きをおくアプローチは、情報処理アプローチと呼ばれる。

4 環境としての保育者

1 人的環境

　保育の環境には、施設や遊具などの**物的環境**、**自然**、**社会**などのほかに、保育者やほかの子どもたちといった**人的環境**があります。

2 安全基地

　環境としての保育者の第1の役割に、子どもにとっての「安全基地」となることがあげられます。「安全基地」とは、子どもが周囲の環境を探索するとき、不安になればすぐに**帰ってくることができる場所**のことです。子どもは、**保育者との関わり**の中で慰められ、励まされ、「ありのままの自分」を認められることで、様々な経験に対して**主体的**に関わっていくことが可能になるのです。

3 環境調整

　環境としての保育者の2つ目の役割が、環境調整です。保育は環境を通して行われますが、その環境を、子どもにとって有益なものになるよう**計画**し、**工夫**します。

4 関係性への着目

保育者は、自分という環境と、子どもとの関係に着目し、援助を考えていきます。

関係性に着目すると、保育者は子どもにとって、身近な大人のモデルであるといえます。子どもは保育者の様子を観察してマネをしたり、物事に取り組む保育者の姿勢から学んだりすることがあります（モデリング・観察学習）。例えば、普段から玩具を大切に扱う保育者を見ていた子どもは、玩具を大切に扱うようになるかもしれません。

モデリング
…> p.59

また、保育者は、子どもの発達状況に応じて、環境である自分のかかわりを変化させ、子どもの発達援助に役立てます。このときも、子どもとの関係の中で、環境としての自分のかかわりを考えていくことになるのです。

5 環境の変化、移行と保育者

子どもは成長の過程で、様々な環境の変化を体験します。転居や、きょうだいの誕生などもそうです。

例えば、保育所における代表的なものとしては入所（入園）や進級などがあります。このような環境の移行期には、新たな体験を獲得して学びの世界が広がるプラスの面と、慣れない環境で不安というマイナスの面の両面があります。人的環境である保育者は、この両面を意識した上で、子どもの不安を受け止め、子どもの「安全基地」として新しい環境への適応をはかっていくことが大切です。

保育所から小学校への就学も、子どもにとっては大きな環境の移行となります。保育者は子どもの発達と学びの連続性に配慮しながら、小学校教師と連携をとり、支援を展開していくことが求められます。

就学への支援
…> p.79

小学校との連携
…> p.79

問題 次の記述で正しいものに○、誤っているものに×をつけよ。

1. 保育の環境には、施設や遊具などの物的環境のほかに、保育者やほかの子どもたちといった人的環境も含まれる。

2. バンデューラ（Bandura, A.）が提唱したのは、社会的学習理論である。

3. パーテンの遊びの分類において、同じ目的で、他の子どもと協力や役割分担をする遊びを連合遊びという。

4. ビューラー（Bühler, C.）は、遊びの発達を認知発達によって分類した。

5. 児童期には自分で検算して間違いを見いだすことができるようになると、計算することがおもしろくなる、興味がわくといった外発的動機づけに結びついていく。

6. スキナー（Skinner, B.F.）が提唱したのは、プログラム学習である。

7. 洞察学習を提唱したのは、ケーラー（Köhler, W.）である。

8. ブルーナー（Bruner, J.S.）の提唱した発見学習は、外発的動機づけを重要視した学習法である。

9. 他者の行動及びその結果を観察することでは、自らの行動を変容させたり、新しい行動を習得したりできない。

10. エレノア・J・ギブソン（Gibson, E.J.）は、環境の価値や意味は、人の心の働きによって生まれるのではなく、環境自体が様々な意味を提供しているという考え（アフォーダンス理論）を提唱した。

解答

1 ○ **2** ○ **3** × **4** × **5** × **6** ○ **7** ○ **8** × **9** × **10** ×

3 同じ目的で他の子どもと協力や役割分担をする遊びは協同遊びである。

4 ピアジェ（Piaget, J.）の記述である。ビューラーは、心的機能による分類を行った。

5 記述の内容は、内発的動機づけに結びついていくものである。

8 発見学習は内発的動機づけによって学習が進められることが利点であるとされている。

9 他者の観察をすることで行動の結果を学習し、自らの行動にも影響が出るとされている。これを観察学習（モデリング）という。

10 提唱したのは、J.J. ギブソン（Gibson, J.J.）である。

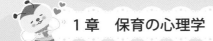

重要度

section 6 子どもを理解する方法

出題 point
- 発達のアセスメントの方法
- 省察、対話、協働
- 地域連携、コンサルテーション、巡回相談

1 アセスメントの方法

1 アセスメントとは

　子どもの発達を把握するために行われるのが、発達の「アセスメント（評価・査定）」です。「診断」と似た部分がありますが、「診断」が**医療行為**であり、診断名を付けることに比重を置くのに対し、アセスメントにおいては、将来の**見通し**を立て、**支援の方法**を決定することに比重が置かれます。

　特定の心的機能の発達を測定するためには、専門職による様々な心理検査が必要な場合も少なくありません。

2 観察法

　発達理論や仮説を基に、子どもの行動を観察することで、子どもの発達や心的機能を評価することができます。

(1) 自然的観察法

　最も基本的な観察方法であり、観察対象に人為的な統制を加えず、**ありのままの状態**の中で観察し、特徴を記述するものです。**ダーウィン◆**がわが子を対象に行った発達の記述などがこれに当たります。また、観察者が現場に参加しつつ、対象者と関わりながら観察する場合を**参加観察**と呼びます。

(2) 実験的観察法

　一般に「**実験**」と呼ばれるもので、仮説を検証するため

---

check

　保育者が、現場での関わりや保護者からの聞き取りを元に子どもの状態を把握し、今後の支援を決めることもアセスメントに含まれる。

👑人 物
◆ダーウィン
　Darwin, C.R.
（1809-1882）イギリスの自然科学者。『種の起源』で進化論を提唱した生物学者。

👑check
　参加観察は、参与観察または関与観察とも呼ばれる。

に用いられます。日常において起こりにくい場面や状況などは、**人工的に状況を設定**し、その中での観察対象（被験者）の反応を観察します。

例えば、**ストレンジ・シチュエーション法**では、見知らぬ他人との対面、母親との分離と再会といった、3つの場面を設定し、そこでの子どもの反応の違いを観察することで、愛着に関する仮説を検証します。

ストレンジ・シチュ
エーション法
••➤ p.25

3 面接法

面接法は、被験者と**直接対面**し、主に言語的なコミュニケーションを通して発達を評価したり、行動の変化を導き、気付きを与えたりするものです。目的によって、情報収集のための**インタビュー**と、心理的援助のための**カウンセリング**に分類されます。児童が対象の場合、同じ部屋で遊びながら、子どもの内面を理解していく**遊戯療法**◆が代表的ですが、この場合、発達の評価と心理的援助の両方を兼ねています。

4 検査法

子どものアセスメントとしての検査法には、発達検査や知能検査などがあります。

(1) 発達検査

子どもの発達の程度を測定する検査を発達検査といいます。発達検査には、検査者が検査用具を使って実際に子どもに課題を出して実施する形式のものと、保護者などがつける（または保護者などからの聞き取りで行われる）質問紙の形式のものがあります。

（用 語）

◆**遊戯療法**
　言語でなく、遊戯を媒介とした心理療法で、言語表現が苦手な児童を対象に行われる。

覚えよう！ •

●**代表的な発達検査**●
- **遠城寺式・乳幼児分析的発達検査法**：0か月～4歳7か月が対象。運動（移動運動、手の運動）、社会性（基本的習慣、対人関係）、言語（発語、言語理解）の3分野6領域で構成。
- **新版K式発達検査2020**：0歳～成人までが対象。「姿勢・運動」「認知・適応」「言語・社会」の3領域で構成。

(2) 知能検査

知的能力の程度を測定する検査を知能検査といいます。知能検査は、元々は知的障害（知的発達症〔知的能力障害〕）のある児童の支援のために、子どもが何歳児相当の問題解決能力を持っているのかを測定する検査として開発されたものです。**ビネー**◆が開発したビネー式と、**ウェクスラー**◆が開発したウェクスラー式に分けられます。

① 知能指数

知能指数（IQ）とは、知能検査の結果を数値としてあらわしたものですが、ビネー式知能検査の特徴は、各年齢の平均的な子どもが解ける課題を数多く設定し、何歳相当の問題まで解くことができるかを測定するところにあります。例えば、「生活年齢」5 歳の子どもが 10 歳相当の問題を解くことができれば、その子の「精神年齢」は、実年齢より 5 歳進んでいることがわかります。そこで、ビネーは、知能指数（IQ）を「精神年齢÷生活年齢× 100」であらわしました。

② 知能の分類

キャッテルは知能検査の分野で因子分析を行い、流動性知能と結晶性知能という 2 つの知能因子を抽出しました。流動性知能とは、新しい場面や環境に適応する際に必要とされる知能であり、結晶性知能とは、経験から得られた知識や判断力などの知能（過去の学習経験が結晶化されたもの）です。それぞれの特徴は下記の通りです。

■ 流動性知能と結晶性知能 ■

知能の分類	主な検査の課題	文化や教育の影響	加齢の影響
流動性知能	非言語性の課題（例：図形を構成する課題など）	（比較的）受けにくい	（比較的）受けやすい
結晶性知能	言語性の課題	（比較的）受けやすい	（比較的）受けにくい

人物

◆ビネー
Binet, A.
(1857-1911) フランスの心理学者。知能検査の創案者として知られている。

◆ウェクスラー
Wechsler, D.
(1896-1981) アメリカの心理学者。ウェクスラー式知能検査は、医療、福祉、教育分野などの広い範囲で活用されている。幼児用 WPPSI、児童用 WISC、成人用 WAIS などがある。

check

「生活年齢」と「精神年齢」が一致するとき、「IQ100」となり、最も平均的な知能指数となる。知的障害の基準は IQ70 未満。

68

2 省察、対話、協働

1 省察

　保育者は保育の振り返り（省察）により成長していく**反省的実践家**といわれています。集団の場である保育所では、発達を理解する際も、集団と子ども一人一人の育ちについて振り返ることが重要となります。振り返り、実践を繰り返し、子どもへの理解を深めていきます。

2 対話と協働

　保育者は、**対話**し、**協働**しながら、子どもや保護者を理解し、支援していきます。**対話**とは、会話とは違い、お互いの言葉の意味や意図まで話し合おうとするものです。

　協働は、複数の人間や集団が、共通の目的のもとに**協力**して活動することをいいます。複数の保育者で一つのクラスをみることが多い保育所では、保育者同士の協働が欠かせません。

　また、子どもの発達を援助していくためには、**看護師**や**栄養士**といった他業種の専門職や、**嘱託医**や**療育機関**、**行政機関**や地域の**児童委員**など、様々な人や関係機関と連携し、協働する必要があります。

3 コンサルテーション

　異なる専門職同士の間で、**問題解決**に向けた情報提供やアドバイスを行うことを、コンサルテーションといいます。特に発達に課題を持つ子どもの場合、保護者と保育者のほかに、医療機関や療育機関、行政機関、地域の NPO など、多種多様な機関が関わっている場合があります。地域によっては、行政機関や療育機関などから派遣された心理士や保健師などが、**巡回相談**を行っている場合もあります。

　コンサルテーションでは、異なる専門職同士が、対等な立場から、よりよい**協働関係**を模索することが重要となります。保育者は、子どもたちの日常を支える一番身近な専門職として、日頃の行動や言動、環境についての情報を提供することで、**チーム**に貢献することができます。

check
　コンサルテーションを提供する側の専門職を「コンサルタント」、受ける側の専門職を「コンサルティ」と呼称する。

問題 次の記述で正しいものに○、誤っているものに×をつけよ。

1. 自然的観察法は、最も基本的な観察方法であり、観察対象に人為的な統制を加えず、ありのままの状態の中で観察し、特徴を記述するものである。

2. 協働とは、複数の人間や集団が、共通の目的のもとに協力して活動することをいう。

3. 過去の学習経験から得られた知識や判断力といった知能は、結晶性知能と呼ばれる。

4. ストレンジ・シチュエーション法は、子どもの発達を評価するための発達検査である。

5. 発達検査の代表的なものとして、ウェクスラー式がある。

6. 流動性知能は、図形を構成する課題などによって測られ、文化や教育環境の影響を比較的受けにくいとされる知能である。

7. 新版K式発達検査2020は、0歳から成人までを対象とした発達検査であり、「姿勢・運動」「認知・適応」「言語・社会」の3領域で構成される。

8. 知能指数はアルファベット2文字でEQと表される。

9. 参加観察とは、観察者が現場に参加しつつ、対象者と関わりながら観察する場合のことをいうが、これは参与観察または関与観察とも呼ばれる。

解答

1 ○ **2** ○ **3** ○ **4** × **5** × **6** ○ **7** ○ **8** × **9** ○

4 ストレンジ・シチュエーション法は、発達検査ではなく、愛着に関する仮説を検証した実験的観察法である。

5 ウェクスラー式は知能検査である。発達検査の代表的なものとしては、遠城寺式・乳幼児分析的発達検査法などがある。

8 知能指数はIQで表される。

1章 保育の心理学

section 7 子どもの理解に基づく 発達援助

出題
point
- 個人差と発達過程
- 基本的生活習慣の獲得
- 主体性、発達課題、発達の連続性と就学支援

1 個人差や各時期の発達過程に応じた保育

1 発達過程

保育所保育指針には、子どもの発達について理解し、**個人差**に十分配慮した上で、一人一人の**発達過程**に応じた保育が必要であることが示されています。**個人差**とは子どものもつ異なる**資質**や**特性**であり、子どもを取り巻く要因の違いから生じます。

2 乳児保育

乳児保育については、乳児の保育所保育指針に示された「**健やかに伸び伸びと育つ**」「**身近な人と気持ちが通じ合う**」「**身近なものと関わり感性が育つ**」の3つの視点を重視し、発達の特徴を踏まえた保育を実践します。

check
身長などの身体的発達と同じく、心的機能の発達にみられる個人差も自然に生じるものであり、環境によってその差がゼロになることはない。

■ 乳児の発達の特徴と基本的な保育実践 ■

特徴	・感覚を通して外界を認知する ・首がすわる、自分の意思で身体を動かす（寝返りする、座る、はう、つたい歩く等） ・自由に手が使える　　　　　　　・探索活動が活発になる ・離乳の開始から幼児食への移行　・泣き、喃語で欲求を表現する ・応答的な大人との情緒的な絆の形成　・基本的信頼関係、愛着関係の形成 ・指差し、身振りでの欲求の伝達　・言葉によるコミュニケーションの芽生え ・人見知り　　　　　　　　　　　・簡単な言葉の理解
保育実践	・欲求を受容し信頼関係を形成する ・愛情と応答的な関わり ・安全で安心できる場への配慮 ・生活や遊びの充実を図る

3 1歳以上3歳未満児の保育

　1歳以上3歳未満児の保育は、乳児保育の3つの視点と連続する5領域（健康、人間関係、環境、言葉、表現）に関わる保育内容を総合的に展開します。

■ 1歳以上3歳未満児の発達の特徴と基本的な保育実践 ■

特徴	・基本的な運動機能の発達（歩行、走る、階段を上がる、両足で跳ぶ） ・身の回りのことを自分でしようとする ・言葉の理解が進み、指さし、身振り、片言を盛んに用い、自身の欲求を言葉で表出する ・象徴機能が発達し見立て遊びを楽しむ ・簡単なごっこ遊びをし、友達との関わりも徐々に増える ・自己主張が強くなり、欲求を主張する
保育実践	・著しい発達がみられるが、個人差が大きいことを考慮する ・家庭環境を含めた生活体験による発達の違いを考慮する ・自分でしたいといった欲求を受け止めながら言葉がけ等の援助を行う ・大人との関係から子ども同士の関係への移行時期

4 3歳以上児の保育

　3歳以上児の保育では、5領域に関わる保育内容を総合的に展開し、**個**の成長と**集団**としての活動の充実を図ります。

■ 3歳以上児の発達の特徴と基本的な保育実践 ■

特徴	・基本的な動作ができ、全身を巧みに使いながら遊ぶことができる ・生活習慣が身につき、一日の生活の流れの見通しをもつことができる ・日常生活で言葉のやり取りを通じて友達とやり取りができる ・身近な環境との関わりから、物の特性や関わり方、思考力や認識力が高まる ・自我の育ちから友達と自己主張をぶつけ合う中で葛藤を経験する ・仲間との役割分担や協同で物事に取り組む ・自分の思いを出したり、友達の思いや考えを受け入れながら協力してやり遂げたり、達成感を味わったりする ・自信や自己肯定感が育まれる
保育実践	・自我の育ちを支え、集団としての育ちを促す援助が必要である ・基本的な生活習慣を確立しつつあるが、一人一人の発達に応じた援助が必要である ・入園当初や年度の替わりなどには、一人一人の状態に応じた配慮が必要である ・協同的な活動の増加、遊びや生活環境や状況の変化に対する配慮が必要である

5 気質のタイプ

　1950年代、ニューヨークで乳児を対象に気質の個人差を調べたトマスとチェスは、子どもの気質に9つの特性を見いだしました。彼らはその特性の組合せから、子どもの気質の違いを、「**扱いやすい子**」「**扱いにくい子**」「**立ち上がり**

の遅い子」の3つのタイプに分類しています。その子が持って生まれた行動特徴である気質も、重要な個人差となります。

6 待つ保育と働きかける保育

ゲゼルのように、**成熟優位説**に立つ発達観においては、心身の発達にはふさわしい時期があることになります。ある機能が発達する準備が整っていることを「**レディネス**」といい、ここでは、保育者の役割は、発達過程を前提として、子どものレディネスが形成されるのを「**待つ**」ことです。

一方で、ヴィゴツキーのように**社会的相互作用**を重視する発達観においては、保育者の役割はより積極的なものになります。子どもが自分だけでできないことでも、**大人の支援**があればできることがあるためです。この子どもが自分でできる水準と、大人の支援を受ければできる水準のズレを「発達の最近接領域」といい、ここでの保育者の役割は、子どもの**個人差**を見極めながら、このズレを埋めるための支援を行うことになります。

ゲゼル
•••▶ p.11

ヴィゴツキー
•••▶ p.21

発達の最近接領域
•••▶ p.30

2 基本的生活習慣の獲得と発達援助

1 基本的生活習慣の獲得

基本的生活習慣とは、一般に**食事**、**睡眠**、**排泄**、**清潔**、**衣服の着脱**など、人間が社会生活を営むうえで必要な基本的な生活習慣を指します。基本的生活習慣を獲得することを通して、子どもたちは生活場面ごとに行動の手順（**スクリプト**）を理解し、生活に**リズム**と**見通し**を持つことができるようになります。

基本的生活習慣はおおむね**3歳**で形成され始め、そしておおむね**5歳**には確立して生活に必要な行動はほとんど自分でできるようになるとされています。

各生活習慣の獲得年齢は社会や文化によって異なりますが、おおむね次のとおりです。

check
基本的生活習慣の獲得は、エリクソンのいう発達課題「自律性」「自主性」に取り組むうえでも重要となる。

(1) 食事

　離乳開始は 5 〜 6 か月頃。1 歳頃には自分で食事をしようとし始め、1 歳 6 か月頃には、コップやスプーンが使えるようになります。一人で食事ができるようになるのは 3 歳 6 か月頃です。

(2) 睡眠

　2 歳頃になると、寝る前や起きた後のあいさつをし始め、3 歳 6 か月頃には寝る前にトイレに行くよう促されれば行くようになります。促されなくても自分から行けるようになる目安は 6 歳頃です。この頃になると、午睡の習慣もなくなっていきます。

(3) 排泄

　自らの排泄行為を制御できない時期にはおむつを必要としますが、次第に膀胱に尿が溜まる感覚がわかるようになり、括約筋や神経系の発達によって、排泄を制御できるようになっていきます。3 歳 6 か月〜 4 歳頃までには排尿の自立が可能になり、おむつも不要になっていきますが、夜尿（遺尿）の消失や排便の自立は、4 〜 5 歳頃までかかるのが一般的です。

(4) 衣服の着脱

　幼児が自分で着脱をしようとし始めるのは、自己意識が高まり始める 1 歳半頃です。靴を履いたり、帽子をかぶったりといった簡単な動作は 2 歳 6 か月過ぎには可能になります。ボタンをかけたり、靴下を履いたり、といった動作には手先の微細運動と、目と手の協応◆が必要になるため、3 歳 6 か月頃までかかります。

(5) 清潔

　清潔に関する生活習慣は、健康の維持に関するものから、社会生活を運営するためのものまで多岐にわたります。自分で手洗いができるようになる年齢は 2 歳 6 か月頃で、自分で顔を洗ったり、歯を磨いたりすることができるようになるのは、4 〜 5 歳頃です。

用 語

◆協応
　複数の器官や機能が関連し、うまくかみ合うことをいう。

74

●**基本的生活習慣獲得の時期**●
食事：3歳6か月頃、自分で食事ができる。
睡眠：6歳頃、午睡をしなくなる。
排泄：3歳6か月〜4歳頃、排尿の自立ができる。
衣服の着脱：3歳6か月頃、ボタンかけができる。
清潔：4〜5歳頃、自分で洗顔・歯磨きができる。

2 基本的生活習慣の獲得における発達援助

　基本的生活習慣の獲得に対する援助は、一人一人の発達過程に合わせて、子どもが**自分でしようとする気持ち**を尊重します。

(1) 乳児への発達援助

　生理的な欲求がほどよく満たされるよう**応答的**に関わり、**個人差**に応じた授乳と、適切な離乳を開始します。また、個人差に配慮し、安心で安全な**睡眠**を確保します。おむつ交換や衣服の着脱により、心地よさを経験します。

(2) 1歳以上3歳未満児への発達援助

食事：楽しい雰囲気の中で、スプーンや箸を使い、嫌いなものでも少しずつ食べられるよう**言葉がけ**をする。

排泄：トイレの環境に配慮し、一人一人の発達過程や排泄の間隔に応じて対応する。子どもがゆったりとした気持ちで自分から排泄できるよう、**優しく声かけ**をする。

睡眠：子どもの**生活リズム**を踏まえ、環境を整える。

着脱衣：丁寧にやり方を伝えながら、**自分でやりたい気持ち**を励まし、徐々に手を放していく。

清潔：保育者が関わりながら、食事の前後や排泄の後の手洗いをするよう促す。

(3) 3歳以上児への発達援助

　友達がすることや大人の様子を確認しながら、必要な習慣や態度を身に付けていくため、保育者は自分が**生活のモデル**となることを自覚して子どもに接する必要があります。また、子ども自身が生活の様々な場面で適切に判断し、行

動できるように**援助する**ことが大切です。

3 自己の主体性の形成と発達援助

1 自己の主体性の形成

　保育所保育指針では、子どもの「主体性」を尊重し、それを育むことが保育の基本とされています。しかし、自分から主体的に外部に働きかけることは、なんらかの危険性（リスク）を伴います。自分がどうなるのかわからない、不安に満ちた状況においては、子どもは自主性を発揮することができなくなります。そのため、主体性の基盤は、養育者との安定した**愛着関係**が重要です。**自分の生存**と**安全**が保障されて初めて、子どもは周囲の世界に興味と関心を向けることができるようになります。

　1歳半過ぎから自己主張が増えていくのは、子ども自身が、自分が受け入れられ、肯定されるのを感じることができるようになったことと関係しています。また、**3歳頃**までに、養育者との間に愛着関係が築かれ、親や保育者を**安全基地**として利用できるようになると、子どもは外の世界に興味を示し、次第に**探索行動**の範囲を広げていきます。

　こうした乳幼児期の周囲との関係が、子どもの主体性を育む基礎になります。

2 自己の主体性の形成における発達援助

　子どもは、単に保護され、世話されるだけの受動的な存在ではなく、自分から保育者を含む環境に働きかけ、**相互作用**によって自ら成長していく存在です。そのため、子どもの主体性を育むためには、どこまでを援助し、どこからを子どもに任せるか、という点が重要になります。

　乳児期には一方的に世話をされることがほとんどだった子どもたちは、幼児期に入ってしばらくすると、自分のことを自分でやりたがるようになります。できないことでもやりたがるため、時間や労力を考えると、これは簡単なこ

　check
　目的や賞罰からでなく、興味や関心による行動を引き起こすものを「内発的動機づけ」と呼ぶ。
　愛着関係を保障することにより育まれる子どもの周囲に向ける興味と関心は、「内発的動機づけ」といえる。

　check
　エリクソンは、このような乳幼児期前期の愛着関係の形成と主体性の発達を踏まえて、4～6歳の発達課題として「自主性」をあげている。

とではありません。しかし、保育者が主体性を尊重する視点をもって、子どもの「**自分でやりたい**」という気持ちを尊重した援助を行い、子どもが実際にできたという**成功体験**を積めるように働きかけることで、今度は少しずつ、**自分の欲求**を抑えることができるようになっていくのです。

 ## 4 発達課題に応じた関わりと援助

1 発達課題

ライフサイクルの各時期に特有の課題を発達課題と呼びます。よく知られているのは、ハヴィーガーストやエリクソンの発達課題です。

ライフサイクル
⋯▶ p.35

各時期の発達課題について理解することは、保育者にとっては現時点での子どもの課題を把握し、長期的な視野をもった関わりを可能にします。

2 発達に応じた関わりと援助

保育所保育指針では、保育実践に当たり、配慮事項として以下の点をあげています。

(1) 全般的な配慮事項

● 子どもの心身の発達や活動実態から**個人差**を踏まえて援助する。

● 自主性や社会性、豊かな**感性の育ち**に留意する。

● **試行錯誤**しながら自分の力で行う活動を見守る。

● 子どもの入所時には個別に対応し、気持ちに配慮する。

● 子どもの**国籍**や**文化**の違いを認め、互いに**尊重する心**を育てる。

● 子どもの**性差**や**個人差**に留意しつつ、固定的な意識を植え付けない。

(2) 乳児保育に関わる配慮事項

● 疾病への抵抗力、心身の機能の未熟さに伴う疾病等に対して**保健的な対応**を行う。

● 一人一人の**生育歴**◆に配慮し応答的に関わる。

◆生育歴
　子どもが生まれてからこれまでどのように育ってきたかについての記録を指し、生まれたときの様子や周囲の環境、発達の経過などを含む。

- 職員間、嘱託医との連携、栄養士や看護師等の専門性を生かした対応に努める。
- 保護者との信頼関係に基づき、支援に努める。
- 担当保育士が替わる場合、子どもの生育歴、発達過程に留意し、職員同士で丁寧に引継ぎをする。

(3) 1 歳以上 3 歳未満児の保育に関わる配慮事項

- 体の状態、機嫌、食欲等の状態の観察を十分に行い、保健的な対応を行う。
- 事故防止に努めながら、探索活動が十分にできる環境と全身を使う遊びを取り入れる。
- 情緒の安定を図りながら、自発的な活動を尊重する。
- 担当保育士が替わる場合、子どもの生育歴、発達過程に留意し、職員同士で丁寧に引継ぎをする。

(4) 3 歳以上児の保育に関わる配慮事項

- 「幼児期の終わりまでに育ってほしい姿」を念頭に置き、一人一人の発達や学びへの援助を行う。
- 保育所において育みたい資質・能力と 5 領域のねらい及び内容から、長・短期の指導計画を作成し、保育する。
- 保育所保育に関する基本原則を踏まえた幼児期にふさわしい生活が展開されること。

 5 発達の連続性と就学への支援

1 発達の連続性

　子どもの発達は発達段階ごとの特徴だけでとらえるのではなく、発達の過程が連続したものとしてとらえる必要があります。例えば、「言葉の理解」は「言葉の表出」に先立つ発達過程です。言葉を表出する年頃になっているからといっても、「言葉の理解」がない子どもに対して「言葉の表出」を促すような発達援助をすることは、子どもの発達の連続性を無視したものであり適切とはいえません。

　発達の援助は、一人一人の発達の連続性に配慮し、つま

 check
　幼児期は、生まれ月が数か月違うだけでも発達の程度が変わってくるので、個人の発達を見通したうえで援助を行うことが重要であり、指導計画のポイントとなる。

ずきがみられた場合、今何ができて、次に何が課題となるのか、見通しを立てたうえで援助する必要があります。

2 就学への支援

　小学校に入学した直後は、4月1日に6歳になったばかりの児童と、4月上旬生まれですぐ7歳になる児童とが、同じ学年で生活することになります。

　このことから、個人の発達にばらつきがあるため、なかなか学校生活になじめない児童もいるという問題が発生します。これを「小1プロブレム」と呼んでいます。近年は、この問題を解決するために、個人差と発達の連続性に配慮した発達支援が重視されるようになり、小学校に上がる際には、保育所から一人一人の子どもについての資料を送付するなど、保育所と小学校の連携が進められています。

　また、2017（平成29）年改定の保育所保育指針では「幼児期の終わりまでに育ってほしい姿」が新たに示されました。「健康な心と体」「自立心」「協同性」「道徳性・規範意識の芽生え」「社会生活との関わり」「思考力の芽生え」「自然との関わり・生命尊重」「数量や図形、標識や文字などへの関心・感覚」「言葉による伝え合い」「豊かな感性と表現」に関する具体的な姿です。小学校へのスムーズな接続のために、これら10の姿を念頭に置いた指導を考慮することが求められます。

3 小学校との連携

　保育所と小学校との連携については、下記のようなことに留意します。

- 幼児期にふさわしい生活を通じて、創造的な思考や主体的な生活態度などの基礎を培うようにする
- 小学校教育が円滑に行われるよう、小学校教師との意見交換や合同の研究の機会を設けるよう努める
- 就学に際しては、市町村の支援のもと、子どもの育ちを支えるための資料が小学校へ送付されることにより、情報共有される

✦✦check✦✦
満年齢は誕生日の前日で計算されるため、4月1日生まれは3月31日の時点で満6歳となる（学校教育法17条）。

✦✦check✦✦
生まれ月による発達のばらつきは、中学校に進学する頃には目立たなくなるといわれている。

✦✦check✦✦
子どもの育ちを支えるための資料は、「保育所児童保育要録」と呼ばれる。

問題 次の記述で正しいものに○、誤っているものに×をつけよ。

1. 就学への支援に関して、個人の発達にばらつきがあるため、学校生活になじめない児童がいるという問題は、小1プロブレムと呼ばれている。

2. 3歳以上児は、基本的な生活習慣を確立しつつあるが、個人差を踏まえ、一人一人の発達に応じた援助が必要である。

3. 人間の発達の過程において、各時期にある特有の課題をライフコースという。

4. ある機能が発達する準備が整っていることを「レディネス」といい、このレディネス観は「待つ」保育にも影響を与えた。

5. 就学に際しては、市町村の支援のもと、子どもの育ちを支えるための資料を保育所から小学校へ送付するが、この資料は幼児要録と呼ばれる。

6. 乳児期には応答的に関わる特定の大人との間に情緒的な絆が形成される。

7. 保育所保育は、幼児期にふさわしい生活を通じて、創造的な思考や主体的な生活態度などの基礎を培うようにすることが望まれる。

8. ヴィゴツキー（Vygotsky, L.S.）は子どもが自分の力だけでできることと、大人の支援があればできることの領域の間を「発達の最近接領域」と呼んだ。

9. 多様な活動のなかから、やりたい活動を自己選択できることによって、幼児の主体性は育まれる。

10. トマスとチェス（Thomas, A. & Chess, S.）は、その子が持って生まれた行動特徴である気質についても、個人差があることを提唱した。

解答

1 ○ **2** ○ **3** × **4** ○ **5** × **6** ○ **7** ○ **8** ○ **9** ○ **10** ○

3 ライフコースではなく、発達課題という。

5 子どもの育ちを支えるための資料を保育所から小学校へ送付するが、この資料は保育所児童保育要録と呼ばれる。

2章

章

保育原理

学習ポイント

・保育の歴史や保育に関連する法制度については、毎年出題されています。児童福祉法の保育及び保育士に関する部分については必ず目を通しておきましょう。また、児童の権利に関する条約など子どもの権利保護に関連する憲章や条約の歴史についても理解しておきましょう。

・日本や世界の保育思想家や歴史的人物も、重要なポイントです。倉橋惣三、フレーベル、ペスタロッチ、モンテッソーリなどは頻出なので、どのような功績があったか、代表的な著書などは確認しておきましょう。

・保育所保育指針の内容を問う問題は出題数が多く、指針を踏まえた実際の保育に関する事例問題も例年出題されています。保育所保育指針は隅々まで目を通しておきましょう。

・「乳児保育」や「障害児保育」に関する問題も「保育原理」で扱われます。保育所保育指針の該当部分をよく確認しておきましょう。

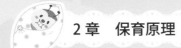

保育の意義と理念

出題
point
- 保育の理念と概念
- 児童の最善の利益を考慮した保育
- 集団的保育と家庭的保育の場

1　保育の理念と概念

1　子どもを育てる営みを指す用語

「保育」とは、成長の途上にある子どもを「保護（養護）」し、やがてひとり立ちできるよう「教育」する営みを指す包括的な概念です。「保育」という用語は、就学前の乳幼児に対して行われる養護及び教育全般に対して用いられます。

「幼児教育」とは、保育の営みのうち、特に大人が意図的に行う、教育的な関わりに力点が置かれた用語です。

「育児」とは、主として保護者（親）がわが子を育てる営み（子育て）を指します。また「養育」とは、子どもを経済的に養い育てていく保護者の関わりを指す言葉です。

2　保育の理念と目標

子どもは未熟な存在ですが、人格と個性を持ったかけがえのないひとりの人間です。保育の現場では、すべての子どもの人権が尊重されなければなりません。

保育所保育指針では、「子どもが現在を最も良く生き、望ましい未来をつくり出す力の基礎を培う」という保育の目標が定められています。子どもが、毎日を生き生きと心地よく過ごすためには、大人への信頼に基づく情緒的な安定が欠かせません。この安心と信頼のもとで、子どもは好奇心と探究心を持って主体的に周囲の人や物に関わり、やが

アドバイス

現在の日本では、保育所でも幼稚園でも、子どもの年齢発達に応じた「幼児教育」が等しく行われることが求められている。

check

「認定こども園法（就学前の子どもに関する教育、保育等の総合的な提供の推進に関する法律）」では、「幼保連携型認定こども園」の規定で、満3歳以上の子どもに対する「教育」を「学校教育」として位置付けている。

check

保育所保育指針第1章「総則」1「保育所保育に関する基本原則」(2)「保育の目標」ア。

て自ら課題を解決する「生きる力」を身に付けていくのです。

3 子どもの最善の利益

　現在を最も良く生きるということは、子どもにとっての「最善の利益」であるといえます。保育所保育指針でも、保育所の役割として、「入所する子どもの最善の利益を考慮し、その福祉を積極的に増進することに最もふさわしい生活の場」であることが第一に求められています。

　1989年に国連総会で採択された「児童の権利に関する条約（子どもの権利条約）」には、すべての児童が、その人格の調和のとれた発達のため、幸福で愛情ある家庭環境の中で育つべきことが明記され、すべての子どもを保護し、その権利を守る社会の責務が定められています。

■ 児童の権利及び人権に関する主な条約・宣言など ■

1924年	児童の権利に関するジュネーブ宣言
1948年	世界人権宣言
1951年	児童憲章*
1959年	児童権利宣言
1989年	児童の権利に関する条約（子どもの権利条約）

＊日本国憲法の精神に従いわが国が定めた児童の権利宣言

4 児童福祉の理念

　児童福祉法が2016（平成28）年に改正された際、すべての児童が「児童の権利に関する条約」の精神にのっとり、適切に養育され、生活を保障されること、愛され、保護され、心身の健やかな成長・発達や自立が図られることやその他の福祉を等しく保障される権利を有することが明記されました（1条）。また、児童に関するその他すべての法令でもこの原理が守られなければならないとされました（3条）。

　さらに、すべての国民が、児童の年齢・発達の程度に応じてその意見を尊重するなど児童の最善の利益を考慮するよう努力しなければならないことや、保護者、国・地方公共団体は児童を健やかに育成する責任を負うこと（2条）が定められています。

···check
　日本は、5年後の1994（平成6）年に「児童の権利に関する条約」を批准した。

···check
　「児童の権利に関する条約」ではじめて、「子どもの最善の利益」が基本原理として掲げられた。

児童福祉法
···▶ p.175

2 様々な保育の場

1 国による認可施設

(1) 保育所（認可保育所）

　定められた基準を満たしている保育施設を、「認可保育所」と呼びます。保育所は児童福祉施設の一種で、**児童福祉法**39条で「**保育を必要とする**乳児・幼児を日々保護者の下から通わせて保育を行うことを目的とする施設（利用定員が20人以上であるものに限り、幼保連携型認定こども園を除く。）」とされています。

(2) 幼稚園

　幼稚園は学校教育法22条に定められている**学校**の一種で、「義務教育及びその後の教育の基礎を培うものとして、**幼児**を保育し、幼児の健やかな成長のために適当な環境を与えて、その**心身の発達を助長**すること」を目的とします。

(3) 認定こども園

　認定こども園は、「就学前の子どもに関する教育、保育等の総合的な提供の推進に関する法律（認定こども園法）」に定められている施設で就学前の子どもに対して教育と保育を提供します。「**幼保連携型**」「**幼稚園型**」「**保育所型**」「**地方裁量型**」の4つのタイプがあり、地域における子育て支援の機能も担っています。

　このうち「**幼保連携型認定こども園**」は2012（平成24）年の認定こども園法の改正により、「学校及び児童福祉施設としての法的位置付けを持つ単一の施設」と定義されました。同法2条7項には満**3**歳以上の子どもに対する教育並びに保育を必要とする子どもに対する保育を一体的に行うことが定められています。

2 市町村による認可事業（地域型保育事業）

　2015（平成27）年度に始まった「子ども・子育て支援新制度」では、以下の保育事業を**市町村**による認可事業とし、**公費**の給付対象としています。いずれも、原則として3歳

check
　保育所を設置するためには、都道府県知事の認可を得ることが必要である。

check
　保育所の保育士の配置は、「児童福祉施設の設備及び運営に関する基準」により以下の通りに定められている。
・0歳児　3:1
・1・2歳児　6:1
・3歳児　15:1
・4・5歳児　25:1

check
　幼保連携型認定こども園では「幼稚園教諭免許」と「保育士資格」を併有する「保育教諭」が職員となる。ただし、2024（令和6）年度末まで特例措置が設けられている。
地域型保育事業
▸ p.173

未満の保育を必要とする乳児・幼児を対象としますが、保育体制の整備の状況等、各地域の事情を勘案して、3歳以上の児童が利用することもできます。

　2022（令和4）年10月1日現在の地域型保育事業の数は全国で7,392件となりました。その内訳は、**小規模保育事業**5,895件、**家庭的保育**事業826件、**居宅訪問型保育**事業14件、**事業所内保育**事業657件となっています。

(1) 小規模保育（児童福祉法6条の3第10項）

　保育を必要とする乳児・幼児を対象とし、定員が**6人以上19人以下**とする保育施設で、3つのタイプがあります。

■ 小規模保育の種類 ■

A型	従来の保育所の小型タイプ。職員は全員保育士で、保育所の配置基準＋1人とする。
B型	A型とC型の中間タイプ。1/2以上を保育士とし、保育所の配置基準＋1人とする。
C型	家庭的保育をグループで行うタイプ。職員は**家庭的保育者◆**とし、3：1の基準とする（1人の家庭的保育者は0〜2歳児3人までを保育できる）。

(2) 家庭的保育（児童福祉法6条の3第9項）

　保育を必要とする乳児・幼児を対象とし、定員**5人以下**で「**家庭的保育者**」の居宅その他の場所で保育を行う事業です。保育の実施に当たっては、厚生労働省が2009（平成21）年に定めた「家庭的保育事業ガイドライン」の遵守が求められます。

覚えよう！

● **家庭的保育事業ガイドラインの基準（抜粋）** ●
◎家庭的保育者1人が保育できる乳幼児は**3人以下**（家庭的保育補助者とともに保育する場合には**5人以下**）
◎保育を行う部屋は**9.9m²**以上
◎保育時間は原則として1日**8時間**

(3) 居宅訪問型保育（児童福祉法6条の3第11項）

　保育を必要とする乳児・幼児の**居宅**を、家庭的保育者が**訪問**して保育を行う事業です。対象となる乳児・幼児・児

用語

◆家庭的保育者
　市町村長が行う研修を修了した保育士その他の内閣府令で定める者で、市町村長が適当と認める者のこと。

童等に重度の障害がある場合等が想定されています。

⑷ 事業所内保育（児童福祉法 6 条の 3 第 12 項）

　企業や事業所等に併設されている従業員向けの事業所内保育施設が、保育を必要とする地域の乳幼児を受け入れる場合、公費が給付されます。

3 認可外保育施設

　認可外保育施設とは、児童福祉法に基づく都道府県知事の認可を受けずに運営している保育施設（「認定こども園法」による認可を受けていない施設や幼稚園以外の幼児教育を目的とする施設で、乳幼児が保育されている実態がある場合を含む）の総称です。認可外保育施設には、夜間の預かりや宿泊を行う「ベビーホテル」、「事業所内保育施設」、市町村が山間部に設置する「へき地保育所」などもあります。

　また、2016（平成 28）年度から、子ども・子育て支援法の改正によって新設された「仕事・子育て両立支援事業」において「企業主導型保育事業◆」が実施され、企業が主導して設置する認可外保育施設の整備・運営費用の一部を助成しています。

　認可外保育施設の設置には都道府県知事への届出が必要で、「認可外保育施設指導監督基準」に基づく立入検査が原則年 1 回以上行われ、保育環境と保育の質の維持が図られています。

4 保育の必要性の認定について

　認定申請のあったすべての子どもについて、市町村が保育の必要性を認定します。

■ 保育の必要性の認定区分 ■

1 号認定	満 3 歳以上の子どもで、保育の必要性の事由に該当しない場合（幼稚園・認定こども園等で、教育のみを希望する場合）。
2 号認定	満 3 歳以上の子どもで、保育の必要な事由に該当する場合。
3 号認定	満 3 歳未満の子どもで、保育の必要な事由に該当する場合。

check
　事業所内保育において、定員 20 人以上の場合は、職員数や資格において保育所の基準が適用され、19 人以下の場合は小規模保育 A・B 型と同じ基準が適用される。

check
　認可外保育施設の設置に際しての届出事項は、児童福祉法 59 条の 2 で定められている。

用語
◆企業主導型保育事業
　休日や夜間の対応など、企業の勤務時間に合わせた事業所内保育を、企業の負担により行う場合に助成を行う制度。
　設置場所については、企業の敷地内に限定していない。

保育の必要性の認定基準
…> p.166

check
　保護者の求職活動や就学、虐待やDV のおそれがある場合等も、「保育の必要性」の事由に該当する。

問題 次の記述で正しいものに○、誤っているものに×をつけよ。

1. わが国では日本国憲法の精神にのっとり、すべての児童の幸福をはかるため、1951（昭和 26）年に「児童憲章」が定められた。

2. 「児童の権利に関する条約」は、1989 年に国連総会で採択され、日本も同じ年に批准した。

3. 児童福祉法には、児童を心身ともに健やかに育成することについて、保護者が第一義的責任を負うことが定められており、国及び地方公共団体の責務については、特に規定されていない。

4. 「児童福祉施設の設備及び運営に関する基準」において、保育所における保育士の数は、満 3 歳以上満 4 歳に満たない幼児おおむね 15 人に 1 人以上とされている。

5. 「子ども・子育て支援新制度」により、地域型保育として、家庭的保育、小規模保育、企業主導型保育、居宅訪問型保育が創設された。

6. 小規模保育事業とは、保育を必要とする乳児・幼児であって満 3 歳未満のものの保育を、利用定員が 6 人から 19 人までの施設で行う事業である。

7. 事業所内保育は、保育を必要とする地域の乳幼児を受け入れる場合、市町村の認可事業となり、公費の給付対象となっている。

解答
〜〜
1 ○ **2** × **3** × **4** ○ **5** × **6** ○ **7** ○

2　日本が批准したのは 5 年後の 1994（平成 6）年である。

3　児童福祉法 2 条 2 項には、保護者の第一義的責任が述べられており、また同条 3 項に国及び地方公共団体は、児童の保護者とともに、児童を心身ともに健やかに育成する責任を負うことが定められている。

5　地域型保育は、家庭的保育、小規模保育、居宅訪問型保育、事業所内保育である。

保育に関する法令及び制度

出題
point

- 日本の保育における法的枠組み
- 保育施設の法的枠組み
- 保育所保育指針の制度的位置付け

1 保育の法的枠組み

1 わが国における保育に関する法制度

　保育について定めている様々な法令や規則は、すべて日本国憲法や教育基本法といった、国の根幹を定める法の下に位置付けられています。

(1) 日本国憲法（1946〔昭和21〕年公布）

　「**基本的人権の尊重**」「**国民主権**」「**平和主義**」の三原則が掲げられています。日本における保育は、この三原則による憲法の理念を順守して行われなければなりません。

(2) 教育基本法（1947〔昭和22〕年制定）

　1条には「教育の目的」、11条には「**幼児期の教育**」についての規定があります。保育所における保育も「幼児期の教育」に当たるので、教育基本法の理念と規定に従って行われます。

(3) 児童福祉法（1947〔昭和22〕年制定）

　児童福祉法4条には「**児童**◆」及び「**乳児**」「**幼児**」の定義が定められ、7条には児童福祉施設の種類が定められています。保育所は、7条と39条に規定されている施設です。

(4) こども基本法（2022〔令和4〕年制定）

　児童の権利に関する条約の精神にのっとり、「こども」の権利を包括的に保障することが定められています。

(5) 児童福祉施設の設備及び運営に関する基準

用　語

◆児童
　満18歳に満たない者をいい、児童は以下のように分けられる。
乳児…満1歳に満たない者
幼児…満1歳から、小学校就学の始期に達するまでの者
少年…小学校就学の始期から、満18歳に達するまでの者

児童福祉法における
児童等の定義
…▶ p.176

check
　こども基本法における「こども」の定義は「心身の発達の過程にある者」である。

児童福祉法45条の規定に基づいて定められている省令で、保育所等児童福祉施設の設備や人員配置に関する基準が定められています。

2 保育施設の法的枠組み

現在、わが国には、集団的保育を行う施設として、幼稚園、保育所、認定こども園があり、そのほかに認可外保育施設があります。各施設の目的・対象と根拠法との関係は以下の通りです。

check
保育所には、職員として保育士、嘱託医及び調理員を置かなければならない（児童福祉施設の設備及び運営に関する基準33条）。

■ 幼稚園・保育所・認定こども園の制度比較 ■

種類	幼稚園	保育所	認定こども園
根拠法	学校教育法22条（学校）	児童福祉法39条（児童福祉施設）	就学前の子どもに関する教育、保育等の総合的な提供の推進に関する法律
所管	文部科学省	こども家庭庁	こども家庭庁
目的	義務教育及びその後の教育の基礎を培い、その心身の発達を助長する	保育を必要とする乳児・幼児を日々保護者の下から通わせて保育を行うこと	就学前の子どもに、幼児教育、保育等を総合的に提供し、地域における子育て支援を行う
対象	満3歳から、小学校就学の始期に達するまでの幼児	保育を必要とする乳児・幼児	就学の始期に達するまでの子ども（乳児又は幼児）
設置基準	幼稚園設置基準（学校教育法3条）	児童福祉施設の設備及び運営に関する基準（児童福祉法45条）	各都道府県が定める認可基準による
保育内容の基準	幼稚園教育要領	保育所保育指針	幼稚園教育要領 保育所保育指針 幼保連携型認定こども園には、幼保連携型認定こども園教育・保育要領が適用される

3 保育所の設置と保育の実施の義務

保育所は、児童福祉法に規定されている児童福祉施設の一つで、都道府県には設置の義務があり、市町村やその他の者（社会福祉法人等）は保育所を設置することができる

check
市町村は都道府県知事に届け出て、その他の者は都道府県知事の認可を得て保育所を設置できる。

とされています（同法 35 条）。保育を必要とする乳幼児及び児童に対して**保育を実施すること**は市町村の義務となっています（同法 24 条 1 項）。また、24 条 3 項には、認定こども園または家庭的保育事業等についても必要な保育を確保するための措置を講じることが市町村の責務として定められています。

4 保育所・認定こども園等への入所の仕組み

2015（平成 27）年度から、すべての子どもの「**保育の必要性**」を、**市町村**が認定することとなりました。保護者が自分の子どもについて、保育所や認定こども園での保育を希望する場合には、まず**市町村**に「保育の必要性」の認定申請を行わなければなりません。

保護者は、市町村から「認定証」の交付（2 号認定または 3 号認定）を受けたのち、希望する**保育所**または**認定こども園**や**小規模保育**等に利用申込みをします。このとき、利用希望者数が定員を上回るなど、地域の実情によって調整の必要が出た場合には、**市町村**が利用調整を行います。利用調整ののち、入所する施設が決定したら、正式に利用者（保護者）と施設とが**契約**を行います。

5 保育・教育に関わる給付について

2015（平成 27）年より実施された子ども・子育て支援新制度により、国や自治体からの補助金、助成の仕組みが一元化されました。子ども・子育て支援法 3 条 1 項には、**市町村**に子ども及びその保護者に必要な「子ども・子育て支援給付」を行う責務があることが定められています。「子ども・子育て支援給付」は、「現金給付」としての「**児童手当**」と、「教育・保育給付」としての「**施設型給付**」及び「**地域型保育給付**」からなります（同法 8 条、9 条、11 条）。

施設型給付：幼稚園、保育所、認定こども園を利用する場合。

地域型保育給付：地域型保育（小規模保育、家庭的保育、居宅訪問型保育、事業所内保育）を利用する場合。

「教育・保育給付」は、利用者への現金給付ではなく、施

check
児童福祉法 24 条 3 項には「市町村は、保育の需要に応ずるに足りる保育所、認定こども園又は家庭的保育事業等が不足し、又は不足するおそれがある場合その他必要と認められる場合には、保育所、認定こども園又は家庭的保育事業等の利用について調整を行う」とある。

check
保育所への入所は 1997（平成 9）年に「措置」から市町村と利用者との「契約」に変わった。

幼児教育・保育の無償化
••▷ p.123

check
施設型給付の給付対象となる幼稚園・保育所・認定こども園などの教育・保育施設を「特定教育・保育施設」と呼ぶ。

設等が代理で給付を受け、利用者はサービスの提供を受ける仕組みです。これを「**法定代理受領**」といいます。

 ## 2 保育所保育指針の制度的位置付け

1 法的根拠

「保育所保育指針」は、「保育所における**保育の内容**に関する事項及びこれに関連する**運営に関する事項**を定める」もので、わが国の保育所運営の基準となるものです。「児童福祉施設の設備及び運営に関する基準」35条の規定に基づいて定められています。

2 保育所保育指針の告示化・大綱化

保育所保育指針は、2008（平成20）年の改定（翌年4月施行）で、それまでの児童家庭局の局長通知から厚生労働大臣の**告示**になり、**法的拘束力**を持つようになりました。

また、告示化に伴い、保育所保育指針は大幅にその内容がスリム（大綱）化されました。各保育所が守らねばならない基本原則だけを示し、他の規定はゆるやかにして保育所が**地域性**や**独自性**を考慮した運営ができるように配慮されたものです。

3 保育所保育指針の位置付け

2017（平成29）年改定の現指針では、幼稚園教育要領及び幼保連携型認定こども園教育・保育要領との整合性を図るため、保育のねらい及び内容については同じ表現が採用されています。また、「育みたい資質・能力」と「幼児期の終わりまでに育ってほしい姿」も共有されました。さらに2017（平成29）年に公示された小学校学習指導要領には、「幼児期の終わりまでに育ってほしい姿」を踏まえた指導の重要性が明記され、幼児期と小学校以上の**教育の連続性・一貫性**が明確になりました。

👑check
児童福祉施設の設備及び運営に関する基準35条には「保育所における保育は、養護及び教育を一体的に行うことをその特性とし、その内容については、内閣総理大臣が定める指針に従う」とある。

👑check
同基準には、乳児または2歳に満たない幼児を入所させる保育所には乳児室またはほふく室、医務室、調理室、及び便所を、満2歳以上の幼児を入所させる保育所には保育室、または遊戯室、屋外遊戯場、調理室、便所を設置することが定められている。

幼児期の終わりまでに育ってほしい姿
⋯▶p.105,317

問題　次の記述で正しいものに○、誤っているものに×をつけよ。

1. 教育基本法は、学校教育の基本となる法律であり、保育所の保育には適用されない。

2. 児童福祉法 4 条では、幼児を「満 3 歳から、小学校就学の始期に達するまでの者」と定義している。

3. 1997（平成 9）年の児童福祉法改正で、保育所の利用については市町村が措置決定していたものが、市町村と利用者との契約に変わった。

4. 「保育の必要性」の認定は、各都道府県で行う。

5. 乳児または 2 歳未満の幼児を入所させる保育所には、寝室、観察室、診察室、病室、ほふく室、相談室、調理室、浴室、便所を設置しなければならない。

6. 「児童福祉施設の設備及び運営に関する基準」には、保育所の職員として、調理員、保育士、事務員、嘱託医の配置が義務づけられている。

7. 「児童福祉施設の設備及び運営に関する基準」35 条には、「保育所における保育は、養護及び教育を一体的に行うことをその特性とし、その内容については、内閣総理大臣が定める指針に従う」と定められている。

8. 保育所保育指針で示す「育みたい資質・能力」と「幼児期の終わりまでに育ってほしい姿」は幼稚園教育要領でも共有されている。

解答

1 ×　**2** ×　**3** ○　**4** ×　**5** ×　**6** ×　**7** ○　**8** ○

1　教育基本法 11 条には、幼児期の教育に関する規定があり、保育所の保育にも適用される。

2　幼児は「満 1 歳から、小学校就学の始期に達するまでの者」である。

4　「保育の必要性」の認定は、市町村が行う。

5　乳児室またはほふく室、医務室、調理室及び便所を設置することが定められている。

6　職員として義務づけられているのは、保育士・嘱託医・調理員である。

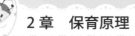

保育所保育指針における保育の基本と保育内容

出題
point

- 保育所の特性と保育の基本
- 養護と教育が一体的に行われる保育
- 保育の計画と展開、評価

1 保育所保育に関する基本原則

　わが国の保育所保育の内容及び運営の指針となる「保育所保育指針」は、「児童福祉施設の設備及び運営に関する基準」35 条を法的根拠として定められています。

　保育所保育指針第 1 章「総則」には、「保育所保育に関する基本原則」が示されています。

1 保育所の役割

　保育所の役割として、以下の 4 点があげられています。

■ 保育所の役割 ■

　ア　保育所は、児童福祉法第 39 条の規定に基づき、保育を必要とする子どもの保育を行い、その健全な心身の発達を図ることを目的とする児童福祉施設であり、入所する子どもの最善の利益を考慮し、その福祉を積極的に増進することに最もふさわしい生活の場でなければならない。

　イ　保育所は、その目的を達成するために、保育に関する専門性を有する職員が、家庭との緊密な連携の下に、子どもの状況や発達過程を踏まえ、保育所における環境を通して、養護及び教育を一体的に行うことを特性としている。

　ウ　保育所は、入所する子どもを保育するとともに、家庭や地域の様々な社会資源との連携を図りながら、入所する子どもの保護者に対する支援及び地域の子育て家庭に対する支援等を行う役割を担うものである。

エ　保育所における保育士は、児童福祉法第18条の4の規定を踏まえ、保育所の役割及び機能が適切に発揮されるように、倫理観に裏付けられた専門的知識、技術及び判断をもって、子どもを保育するとともに、子どもの保護者に対する保育に関する指導を行うものであり、その職責を遂行するための専門性の向上に絶えず努めなければならない。

2 保育の目標

　保育所での保育は、保育所が「子どもが生涯にわたる人間形成にとって極めて重要な時期に、その生活時間の大半を過ごす場である」ことから、「子どもが現在を最も良く生き、望ましい未来をつくり出す力の基礎を培う」ため、以下の目標が示されています。

■ 保育所保育の目標 ■

（ア）十分に養護の行き届いた環境の下に、くつろいだ雰囲気の中で子どもの様々な欲求を満たし、生命の保持及び情緒の安定を図ること。
（イ）健康、安全など生活に必要な基本的な習慣や態度を養い、心身の健康の基礎を培うこと。
（ウ）人との関わりの中で、人に対する愛情と信頼感、そして人権を大切にする心を育てるとともに、自主、自立及び協調の態度を養い、道徳性の芽生えを培うこと。
（エ）生命、自然及び社会の事象についての興味や関心を育て、それらに対する豊かな心情や思考力の芽生えを培うこと。
（オ）生活の中で、言葉への興味や関心を育て、話したり、聞いたり、相手の話を理解しようとするなど、言葉の豊かさを養うこと。
（カ）様々な体験を通して、豊かな感性や表現力を育み、創造性の芽生えを培うこと。

3 保育の方法

　保育の方法とは目標の実現のために、日々の保育を実践していくための手立てや手段です。次の事項に留意して保育しなければならないことが示されています。

👑 check ✨
　6つの目標のうち（ア）は、「養護」に関連する目標であり、（イ）～（カ）は保育内容の5領域（健康、人間関係、環境、言葉、表現）に対応する「教育」に関連する目標である。

👑 check ✨
　保育所が「入所する子どもの保護者に対し、その意向を受け止め、子どもと保護者の安定した関係に配慮し、保育所の特性や保育士等の専門性を生かして、その援助に当たらなければならない」ことも示されている。

■ 保育所保育の方法 ■

ア　一人一人の子どもの状況や家庭及び地域社会での生活の実態を把握するとともに、子どもが安心感と信頼感をもって活動できるよう、子どもの主体としての思いや願いを受け止めること。

イ　子どもの生活のリズムを大切にし、健康、安全で情緒の安定した生活ができる環境や、自己を十分に発揮できる環境を整えること。

ウ　子どもの発達について理解し、一人一人の発達過程に応じて保育すること。その際、子どもの個人差に十分配慮すること。

エ　子ども相互の関係づくりや互いに尊重する心を大切にし、集団における活動を効果あるものにするよう援助すること。

オ　子どもが自発的・意欲的に関われるような環境を構成し、子どもの主体的な活動や子ども相互の関わりを大切にすること。特に、乳幼児期にふさわしい体験が得られるように、生活や遊びを通して総合的に保育すること。

カ　一人一人の保護者の状況やその意向を理解、受容し、それぞれの親子関係や家庭生活等に配慮しながら、様々な機会をとらえ、適切に援助すること。

4 保育の環境

　保育の環境には、保育士等や子どもなどの人的環境、施設や遊具などの物的環境、自然や社会の事象などがあります。保育所は、計画的に環境を構成し、工夫して保育します。

■ 保育所保育の環境 ■

ア　子ども自らが環境に関わり、自発的に活動し、様々な経験を積んでいくことができるよう配慮すること。

イ　子どもの活動が豊かに展開されるよう、保育所の設備や環境を整え、保育所の保健的環境や安全の確保などに努めること。

ウ　保育室は、温かな親しみとくつろぎの場となるとともに、生き生きと活動できる場となるように配慮すること。

エ　子どもが人と関わる力を育てていくため、子ども自らが周囲の子どもや大人と関わっていくことができる環境を整えること。

check
　乳幼児期の子どもの成長にふさわしい環境を、いかに構成するかが、保育の質にも大きく関わるため、保育士は、子どもが環境との相互作用によって学びを深められるよう、応答的環境を用意することが重要である。

2 養護と教育の一体性

保育所保育は、養護と教育を一体的に行うことをその特性としています。

養護	子どもの生命の保持及び情緒の安定を図るために保育士等が行う援助や関わり
教育	子どもが健やかに成長し、その活動がより豊かに展開されるための発達の援助

●アドバイス

保育所保育指針第1章「総則」2(2)「養護に関わるねらい及び内容」を熟読しておこう。

保育士は、子どもの生命を守り、安心できる環境を用意して心身の安定を図りながら、子どもが遊びなど自発的な活動を通して発達に応じた学びを積み重ねていけるよう援助していきます。保育所の日々の保育は、子どもが安心して自分の思いを発揮できる環境を整えるための「養護」を基盤とし、それと一体的に「教育」が展開されます。

また、養護には2つの柱があり、それぞれに「ねらい」と「内容」が示されています。

check

保育所保育指針第2章「保育の内容」では、主に教育に関わる側面からの視点が示されているが、実際の保育では、養護と教育が一体となって展開されることに留意する必要がある。

●**養護の2つの柱**●
・**生命の保持**：一人一人の子どもの生理的欲求を満たし、健康・安全・快適に過ごせるようにすることなど
・**情緒の安定**：一人一人の子どもが主体として受け止められ、くつろぎながら安定感をもって過ごせるようにすることなど

3 保育内容と領域

1 年齢ごとの発達の特性と保育の基本的事項

保育所保育指針第2章では、保育のねらい及び内容が、「乳児」「1歳以上3歳未満児」「3歳以上児」の3つの年齢段階ごとに示されています。

このうち、3歳以上児の保育における「基本的事項」として、この時期の発達の様子が以下のように示されています。

check

「乳児」及び「1歳以上3歳未満児」については「乳児保育」を参照。
 p.108

◆ **3歳以上児**
- 運動機能の発達により、基本的な動作が一通りできるようになるとともに、基本的な生活習慣もほぼ自立できるようになる
- 理解する語彙数が急激に増加し、知的興味や関心も高まってくる
- 仲間と遊び、仲間の中の一人という自覚が生じ、集団的な遊びや協同的な活動も見られるようになる

⇒個の成長と集団としての活動の充実が図られるようにしなければならない

2 保育内容の5領域

　幼児教育の側面に関しては、年齢ごとの発達の特性を踏まえ、年齢段階ごとに保育内容の「ねらい」及び「内容」が示されています。「1歳以上3歳未満児」「3歳以上児」については育ちをとらえるために「5つの領域」が示されています。

check
乳児に対しては5領域ではなく「3つの視点」が示されている。

■ 5つの領域（1歳以上児）■

健康	健康な心と体を育て、自ら健康で安全な生活をつくり出す力を養う
人間関係	他の人々と親しみ、支え合って生活するために、自立心を育て、人と関わる力を養う
環境	周囲の様々な環境に好奇心や探究心をもって関わり、それらを生活に取り入れていこうとする力を養う
言葉	経験したことや考えたことなどを自分なりの言葉で表現し、相手の話す言葉を聞こうとする意欲や態度を育て、言葉に対する感覚や言葉で表現する力を養う
表現	感じたことや考えたことなどを自分なりに表現することを通して、豊かな感性や表現する力を養い、創造性を豊かにする

　「領域」とは、様々な角度から子どもの育ちをとらえるための窓のようなものです。子どもの育ちは、遊びや生活の中で総合的に進んでいきますが、それを整理するための視点が5領域だといえます。就学前の幼児の学びは、生活や遊びを通して「総合的」に進むものなので、教科中心の小

学校以上の教育とは異なった枠組みで遊びをとらえる必要があります。

 ## 4 保育の実施に関して留意すべき事項

1 保育全般に関わる配慮事項

　保育所保育指針第2章「保育の内容」4「保育の実施に関して留意すべき事項」（1）には、保育全般に関わる配慮事項として、子どもの心身の発達の**個人差**を踏まえることや、子どもの健康は、生理的・身体的な育ちとともに、自主性や社会性、豊かな感性の育ちがあいまってもたらされることに留意すること、子どもの**試行錯誤**を見守りながら援助すること、子どもの**国籍**や**文化**の違いを認め、**性別**による固定的な意識を植え付けることのないようにすることなどが示されています。乳幼児期は特に、生育環境の違いによる発達の個人差が大きいため、保育士は、子ども一人一人の育つプロセス（過程）全体を見て援助することが大切です。

2 小学校との連携

　保育所における保育は、小学校以上の学びや生活の基盤となりますが、小学校のたんなる準備教育ではありません。保育所では、遊びと環境を通した幼児期にふさわしい生活の中で、子どもの**主体的**な学びを大切にする必要があります。

　指針では、小学校との連携について、保育所で育まれた**資質・能力**を踏まえて、小学校教育が円滑に行われるよう、小学校教師との**意見交換**や**合同の研究**の機会を設けて、「幼

check
指針では、「保育所における保育全体を通じて、養護に関するねらい及び内容を踏まえた保育が展開されなければならない」と述べられている。

児期の終わりまでに育ってほしい姿」を共有するなど連携を図ることが求められています。

5 保育の計画に基づく保育の展開

1 計画的な保育

　保育所保育指針第1章「総則」3「保育の計画及び評価」では、保育所の保育が計画に基づいて展開されなければならないことと、適切に行われたかどうかの評価が必要であることについて記されています。

　保育士は、就学前までの子どもの育ちを見通して、一人一人の子どもの発達を促す活動を計画的に保育に取り入れるよう配慮する必要があります。しかし、「計画的な保育」とは、保育者の立てた計画通りに子どもを動かすという意味ではありません。保育士は長期的な育ちの見通しを持ちつつ、その時期にふさわしい経験ができるように保育を計画しますが、日々の保育では、子どもが主体性を発揮しながら環境に関わり、生き生きと活動できるようにします。活動は、あくまで子どもの興味関心に沿って構成されることが大切です。

2 全体的な計画の作成

　保育所は、保育の目標を達成するために、各保育所の保育の基本となる全体的な計画を作成しなければならないとされています。

　全体的な計画は、保育の内容が保育所生活の全体を通して総合的に展開されるよう、子どもや家庭の状況、地域の実態、保育時間などを考慮し、子どもの育ちに関する長期的見通しをもって作成します。

　また、全体的な計画に基づいて子どもの生活や発達を見通した長期的な指導計画や、子どもの日々の生活に即した短期的な指導計画を作成しなければなりません。

　全体的な計画は、各保育所ごとに作成されるもので、入所する子どものすべての保育期間にわたる保育の計画である。
　保健計画や食育計画もこの中に盛り込まれる。

6 保育の計画・展開及び評価

1 指導計画の作成

(1) 指導計画の種類

保育の指導計画には、**長期的な指導計画**（年間計画、期間計画、月間計画）と**短期的な指導計画**（週案、日案、時案）があります。

■ 長期的な指導計画（年・期・月）■

- ●年間**計画**：１年間の生活を見通した最も長期の計画。
- ●期間**計画**：子どもの発達や生活の節目に配慮し、１年間をいくつかの期に区分し、それぞれの時期にふさわしい保育の内容を計画したもの。
- ●月間**計画**：１か月間の計画。

■ 短期的な指導計画（週・日・時）■

- ●週**案**：１週間の計画。行事や生活の連続性を意識して立案される。
- ●日**案**：１日の計画。その日の生活の中で、特に中心となるクラス活動（＝主活動、中心活動）を軸に組み立てられることが多い。
- ●時**案**：１日の中でも、朝の会、主活動、帰りの会など、保育所の生活を構成する個々の活動ごとの指導計画。

指導計画においては、保育所の生活における子どもの発達過程を見通し、**生活の連続性**、季節の変化などを考慮し、子どもの実態に即した具体的なねらい及び内容を設定することが求められます。また、具体的なねらいが達成されるよう、子どもの**生活する姿**や発想を大切にして適切な環境を構成し、子どもが**主体的**に活動できるようにすることが大切です。

(2) 指導計画作成上留意すべき事項

保育所保育指針には、指導計画の作成に当たって、次の事項に留意するよう述べられています。

●check
「指導計画」は、全体的な計画に基づいて、保育目標や保育方針を具体化する実践計画である。

アドバイス

保育所保育指針第１章「総則」3「保育の計画及び評価」を参照しよう。

◆**3歳未満児**：一人一人の子どもの生育歴、心身の発達、活動の実態等に即して、個別的な計画を作成すること。

◆**3歳以上児**：個の成長と、子ども相互の関係や協同的な活動が促されるよう配慮すること。

◆**異年齢で構成される組やグループ**：一人一人の子どもの生活や経験、発達過程などを把握し、適切な援助や環境構成ができるよう配慮すること。

(3) 子どもの生活リズムへの配慮

保育所保育指針では、指導計画を作成する際、1日の生活リズムや在園時間が異なる子どもが共に過ごすことを踏まえて、活動と休息、緊張感と解放感等の調和を図るよう配慮することを求めています。

保育所の生活の中で、午睡（お昼寝）は生活のリズムを構成する重要なものとなるため、安心して眠ることができる環境の確保が大切ですが、発達や在園時間によっては午睡が必要ない子どももいるので、一律に午睡を強制することのないよう注意を促しています。

また、長時間保育を受ける子どもについては、発達過程、生活のリズム、心身の状態に十分配慮し、職員の協力体制や家庭との連携を指導計画に位置付けることが必要です。

(4) 障害のある子どもへの配慮

保育所保育指針では、障害のある子どもの指導計画について、次のように述べられています。

■ 障害のある子どもの指導計画への配慮 ■

障害のある子どもの保育については、一人一人の子どもの発達過程や障害の状態を把握し、適切な環境の下で、障害のある子どもが他の子どもとの生活を通して共に成長できるよう、指導計画の中に位置付けること。また、子どもの状況に応じた保育を実施する観点から、家庭や関係機関と連携した支援のための計画を個別に作成するなど適切な対応を図ること。

障害や発達上の課題のある子どもの援助に当たっては、その子どもにとっての課題や特性を踏まえた**個別指導計画**を作成し、ほかの子どもたちと共に過ごす中で**成功体験**を重ねられるように工夫することが大切です。また、家庭との連携を通して、その子のできないことや苦手なことだけでなく、得意なことなども含めて、家庭と保育所が日頃の生活の状況を共有し、子どもの育ちを共に喜びあえるようにしましょう。

2 指導計画の展開

　日々の保育は、このように**子どもの実態**に即して立てられた指導計画に従って進められますが、実際に保育を行う際にも、子どもの状況に合わせて**柔軟に展開すること**が求められます。

　保育所保育指針では、指導計画に基づく保育の展開について、次のような留意点が述べられています。

> ア　施設長、保育士など、全職員による適切な役割分担と協力体制を整えること。
> イ　子どもが行う具体的な活動は、生活の中で様々に変化することに留意して、子どもが望ましい方向に向かって自ら活動を展開できるよう必要な援助を行うこと。
> ウ　子どもの主体的な活動を促すためには、保育士等が多様な関わりを持つことが重要であることを踏まえ、子どもの情緒の安定や発達に必要な豊かな体験が得られるよう援助すること。
> エ　保育士等は、子どもの実態や子どもを取り巻く状況の変化などに即して保育の過程を記録するとともに、これらを踏まえ、指導計画に基づく保育の内容の見直しを行い、改善を図ること。

check

　保育所は、複雑なローテーション勤務体制や、専門性の異なる職員構成を敷いているので、指導計画の展開に当たっては、職員すべてが理解し、相互の役割分担や連携のあり方を明確にすることが不可欠である。

　指導計画は、子どもの姿を予想して立てられるものですが、活動を展開する中で、子どもが予想とは異なる反応や興味を示すこともあり得ます。計画通りに進めることにこだわるのではなく、目の前の子どもの疑問や関心に応え、学びが深まるような**臨機応変な対応**をしていくことが必要でしょう。予想した子どもの姿が、実践において異なって

いたら、その理由を考察し、次の実践に活かすという**理論と実践の往還**が不断に行われることが重要です。

3 保育内容等の評価

　保育所保育指針第1章「総則」3（4）「保育内容等の評価」ア「保育士等の自己評価」では、「保育士等は、**保育の計画**や**保育の記録**を通して、自らの保育実践を振り返り、自己評価することを通して、その専門性の向上や保育実践の改善に努めなければならない」とされています。また自己評価に当たっては、以下の点に配慮することが求められています。

■ 保育士等の自己評価 ■

（ア）保育士等は、保育の計画や保育の記録を通して、自らの保育実践を振り返り、自己評価することを通して、その専門性の向上や保育実践の改善に努めなければならない。
（イ）保育士等による自己評価に当たっては、子どもの活動内容やその結果だけでなく、子どもの心の育ちや意欲、取り組む過程などにも十分配慮するよう留意すること。
（ウ）保育士等は、自己評価における自らの保育実践の振り返りや職員相互の話し合い等を通じて、専門性の向上及び保育の質の向上のための課題を明確にするとともに、保育所全体の保育の内容に関する認識を深めること。

　自己の実践を振り返る場合、指導計画のねらいに照らして、**子どもの育ち**と、**保育士の援助**という観点から課題を明らかにします。その際、実践記録を参照するとともに、保育士が互いにカンファレンス等を通じた省察を行い、**自己評価**につなげていくことが大切です。また、日々の保育の展開について、**保護者との連携**が十分に図られているかどうかという観点からも振り返りが必要です。

　保育は、**計画を立て（Plan）**、**実行し（Do）**、記録に従って**反省**を行い、その過程を**評価して（Check）**、また次の計画の**改善**に活かす（Action）、という循環的なサイクルで展開されていきます。これを**PDCA サイクル◆**と呼びます。

用語

◆ PDCA サイクル
P……Plan（計画）
D……Do（実行）
C……Check（評価）
A……Action（改善）

全体的な計画の作成
指導計画の立案

Plan（計画）

問題点の抽出
指導計画の
見直し・改善

Action（改善）

Do（実行）

指導計画に基づく
保育の実践・記録

Check（評価）

実践記録に基づく
自己評価
カンファレンス等を通じた
相互評価

check
保育所保育指針
第1章「総則」3「保育の計画及び評価」(5)「評価を踏まえた計画の改善」を参照。

4 保育所の自己評価

　保育所保育指針には、保育所の自己評価について、「保育所は、保育の質の向上を図るため、**保育の計画の展開**や**保育士等の自己評価**を踏まえ、当該保育所の保育の内容等について、自ら評価を行い、その結果を公表するよう努めなければならない」と述べられています。保育所の自己評価に当たっての留意点は、以下のとおりです。

 **覚えよう！**

●**保育所の自己評価の際の留意点**●
・地域の実情や保育所の実態に即して、適切に評価の観点や項目等を設定し、**全職員による共通理解**をもって取り組むとともに、評価の結果を踏まえ、当該保育所の保育の内容等の改善を図ること。
・児童福祉施設設備運営基準 36 条の趣旨を踏まえ、保育の内容等の評価に関し、**保護者や外部の意見を聴くことが望ましいこと**。

check
保育所の自己評価は、施設長だけが行うものではなく、全職員が関与すべきものである。

check
「児童福祉施設設備運営基準」36 条は「保育所の長は、常に入所している乳幼児の保護者と密接な連絡をとり、保育の内容等につき、その保護者の理解及び協力を得るよう努めなければならない」としている。

7 幼児教育を行う施設として共有すべき事項

1 育みたい資質・能力

保育所保育指針では、保育所において、生涯にわたる生きる力の基礎を培うために、以下の資質や能力を一体的に育むよう努めることとされています。

■ 育みたい資質・能力 ■

（ア）豊かな体験を通じて、感じたり、気付いたり、分かったり、できるようになったりする「知識及び技能の基礎」

（イ）気付いたことや、できるようになったことなどを使い、考えたり、試したり、工夫したり、表現したりする「思考力、判断力、表現力等の基礎」

（ウ）心情、意欲、態度が育つ中で、よりよい生活を営もうとする「学びに向かう力、人間性等」

2 幼児期の終わりまでに育ってほしい10の姿

保育所保育指針では、保育所における保育活動全体を通して資質・能力が育まれた場合の、小学校就学時に予想される具体的な姿が以下のように示されています。

■ 幼児期の終わりまでに育ってほしい姿 ■

ア　健康な心と体
イ　自立心
ウ　協同性
エ　道徳性・規範意識の芽生え
オ　社会生活との関わり
カ　思考力の芽生え
キ　自然との関わり・生命尊重
ク　数量や図形、標識や文字などへの関心・感覚
ケ　言葉による伝え合い
コ　豊かな感性と表現

check
保育所保育指針第1章「総則」4「幼児教育を行う施設として共有すべき事項」(1)「育みたい資質・能力」、(2)「幼児期の終わりまでに育ってほしい姿」は、2017（平成29）年の改定で新たに追加された項目である。

アドバイス
重要なポイントなのでそれぞれの項目の具体的な内容についても、必ず目を通しておこう。
…▶ p.317

check
「幼児期の終わりまでに育ってほしい姿」は到達目標ではないことに注意が必要である。

2 保育原理

❸ 保育所保育指針における保育の基本と保育内容

8 保育における個と集団への配慮

指導計画の作成に当たっては、子ども一人一人の育ちや課題を把握する視点（＝個の理解）と、集団で行う協同的な活動においてクラスやグループ全体に共通する課題を把握する視点（＝集団の理解）が必要になります。

1 個に対する視点（子ども一人一人の育ちの理解）

計画的な保育を実践するためには、第一に子どもの実態を把握し、現在の子どもにとっての興味関心を理解することが大切です。保育士が立てた計画を子どもに押し付けるのではなく、子ども一人一人の関心を理解し、具体的な活動計画の中にその関心を取り入れていくようにします。

指導計画を立てるときに、目に見える子どもの「能力」ばかりにとらわれていると、子どもが試行錯誤し失敗しながら物事を経験しているときの「意欲」や「態度」を見落としてしまいます。保育においては、子どもが様々なことを経験していくプロセスに目を向け、経験の中で感じ取っている「心情」や、物事にチャレンジしようとする「意欲」、活動に積極的に取り組み自ら主体的に関わろうとする「態度」を重視することが大切です。

2 集団に対する視点（集団としての育ちの理解）

クラスの中で活動を展開するとき、子ども一人一人の活動する姿はそれぞれ異なりますが、集団全体をみると、クラスやグループに共通する育ちがみられます。例えば、それぞれ自分の意見を主張し合っていたクラスが、お互いの意見に耳を傾け、話し合いながら共通の方向性を見出すことを目指すようになっていったり、自分の役割を果たすだけでなく、友だちを助け、協力しながらひとつの目標を達成したり、といった集団内の雰囲気が醸成されることです。

指導計画を立てる際には、個への配慮とともに、集団としてのねらいも意識することが大切です。

check

小学校学習指導要領では基礎的・基本的な知識・技能の習得や、思考力・判断力・表現力といった力の育成が目指される。幼児教育における「心情」「意欲」「態度」は、小学校以上の学校教育の基礎となる"生きる力"の根幹を形作るものである。

ここで **チャレンジ**

問題 保育所保育指針に関する記述として正しいものに○、誤っているものに×をつけよ。

1. 保育所の保育士は、子どもの保育を行うとともに、子どもの保護者に対する保育に関する指導を行う役割がある。

2. 「総則」の「保育の環境」には子どもの活動が豊かに展開されるよう、保育所の設備や環境を整え、保育所の保健的環境や安全の確保などに努めることが示されている。

3. 「養護」とは、子どもの生命の保持及び情緒の安定を図るために保育士等が保護者と行う援助やかかわりである。

4. 指導計画を作成した際に予想した子どもの姿とは異なる姿が見られたときは、必ずしも計画通りに戻すことを優先するのではなく、豊かな体験を得られるよう援助することが重要である。

5. 「幼児期の終わりまでに育ってほしい姿」は、小学校就学時までに達成しておくべき到達目標である。

6. 保育所は、地域の生活条件、環境、文化などの特性や近隣の関係機関および人材等の実態を踏まえ、これらを生かして、全体的な計画を作成することが求められる。

7. 午睡は生活のリズムを構成する重要な要素であり、長時間にわたる保育等を考慮し、午睡時間は一律に確保できるように配慮する。

解答

1 ○ **2** ○ **3** × **4** ○ **5** × **6** ○ **7** ×

3 保育における養護とは、子どもの生命の保持及び情緒の安定を図るために保育士等が行う援助である。

5 「幼児期の終わりまでに育ってほしい姿」は、保育所における保育活動を通して資質・能力が育まれた場合にみられると予想される具体的な姿であり、到達目標ではない。

7 安心して眠ることのできる環境の確保は大切だが、発達等によっては午睡が必要ない子どももいるので、一律に強制することのないよう注意が必要である。

section 4　乳児保育

出題
point
- 乳児保育の現状と課題
- 発達・発育を踏まえた乳児保育の基本
- 乳児保育における計画の実際

 1　乳児保育の意義・目的と役割

1　乳児保育の意義・目的

　近年、少子化が進む一方で、乳児保育の需要はますます高まっています。その要因として、**共働き夫婦**が増えたことや、**ひとり親家庭**の増加があげられます。保護者が就労を続けながら、安心して子育てをするためには、保育所等における乳児保育が欠かせません。そのため 2017（平成29）年改定の保育所保育指針でも、乳児及び 1 歳以上 3 歳未満児の保育に関する記載が充実されました。

　また、核家族化や地域の交流の希薄化により、昨今の子育て環境は大きく変化しています。子どもと接した経験がないなど、育児不安を抱える親が増える中で、保育所等における乳児保育は、保護者に適切な助言を行い、子どもへの接し方のモデルを示す場として重要度を増しています。

2　乳児保育の歴史的変遷

　1951（昭和 26）年の児童福祉法の一部改正の際、保育所は、保育に欠ける乳児または幼児を保育することを目的とする施設と定義され、法律上は乳児も保育所保育の対象でした。しかし、実際には保育者の配置も少なく、乳児が入所できる環境は整備されていませんでした。

　高度経済成長期、女性の社会進出とともに 0 歳児保育の

check
　児童福祉法における「乳児」の定義は「満 1 歳に満たない者」であるが、保育所においては 3 歳未満児に対する保育を「乳児保育」と呼ぶことが一般的である。
　これに従い、このセクションでは「乳児保育」とは 3 歳未満児の保育を指すこととし、1 歳未満児の保育については「0歳児保育」と呼ぶ。

check
　現行の児童福祉法では、保育所保育の対象は、保育を必要とする乳児・幼児である（39 条）。

需要が高まり、1969（昭和44）年の厚生省通達「保育所における乳児保育対策の強化について」により、指定を受けた保育所に限り、乳児保育を実施する**特別保育事業**が実施されました。

　平成に入り少子化問題が深刻化すると、仕事と子育てとの両立のために乳児保育の拡充を求める声が高まりました。1997（平成9）年の児童福祉法の改正により、特別保育事業であった乳児保育指定保育所制度が廃止され、すべての保育所で乳児保育が実施できる体制が整えられました。

🔲check
　指定の条件は、非課税世帯の乳児が9人以上在籍することであり、保母と保健婦又は看護婦を合わせた職員配置であった。1989（平成元）年に改正され、利用者の所得制限が撤廃された。

2　乳児保育をめぐる社会的状況

　わが国では、この10年で3歳未満児の保育所利用児童数が急速に増加しており、保育所利用児童の全体数の40%以上を占めるようになっています。また年齢別の待機児童数を比較してみると、3歳以上児では244人であるのに対し、3歳未満は2,436人と、**10**倍に達しています。全待機児童数中に占める割合でみても、特に1・2歳児の待機児童数が**8**割以上を占めていることから、育休明けの保育の受け皿が不足していることがうかがえます。

🔲check
　待機児童数は、令和4年の2,944人から264人減少した。

■ 令和5年 年齢別の利用児童数・待機児童数 ■

	利用児童数	待機児童数
低年齢児	1,096,589人（40.4%）	2,436人（90.9%）
うち0歳児	135,991人（5.0%）	156人（5.8%）
うち1・2歳児	960,598人（35.4%）	2,280人（85.1%）
3歳以上児	1,620,746人（59.6%）	244人（9.1%）
全年齢児計	2,717,335人（100.0%）	2,680人（100%）

資料：保育所等関連状況取りまとめ（令和5年4月1日）（こども家庭庁）

　国は保育所のほか、認定こども園、小規模保育や家庭的保育など乳児保育の受け皿となる施設の増設を図っており、2年前と比べると待機児童数は約2,900人減少しました。

3 乳児保育の基本と発達・発育を踏まえた保育

1 乳児保育の基本と各年齢段階の発達の特徴

　０～３歳頃までは身体的な成長・発達が著しく、親や保育者など大人との親密な関わりを通して、人に対する基本的な信頼感が育まれる時期です。保育所保育指針第２章には「乳児保育」「１歳以上３歳未満児の保育」の発達の特徴と保育に関する基本的事項が示されています。

■「乳児」「１歳以上３歳未満児」の基本的事項 ■

◆乳児
・視覚、聴覚などの感覚や、座る、はう、歩くなどの運動機能が著しく発達し、特定の大人との応答的な関わりを通じて、情緒的な絆が形成される
⇒乳児保育はこれらの発達の特徴を踏まえて愛情豊かに、応答的に行われることが特に必要

◆ １歳以上３歳未満児
・歩き始めから、歩く、走る、跳ぶなどへと、基本的な運動機能が次第に発達し、排泄の自立のための身体的機能も整うようになる
・つまむ、めくるなどの指先の機能も発達し、食事、衣類の着脱なども、保育士等の援助の下で自分で行うようになる
・発声も明瞭になり、語彙も増加し、自分の意思や欲求を言葉で表出できるようになる
・自分でできることが増えてくる時期である
⇒保育士等は、子どもの生活の安定を図りながら、自分でしようとする気持ちを尊重し、温かく見守るとともに、愛情豊かに、応答的に関わることが必要

　特に乳児（０歳児）については、５領域の代わりに、保育をとらえるための「３つの視点」が示されています。

■ 乳児保育の３つの視点 ■

・健やかに伸び伸びと育つ（身体的発達に関する視点）
⇒健康な心と体を育て、自ら健康で安全な生活をつくり出す力の基盤を培う

💬アドバイス💬

　それぞれの視点にねらいと内容が示されているので、必ず目を通しておこう。

- 身近な人と気持ちが通じ合う（社会的発達に関する視点）
  ⇒受容的・応答的な関わりの下で、何かを伝えようとする意欲や身近な大人との信頼関係を育て、人と関わる力の基盤を培う
- 身近なものと関わり感性が育つ（精神的発達に関する視点）
  ⇒身近な環境に興味や好奇心をもって関わり、感じたことや考えたことを表現する力の基盤を培う

2 乳児の生活と環境

　はいはいやつかまり立ちなど、様々な発達段階の子どもが混在する乳児保育を行うために、保育所は**乳児室、ほふく室**、医務室、調理室及び便所を設置することが、「児童福祉施設の設備及び運営に関する基準」に定められています。また、乳児の情緒の安定のためにも、なるべく同じ保育者が**継続的**に保育に当たるとともに、乳児が落ち着いた雰囲気の中で過ごせるようにすることが大切です。

3 遊びと援助の実際

　乳児は、身の回りのものに興味や好奇心を持ち、**自ら**関わろうとすることによって発達が促されます。遊びを通して感覚の発達が促されるよう、形や色、大きさなど子どもの発達に応じた適切な**玩具**を選び、振って見せたり、転がして見せたりするなど、保育士が玩具の面白さを伝え、子どもが遊びに夢中になれるような働きかけをすることが大切です。

4 乳児保育における配慮と計画の実際

　乳児保育の計画作成に当たっては、あたたかな雰囲気の中で保育士との**情緒的な絆**を深めるとともに、看護師など他の職員との連携体制のもとで保健及び安全面に配慮するなど、養護的側面を基盤にすることが大切です。また、発達の個人差が大きいため、一人一人の発達の状況を踏まえて個別の計画を立てることが必要です。

check
　ほふく室は、誤飲などの危険なく、子どもが自由に移動しながら安全に遊べるように環境を整えることが重要である。

❹ 乳児保育

保育所保育指針第1章「総則」3（2）イ（ア）には、3歳未満児の指導計画の作成について、以下のように述べられています。

■ 3歳未満児の保育の指導計画の作成 ■

> （ア）3歳未満児については、一人一人の子どもの生育歴、心身の発達、活動の実態等に即して、個別的な計画を作成すること。

また、第2章「保育の内容」1（3）には、乳児保育の実施に関わる配慮事項として、次のように示されています。

■ 乳児保育の実施に関わる配慮事項 ■

> ア　乳児は疾病への抵抗力が弱く、心身の機能の未熟さに伴う疾病の発生が多いことから、一人一人の発育及び発達状態や健康状態についての適切な判断に基づく保健的な対応を行うこと。
> イ　一人一人の子どもの生育歴の違いに留意しつつ、欲求を適切に満たし、特定の保育士が応答的に関わるように努めること。

5 乳児保育における連携・協働

　乳児は身体的機能が未熟であり、自分で体の不調を訴えることができないため、きめ細かく健康状態を把握することが大切です。疾病や異常の早期発見のため、保育士間はもちろん、看護師や栄養士、嘱託医などと日頃から連携し、情報共有しておくことが重要です。特に、窒息、誤飲、転倒、転落、脱臼等、乳児に起こりやすい事故や予想される危険に対し、それぞれの職種の専門性を活かして予防対策に取り組む必要があります。

　また、離乳やトイレトレーニングの進め方などについても、他職種と連携し、一人一人の状態に合わせて進められるようにしましょう。

ここで **チャレンジ**

問題 次の記述で正しいものに○、誤っているものに×をつけよ。

1. 日本で乳児を受け入れられる保育施設は、保育所だけである。

2 3歳未満児の保育については、一人一人の子どもの生育歴、心身の発達、活動の実態等に即して、個別的な計画を作成することが必要である。

3. 1969（昭和44）年から実施された乳児保育の特別保育事業では、乳児保育を行うすべての保育所に3：1の保母の配置がなされた。

4. 待機児童数全体のうち、3歳未満児が占める割合は約50%である。

5. 乳児期においては、子どもの多様な感情を受け止め、温かく受容的・応答的に関わることが大切である。

6. 乳児保育の3つの視点には、「健やかに伸び伸びと育つ」「身近な人と気持ちが通じ合う」「身近なものと関わり感性が育つ」があげられている。

7. 3歳未満児については、緩やかな担当制の中で特定の保育士等が子どもとゆったりとした関わりを持ちながら、情緒的な絆を深められるようにすることが大切である。

8. 乳児は身体的機能が未熟であるため、看護師や嘱託医など、多職種と連携しながら健康状態を把握することが大切である。

解答

1× **2**○ **3**× **4**× **5**○ **6**○ **7**○ **8**○

1 保育所のほかにも、認定こども園、小規模保育、家庭的保育などがある。

3 特別保育事業では、非課税世帯の乳児が9人以上在籍する保育所に限られており、職員も保母と保健婦又は看護婦を合わせた配置とされていた。

4 2023（令和5）年4月1日時点の3歳未満児の待機児童数全体に占める割合は、90.9%である。

障害児保育

出題
point
- 障害の概念
- 障害児保育の歴史
- 保育における障害児への配慮

1 障害児保育を支える理念

1 障害の概念

　障害者基本法2条では、障害者の定義を「**身体**障害、**知的**障害、**精神**障害（発達障害を含む。）その他の心身の機能の障害（略）がある者であつて、障害及び社会的障壁により**継続的**に日常生活又は社会生活に相当な制限を受ける状態にあるものをいう」としています。

　これは心身機能の不調を持っていることがただちに「障害」なのではなく、その人が活動できる社会環境が整えられていないことにより、個人の活動や社会参加に支障をきたすときに「障害」が顕在化するとする考え方です。

2 障害児保育の歴史的変遷

　就学前の障害のある子どもの保育を、障害児保育と呼びます。障害児保育は、専門の施設・機関で行われる場合と、保育所や幼稚園などで行われる場合があります。

　1947（昭和22）年制定の学校教育法で、盲学校・聾学校に幼稚部が置かれたのに対し、養護学校の幼稚部の整備は遅れていました。このため、軽度や中度の知的障害児等は一般の保育所等で保育を受ける実態が先行していました。

　1974（昭和49）年の厚生省による「障害児保育事業実施要綱」によって、保育所における障害児保育が初めて制度

check
WHOが示した国際生活機能分類（ICF）では、「障害」は「心身機能・身体構造」「活動」「参加」の3つの次元の相互作用により顕在化するとされている。

check
障害のある幼児の保育・教育機関としては、保育所、幼稚園、認定こども園のほかに、児童発達支援センター、児童発達支援事業所、特別支援学校幼稚部などがある。

化されました。これ以降、一般の保育所・幼稚園における障害児の受け入れが進み、2015（平成27）年施行の子ども・子育て支援新制度においては、保育所や幼稚園等が障害のある子どもを受け入れ、地域関係機関との連携や相談対応を行う場合に、療育支援を補助する者を配置することなどが定められました。

　また、人工呼吸器による呼吸管理や、喀痰吸引などが恒常的に必要な「医療的ケア児」を保育所で受け入れられるよう、保育所の設置者は看護師等または喀痰吸引が可能な保育士を配置することが、2021（令和3）年6月成立・公布の「医療的ケア児及びその家族に対する支援に関する法律」により定められました。

　現在、保育所・幼稚園に在籍する障害児の多くは、知的障害児と発達障害児です。発達障害者支援法では、発達障害を「自閉症、アスペルガー症候群その他の広汎性発達障害、学習障害、注意欠陥多動性障害その他これに類する脳機能の障害」と定義しています。

2 障害児の理解と保育における発達の援助

1 保育計画における障害児への配慮

　保育所では、障害のあるなしにかかわらず、ノーマライゼーションの理念に基づき、一緒に生活をしていくことが原則であり、そのためには、一人一人の子どもが人格を尊重され、安心して生活できる環境を整えることが大切です。

　クラス全体としての指導計画を作成するとともに、障害のある子どもが他の子どもとの生活を通して共に成長できるよう指導計画の中に位置付け、個別の支援計画を作成することが必要となります。

　個別の支援計画では、子どもの生育歴や療育歴、子どもの現在の状態、保護者の願い等を踏まえて、具体的な目標や支援の方法を記載します。

•••check
　1947（昭和22）年に、障害児を受け入れる私立幼稚園に対する助成も開始された。

•••check
　障害のある子どもが地域の保育所や幼稚園で保育を受けることを、インクルーシブ保育、統合保育等と呼ぶ。

•••check
　発達障害者支援法は、2005（平成17年）施行。
　7条には、保育を行う場合には発達障害児の健全な発達が他の児童と共に生活することを通じて図られる配慮を行うよう定められている。

障害のある子どもの指導計画への配慮
•••> p.101

2 障害児の特徴と保育所における支援

(1) 知的障害 (知的発達症〔知的能力障害〕)

　知的障害は、知的能力の**顕著な遅れ**と日常生活における適応行動の欠如が、少なくとも **18** 歳以前に発症している状態を指します。知的障害児に対しては、その子どもの発達段階、能力に合った日常生活訓練、教育的支援を行い、その子が本来持つ能力を伸ばすことができるよう、適正な訓練と支援の量を考えます。

(2) 自閉スペクトラム症 (ASD)

　自閉スペクトラム症は、対人関係や会話等の社会的コミュニケーションでの困難を特徴とし、**常同的反復的**な行動や、強い執着を伴う興味、感覚過敏などの特徴により生活上の問題が生じる障害です。知的障害や言語障害の程度は様々ですが、相手の表情や言葉から感情を読み取ることが難しい点については共通しています。

　自閉スペクトラム症児に対しては、見通しをもって生活できるようにスケジュールを**絵**で示すなど、視覚的な支援を行うことや、否定的な言葉を避け、何をすればよいのか**具体的**に指示することなどが大切です。

👑 check ✨
「自閉スペクトラム症」は、アメリカ精神医学会によるDSM-5-TRによる分類である。発達障害者支援法では、広汎性発達障害に分類されている。
••▶ 下 p.149

(3) 注意欠如多動症 (AD/HD)

　注意欠如多動症は、特に **12** 歳以前から、不注意と多動性 – 衝動性が、同年代の子どもよりも顕著にみられます。ADHD 児は、周囲の小さな刺激にも反応しやすく注意が散漫になりがちなので、集中させたいときには余計な**刺激を遮断**するなどの工夫が必要です。

(4) 限局性学習症 (SLD)

　限局性学習症は、知的能力は**正常**ですが、聞く、話す、読む、書く、計算するなどの基本的な能力のうち一部に困難がある状態を指します。学習障害児の多くは、小学校に上がって教科の学習が始まってから問題が顕在化します。保育所等では、言葉による理解が苦手な子には**絵カード**などで視覚的な支援を行う等の工夫が必要です。

問題 次の記述で正しいものに○、誤っているものに×をつけよ。

1. 障害のある幼児を保育できる施設としては、保育所等のほかに、児童発達支援センター、児童発達支援事業所、特別支援学校幼稚部などがある。

2. わが国で、保育所や幼稚園における障害児保育が制度化されたのは、1947（昭和 22）年の学校教育法が初めてである。

3. 2015（平成 27）年施行の子ども・子育て支援新制度において、障害のある子どもを受け入れる保育所や幼稚園等に、療育支援を補助する者を配置することが定められた。

4.「発達障害者支援法」は、保育所での保育において他の児童と別に生活することを通じて、発達障害児の健全な発達が図られるよう適切な配慮をするものと規定している。

5. 知的障害とは、知的能力の顕著な遅れと日常生活における適応行動の欠如が、20 歳以前に発症している状態を指す。

6. 自閉スペクトラム症の中には、知的機能や言語機能の遅れのないものも含まれる。

7. 看護師を配置していない保育所では、安全の観点からたんの吸引が必要な脳性まひの障害がある子どもは受け入れられない。

解答

1 ○　**2** ×　**3** ○　**4** ×　**5** ×　**6** ○　**7** ×

2　わが国で保育所等における障害児保育が制度化されたのは、1974（昭和 49）年の厚生省による「障害児保育事業実施要綱」が最初である。

4　「発達障害者支援法」では、他の児童と共に生活することを通じて健全な発達が図られるよう配慮することが規定されている。

5　知的障害とは、知的能力の顕著な遅れと日常生活における適応行動の欠如が、少なくとも 18 歳以前に発症している状態を指す。

7　研修などによりたんの吸引が可能な保育士等を配置して、受け入れることが求められる。

2章　保育原理

section 6　子育て支援

出題 point
- 保育所における子育て支援の特性
- 保護者の状況に配慮した支援
- 日本における子育て支援施策

1 保育所における子育て支援の特性

1 保育所における子育て支援に関する基本的事項

保育所は、**保育所を利用している保護者**に対する支援と、**地域の保護者等**に対する子育て支援という2つの機能を担っています。

保育所保育指針第4章「子育て支援」1「保育所における子育て支援に関する基本的事項」(1) には、「保育所の特性を生かした子育て支援」として、以下の2点が示されています。

> ア　保護者に対する子育て支援を行う際には、各地域や家庭の実態等を踏まえるとともに、保護者の気持ちを受け止め、相互の信頼関係を基本に、保護者の自己決定を尊重すること。
> イ　保育及び子育てに関する知識や技術など、保育士等の専門性や、子どもが常に存在する環境など、保育所の特性を生かし、保護者が子どもの成長に気付き子育ての喜びを感じられるように努めること。

保護者への支援は、**職員間の協力・連携**、さらには**他の専門機関**との連携のもとに進められる必要があります。

2 保育所を利用している子どもの保護者に対する支援

(1) 保護者との相互理解

保育所に入所する子どもの保護者に対しては、保育士は

check

保育所保育指針の1章「総則」1(1)「保育所の役割」ウ「保育所は、入所する子どもを保育するとともに、家庭や地域の様々な社会資源との連携を図りながら、入所する子どもの保護者に対する支援及び地域の子育て家庭に対する支援等を行う役割を担うものである」。

相談援助の方法と技術
…▶ p.285

日頃から様々な機会をとらえてコミュニケーションを密にし、信頼関係を築いていくことが支援の第一歩となります。

朝夕の送迎時や連絡帳、おたよりなどを活用して、子どもの様子や保育士の考えを伝えるとともに、保護者が子育てについて悩みを抱えていないか把握し、保護者との相互理解を図るよう努めることが大切です。

(2) 保護者の状況に配慮した個別の支援

● 保護者の就労と子育ての両立支援

保育所は、保護者の多様な働き方に合わせて、保育時間の延長や、休日・夜間保育、病児・病後児に対する保育など多様な保育を実施することがあります。このように、長時間の保育を行う場合には、保護者の状況への配慮とともに、子どもの福祉が尊重されるように努めることが重要です。

● 子どもに障害や発達上の課題がある場合の支援

保育所は、市町村や地域の専門機関との連携を図るとともに、子どもだけでなく保護者を含む家庭への援助に関する記録や計画を個別に作成するなど、個別の支援を行う必要があります。

● 外国籍家庭などへの支援

外国籍家庭やひとり親家庭、貧困家庭等、社会的困難を抱えている家庭では、保護者は子育てに困難や不安、負担感を抱きやすいため、子どもの成育歴や各家庭の状況に応じた支援が必要となります。

(3) 不適切な養育等が疑われる家庭への支援

虐待や不適切な養育が疑われる場合は、**要保護児童**◆として対応します。保育所は、市町村及び地域の専門機関との連携を図るとともに、**要保護児童対策地域協議会**◆で検討するなど適切な対応をとらなければなりません。特に、虐待が疑われる場合には、速やかに市町村又は児童相談所等に通告し、適切な対応を図ることが求められます。

3 地域の保護者等に対する子育て支援

保育所は、児童福祉法 48 条の 4 の規定に基づき、保育に

◆要保護児童
　保護者のない児童又は保護者に監護させることが不適当であると認められる児童（児童福祉法6条の3第8項）。

◆要保護児童対策地域協議会（子どもを守る地域ネットワーク）
　児童福祉法25条の2第1項に基づき、地方公共団体が単独又は共同して置く協議会で、要保護児童の適切な保護や適切な支援を図るため、関係機関や児童福祉に関わる専門家等により構成される。
••▶p.225

支障がない限りにおいて、地域の子どもに対する一時預かり事業など、**地域全体の子育て家庭に対する支援を行うこと**が求められます。

2 日本における子育て支援の展開

1 少子化の進行と子育て支援施策

わが国における子育て支援施策は、1994（平成6）年のいわゆる「エンゼルプラン」を皮切りに、社会の**少子高齢化**の進行に対する危機感から、次々と打ち出されてきました。初期の働く女性が子育てと仕事を両立させるための「両立支援」から、男女を問わず働き方を見直し、子育てを**社会全体で支え**ようとする発想へと変換されています。

■ 日本の主な子育て支援施策 ■

年	施策名	主な施策
1994 （平成6）	エンゼルプラン	育児休業給付の実施、保育所における一時預かり・延長保育拡充、低年齢児受け入れ枠拡大、地域子育て支援センター整備等
1999 （平成11）	新エンゼルプラン	固定的性別役割分業の是正、短時間勤務制度・育児休業の利用促進、**ファミリー・サポート・センター**◆の整備
2003 （平成15） 公布	次世代育成支援対策推進法	次世代育成に関する行動計画の策定を101人以上の労働者を雇用する事業主に義務付ける（2025（令和7）年3月31日までの時限立法）
2004 （平成16）	少子化社会対策大綱	若者の自立支援・就労支援、教育、働き方の見直しを含む4つの重点施策
2004 （平成16）	子ども・子育て応援プラン	少子化社会対策大綱で示された施策について、5年間に行う具体的な内容と目標を明示
2010 （平成22）	子ども・子育てビジョン	3つの理念を掲げ、社会全体で子育てを支えるビジョンを示す

check

児童福祉法48条の4には「保育所は、当該保育所が主として利用される地域の住民に対して、その行う保育に関し情報の提供を行わなければならない」「その行う保育に支障がない限りにおいて、乳児、幼児等の保育に関する相談に応じ、及び助言を行うよう努めなければならない」と定められている。

エンゼルプラン
••▶p.198

新エンゼルプラン
••▶p.199

用語

◆**ファミリー・サポート・センター**
乳幼児や小学生等の児童を有する子育て中の労働者や主婦等を会員として、児童の預かりの援助を受けたい者と当該援助を行いたい者との相互援助活動に関する連絡、調整等を行うセンター。

check

2004（平成16）年以降の政策では、それまでの保育事業中心の施策から若者の自立・就労支援、教育、働き方の見直しを含む幅広い施策への転換がみられる。

年	施策名	主な施策
2010 (平成22)	子ども・子育て新システム検討会議	保育サービスの保障、家庭的保育、小規模・短時間利用等の保育サービスの拡充、多様な事業者の保育への参入促進など
2013 (平成25)	待機児童解消加速化プラン	待機児童を解消すべく、保育所整備、保育士確保、小規模保育・事業所内保育の拡充などを積極的に行う自治体を国が支援し、保育の集中的整備を行う
2015 (平成27)	新たな少子化社会対策大綱	5つの重点課題（①子育て支援施策の一層の充実、②若い年齢での結婚・出産の希望の実現、③多子世帯への一層の配慮、④男女の働き方改革、⑤地域の実情に即した取り組みの強化）
2017 (平成29)	子育て安心プラン	6つの支援パッケージ ①保育の受け皿の拡大 ②保育人材の確保 ③保護者への「寄り添う支援」 ④保育の質の確保 ⑤持続可能な保育制度の確立 ⑥保育と連携した「働き方改革」
2020 (令和2)	新たな少子化社会対策大綱の策定	「希望出生率1.8」の実現に向け、令和の時代にふさわしい環境を整備し、希望するタイミングで希望する数の子供を持てる社会をつくることを目標とする
2020 (令和2)	新子育て安心プラン	①地域の特性に応じた支援、②魅力向上を通じた保育士の確保、③地域のあらゆる子育て資源の活用により、4年間で14万人分の保育の受け皿を確保
2021 (令和3)	こども政策の新たな推進体制に関する基本方針	こども基本法 こども家庭庁の創設 ①こどもや子育て当事者の視点に立った政策立案 ②全てのこどもの健やかな成長、Well-beingの向上 ③誰一人取り残さず、抜け落ちることのない支援 ④縦割りの壁、年齢の壁を克服した切れ目ない包括的な支援 ⑤予防的な関わりの強化、プッシュ型・アウトリーチ型支援への転換 ⑥エビデンスに基づく政策立案、PDCAサイクル

年	施策名	主な施策
2023 （令和5）	こども未来戦略	①若い世代の所得を増やす、②社会全体の構造・意識を変える、③全てのこども・子育て世帯を切れ目なく支援する、という基本理念のもと、児童手当の拡充、保育所等の職員配置の見直し、保育士の待遇改善、「こども誰でも通園制度（仮称）」の創設等を実施

2 「子ども・子育て関連3法」の成立

2012（平成24）年8月に可決された「子ども・子育て関連3法」により「教育・保育給付」が**一本化**され、幼保連携型認定こども園の普及拡充が目指されることとなりました。

また、市町村は**5年**を一期とする、教育・保育及び地域子ども・子育て支援事業の提供体制の確保等に関する「**市町村子ども・子育て支援事業計画**」を定めることが義務付けられ、「地方版子ども・子育て会議」のような**合議制機関**を設けるように努めることが「子ども・子育て支援法」に定められています。

3 「子ども・子育て支援新制度」

2015（平成27）年4月より、「子ども・子育て関連3法」に基づき、幼保連携型認定こども園の普及促進、地域の実情に合わせた「**地域型保育**」の新設、子育て支援の充実を掲げた「**子ども・子育て支援新制度**」がスタートしました。

それに合わせ、2017（平成29）年度までに待機児童解消を目指す「待機児童解消加速化プラン」も2013（平成25）年度から実施されました。しかし、待機児童が解消されなかったため、政府は2017（平成29）年に「子育て安心プラン」を、2020（令和2）年に「新子育て安心プラン」を発表しました。2021（令和3）年度から2024（令和6）年度までの4年間で約14万人分の保育の受け皿を確保して女性の就業率の上昇に対応するとしています。

4 「子ども・子育て支援法」の改正

2016（平成28）年には、「子ども・子育て支援法」が改正、施行され、**仕事・子育て両立支援事業**が創設されました（同法59条の2）。これは、政府が事業所内保育業務を目的とする施設等の設置者に対し、助成及び援助を行う事業で、**企業主導型保育事業**や企業主導型ベビーシッター利用者支援事業等があります。

2021（令和3）年5月には、労働者の仕事と家庭生活の両立に必要な雇用環境の整備を行うなど、子育て支援に積極的に取り組む事業主への助成及び援助を政府が行えるよう、子ども・子育て支援法が改正されました。

5 幼児教育・保育の無償化

2019（令和元）年5月に改正子ども・子育て支援法が可決され、同年10月1日より幼児教育・保育が原則無償化されました。これにより、幼稚園、保育所、認定こども園及び地域型保育、企業主導型保育事業等を利用する**3〜5歳児**については全世帯、**0〜2歳児**については**住民税非課税**世帯の利用料が無料となりました。

6 「こども基本法」と「こども家庭庁設置法」の制定

2021（令和3）年12月、「**こども政策の新たな推進体制に関する基本方針**」が閣議決定され、これに基づいて、2022（令和4）年6月に「**こども基本法**」と「**こども家庭庁設置法**」が可決され、2023（令和5）年4月に施行されました。

こども基本法は、これまで教育、福祉、医療等、各分野の法律の範囲内で限定的に定められていた子どもの権利を、「児童の権利に関する条約」の精神にのっとって、国が**包括的**に保障するために定められたものです。こども基本法における「こども」とは、年齢にかかわらず「**心身の発達の過程にある者**」を指します。これにより、各法律における年齢の区切りによって途切れがちであった子どもへの支援を、**継続的**に行っていくことができる体制が法的に整えら

♔ check
事業主への助成が行われる期間は、2021（令和3）年10月1日から2027（令和9）年3月31日までである。

♔ check
認可外保育施設については、保育の必要性の認定を受けた3〜5歳児は月額3.7万円まで、保育の必要性の認定を受けた0〜2歳児は、住民税非課税世帯に限り月額4.2万円までの上限を設けて無償化の対象となった。

れました。同法3条3号には、子どもの年齢・発達の程度に応じた意見表明権及び社会参加権が定められています。

こども家庭庁は、こどもの支援と子育て家庭の支援を切れ目なく行うために、新たに設置されました。こども家庭庁にはこども家庭審議会が置かれ、こども・子育て家庭の支援やこどもの権利擁護等に関する事項を調査審議します。また、こども施策を総合的に推進するために、こども家庭庁に置かれる「こども政策推進会議」が、こども施策に関する基本的方針等を定めた「こども大綱」を策定し、都道府県はこれに従って、都道府県のこども施策をまとめた「都道府県こども計画」を立案することが定められています。

こども家庭庁設置により、児童福祉法及び子ども・子育て支援法は、こども家庭庁の管轄となり、認定こども園法の一部（内閣府と厚生労働省が所管していた部分）が移管されました。

■ こども基本法3条3号 ■

> 全てのこどもについて、その年齢及び発達の程度に応じて、自己に直接関係する全ての事項に関して意見を表明する機会及び多様な社会的活動に参画する機会が確保されること。

7 児童福祉法の改正

こども基本法の成立に伴い、2022（令和4）年6月に児童福祉法が改正されました。主な改正点は、子育て世帯に対する包括的な支援体制の強化のために、市町村が「こども家庭センター」を設置するよう努め、支援を要するこどもや妊産婦等への支援計画を作成すること（10条の2）、市町村が子育てに関する相談に応じ、必要な助言を行うことができる「地域子育て相談機関」の整備に努めること（10条の3）などです。このほか、保育士が児童に対する性暴力を行ったときの登録取消し等についても、新たな条文が追加されました。

check
こども基本法の理念にのっとり、「幼児期までのこどもの育ちに係る基本的なビジョン（はじめの100か月の育ちビジョン）」が2023（令和5）年12月に閣議決定された。

check
こどもをめぐる状況や政府の施策の実施状況についてまとめた「令和6年版こども白書」が2024（令和6）年6月21日に閣議決定された。

check
section8 の3「保育士の倫理観と専門性」を参照。
···▷ p.143

問題 次の記述で正しいものに○、誤っているものに×をつけよ。

1. 保育所は、保育所を利用している保護者に対する子育て支援と、地域の保護者に対する子育て支援の2つの機能を担っている。

2. 保護者とのコミュニケーションは、日常の送迎時における対話や連絡帳、電話、面接など様々な機会をとらえて行うことが大切である。

3. 子どもが虐待を受けている場合などにおいても、保護者や子どものプライバシー保護のため、他の機関に通告しないことが求められる。

4. 新エンゼルプランで整備された「ファミリー・サポート・センター」とは、困窮した子育て家族を経済的に支援するための施設である。

5. 2016（平成28）年に改正された「子ども・子育て支援法」で創設された仕事・子育て両立支援事業では、企業が労働者のために保育施設を設置することを支援している。

6. 「幼児教育・保育の無償化」の対象となる施設は、幼稚園、保育所、認定こども園のみである。

7. こども基本法における「こども」とは、0〜18歳までの「心身の発達の過程にある者」を指す。

解答

1 ○　**2** ○　**3** ×　**4** ×　**5** ○　**6** ×　**7** ×

3　虐待や不適切な養育等が疑われる場合には、速やかに市町村や関係機関と連携し、要保護児童対策地域協議会で検討することが必要である。

4　ファミリー・サポート・センターは、あらかじめ会員登録した、子育て中のサポートを必要とする者と、サポートを提供できる者の支援を円滑に提供するための連絡調整を行うセンターである。

6　地域型保育、企業主導型保育が対象となるほか、認可外保育施設の一部にも上限を設けて適用される。

7　こども基本法における「こども」とは、年齢にかかわらず「心身の発達の過程にある者」を指す。

2章　保育原理

保育の思想と歴史的変遷

section 7

出題
point

- 近代社会と保育
- 諸外国における保育思想の発展
- 日本における保育の歴史的変遷

1 近代における保育思想の発展

1 近代社会と保育

　子どもの保育・幼児教育を担う専門的な施設ができたのは、近代の市民社会が生まれてからのことです。それまでは、原罪にまみれ、厳しい教え込みの対象とされていた子どもが、近代社会では、大人とは異なる**固有の価値**を持つ存在として認められ、親密な家族生活の中で、慈しまれるようになりました。子どもに対する関心の高まりとともに、過酷な労働環境や、貧困による劣悪な生活から、子どもを守り、健やかな育ちを保障しようとする思想が生まれました。また、女性の社会進出が進むとともに、**家庭教育を補完**する機能を持つ保育施設が社会的にも求められるようになりました。

2 子どもの発見

(1) ルソー （Rousseau, J.-J. 1712-1778）

　スイスのジュネーヴで生まれたルソーは、『**人間不平等起源論**』、『**社会契約論**』などの著作を発表して、18 世紀フランスの身分制社会に対する批判を行った思想家です。ルソーは、社会による影響を受けない仮想的な人間の状態を「**善**」ととらえました。

　『**エミール**』（1762 年）は、主人公エミールに対する幼少時から成人期に至るまでの理想的教育の過程を描いた教育

check
　人間の自然本性を「善」とみるルソーの思想は、生まれながらに原罪（＝悪）を背負った存在として人間をとらえるキリスト教的な人間観とは大きく異なるものだった。

物語（フィクション）です。ルソーは、子どもが生まれながらに持っている善性が、社会の悪い影響によって壊されないように、幼少期には「自然に従う教育」が望ましいと述べました。大人が必要以上に教育的な介入をせず、子どもに体験させることによって理解に導くルソーの教育思想は「消極教育」と呼ばれます。

(2) フレーベル（Fröbel, F.W. 1782-1852）

　世界初の「幼稚園（Kindergarten）」の創設者であるフレーベルは、ペスタロッチからの強い影響を受けて、青少年教育に取り組んだドイツの教育者です。

　主著『人間の教育』では、人間のうちに宿る神性を引き出し実現することが教育の目的であると述べられています。子どもの中にはすでに人間性の萌芽が存在するため、発達の最初の段階である幼児期の教育が特に重要であるとし、子どもの遊びを育み、感覚の発達を促す玩具を自ら製作して「恩物（Gabe；ガーベ）」と名付けました。これは、明治時代に関信三が編集した『幼稚園法二十遊嬉』等によって、わが国に紹介されました。

 覚えよう！

●ルソーとフレーベルの功績
ルソー：『エミール』を著し、子どもの内的な善性を開花させる消極教育が望ましいと説いた。
フレーベル：幼稚園の創設者で、感覚の発達を促す「恩物」を考案した。

3　子どもの保護施設の創設

(1) オーベルラン（Oberlin, J.F. 1740-1826）

　子どもを保護することを目的とする最初の施設は、1769年、オーベルランによって、フランスのアルザス地方の山間の村に作られました。気候は厳しく、人々の暮らしも貧しかったこの地方の生活を改善するため、慈善事業の一つとして村の女性に、将来の生計を立てる手段として編み物

check

フレーベルの幼稚園では、母親が子どもを正しく導くことができるよう、母親に対して子育ての助言や援助を行う女性教師や保母が置かれていた。

を教える学校を設置しました。生徒が授業を受ける間、生徒の子どもを保護し教育する施設を附設し、子どもたちに標準フランス語を教え、よりよい**生活習慣**や**マナー**を指導するとともに、図絵や実物を取り入れた指導（実物教育）を行い、科学的な思考を育てることにも尽力しました。

⑵ オーエン（オーウェン）（Owen, R. 1771-1858）

オーエンは、20代で紡績工場の経営に成功したイギリスの実業家でした。自分の経営する工場で働く労働者のために「性格形成学院」を開設し、その中に1〜6歳の子どもを預かる「**幼児学校**」を置きました。

オーエンは、人間の性格は**生まれながらの素質**と、**環境による後天的な影響**が結びついて形成されると考えました。

オーエンの工場の「幼児学校」では、子どもの健康な身体を維持するため**戸外での活動**が取り入れられ、集団教育による合唱や楽隊の練習のほか、絵や模型を用いた実物教授、直観教授が行われました。

⑶ マクミラン姉妹（McMillan）

マクミラン姉妹は1911年、ロンドンのスラム街に、共働き家庭の子どもを日中預かる「**保育学校**」を設立しました。労働者階級や貧しい家庭の子どもを対象としたこの学校では、子どもの健康の改善のため、1日3回の**給食**を提供し、沐浴、歯磨きなどの衛生習慣の指導、戸外での遊びや午睡を取り入れるなど、医療機関と連携して子どもの望ましい**生活習慣**の形成に取り組みました。

⑷ ペスタロッチ（Pestalozzi, J.H. 1746-1827）

ペスタロッチは、スイスのチューリヒで生まれ、青年時代ルソーの著作に影響を受けました。『隠者の夕暮』（1780年）、『リーンハルトとゲルトルート』（1787年）、『ゲルトルートは如何にしてその子を教えたか』（1801年）などの著作では、子どもの直観が合自然的な生活の中で触発され形成されることを、「**生活が陶治する**」（das Leben bildet）という命題で示しました。

:·:**check**

当時、工場労働者の労働条件は過酷で、年少児童も劣悪な環境下で長時間労働を強いられていた。オーエンは、その改善のため、工場法の改正運動に関わっていた。

:·:**check**

マクミラン姉妹の「保育学校」は、その後のイギリスにおける保育学校（ナーサリー・スクール）のモデルとなった。

フランス革命後は、シュタンツに孤児院を作り、ブルクドルフでは初等学校を開校し、イヴェルドンでも学園を開くなど、各地で教育活動を展開しました。当時の教育関係者にも多大な影響を与えました。

ペスタロッチは、幼児の教育は、教え込みによる知識の習得よりも、**生活への適応と道徳的な心情**の形成が重要だと考え、子どもの日常生活の経験に結びついた「**直観**」を重視しました（**直観教授**）。また子どもの教育においては、興味と模倣による自発性を重視し（**自発性の原理**）、生活の中の労働や作業を通して学ぶ「**労作教育**」を原理としていました。

●**ペスタロッチの教育の特徴**
　ペスタロッチの教育は労働を通して学ぶ「労作教育」と、子どもの経験を重視する「直観教授」を原理とする。

4 新教育運動と幼児教育

(1) デューイ（Dewey, J. 1859-1952）

デューイは、シカゴ大学の哲学・心理学・教育学の主任教授として教鞭をとりながら、教育や学習の原理への関心から、1896年に同大学に実験のための小学校（**実験学校**）を設立しました。『**学校と社会**』（1899年）、『**子どもとカリキュラム**』（1902年）、『**民主主義と教育**』（1916年）等のデューイの主著は、実験学校における理念と実践の記録です。

デューイは、画一的な教育方法やカリキュラムによって、子どもを受身的な存在に押し込める伝統的教育を「**旧教育**」と呼び、子どもの興味関心を尊重し、「子どもを太陽のように中心とする」自らの教育と対比的に論じて批判しました。

デューイは、教育を「**経験の継続的な再構成**」であると定義しており、教育の過程そのものが教育の目的であると考えました。また、民主主義に基づく小型の社会を、学校

❼ 保育の思想と歴史的変遷

　ペスタロッチは「民衆教育の父」と呼ばれ、イヴェルドンの学園には、ヘルバルト、オーエン、フレーベルなど当時の教育関係者が数多く見学に訪れた。

　デューイの教育思想は、「児童中心主義」に基づいた、いわゆる「新教育」運動の一つとして位置付けられている。

の中に再現することを理想としました。そのために、子どもたちの生活の場である学校は、共通の目標に向かって主体的に共同の活動を行うことのできる「**共同体**」でなければならないと論じました。

(2) モンテッソーリ（Montessori, M. 1870-1952）

女性医学博士で障害児教育の研究者でもあったモンテッソーリは、1907 年、ローマのスラム街に「**子どもの家**」を創設し、3 歳から 6 歳までの子どもたちを集めて、子どもの発達の観察に基づく科学的な教育を行いました。「子どもの家」には、子どもの身体に合わせた環境や、様々な色や形の「**感覚教具**」が用意されており、子どもが教具を使って自発的に活動（work）を行うことで、感覚の訓練による知的成長や、集中力を身に付けることができるとされました。モンテッソーリは、「感覚教育」と呼ばれるこれらの実践を、『**子どもの発見**』（1909 年）、『家庭における子ども』（1923 年）などの著作で発表しました。

モンテッソーリは、子どもの内には創造的態度があり、それが環境に出会って心の世界を構成すると考え、それが特に盛んになる「敏感期」に心の発達の援助をすることを重視しました。「モンテッソーリ教育」においての教師の役割は、子どもにふさわしい環境を用意し、必要以上の介入をせずに子どもの**自由**で**自発的**な活動を促すことであると考えられました。

●デューイとモンテッソーリの功績●
デューイ：『民主主義と教育』で学校を民主的な共同体として構想。「実験学校」を創設。
モンテッソーリ：スラム街に「子どもの家」を創設。「感覚教具」を用いた教育（感覚教育）を実践。

👑check
『子どもの発見』の原題は『子どもの家における幼児に適用された科学的教育の方法』（1948 年に『子どもの発見』に改題）。英訳書名の『モンテッソーリ・メソッド』という名の方が欧米や日本では知られている。

👑check
欧米ではモンテッソーリ教育はオルタナティヴ教育の一つととらえられており、国際モンテッソーリ協会による独自の教員養成が行われている。

5 保育思想におけるその他の重要人物と功績

エレン・ケイ（Key, E. 1849-1926）

　スウェーデンの女性運動家。『児童の世紀』（1900年）において、国家主義に基づく近代の公教育制度のあり方を批判し、子ども中心主義に基づく学校改革が必要だと説き、改革教育学の流れのさきがけとなる。

ハウ（Howe, A.L. 1852-1943）

　明治期に女性宣教師として来日し、神戸に頌栄幼稚園と保姆養成所を設立。フレーベルの思想に基づく保育の普及に努めるとともに、園庭における植物栽培など、実物の観察・直感を重視した教育を行った。

シュタイナー（Steiner, R. 1861-1925）

　オーストリア帝国（現在のクロアチア）生まれ。「アントロポゾフィー（人智学）」という独自の世界観に基づき、1919年に「自由ヴァルドルフ学校」を創設。音や言葉の質を身体の動きによって表現する独自の芸術、オイリュトミーを考案。

ヒル（Hill, P.S. 1868-1946）

　進歩主義教育の立場から、画一化したフレーベル主義幼稚園を批判し、子どもの実際の生活に基づく「生活目録」をもとに、幼稚園のための「コンダクト・カリキュラム」を作成。

コダーイ（Kodály, Z. 1882-1967）

　ハンガリーの作曲家、民族音楽学者、教育学者。ハンガリーの民謡を研究し、児童向けの音楽教育書を多数出版。

ヘファナン（Heffernan, H. 1896-1987）

　戦後、連合国軍最高司令官総司令部（GHQ）の民間情報教育局（CIE）顧問として来日。1947（昭和22）年「幼児保育要綱」、1948（昭和23）年「保育要領－幼児教育の手引き」編纂の際の指導に当たり、日本の小学校社会科創設に関わる。

ボウルビィ（Bowlby, J. 1907-1990）

　イギリスの児童精神科医、精神分析家。WHOの要請に基づき、ホスピタリズムの研究を行い『乳幼児の精神衛生』（1951年）で報告するとともに、動物行動学の知見をもとに、母子の生物学的な結びつきを「愛着（アタッチメント）」として理論化。

アリエス（Ariès, P. 1914-1984）

　フランス現代歴史学の潮流の一つ「アナール学派」に属する歴史家。民衆の生活に注目する「社会史」的視点から、子どもや家族の生活の歴史を研究。『〈子供〉の誕生　アンシャン・レジーム期の子供と家族生活』などの著作がある。

ブルーナー（Bruner, J.S. 1915-2016）

　アメリカの心理学者で、学習者が学問や文化の構造を発見的に学ぶことを重視する「発見学習」の提唱者。教材の質を高めれば、どのような教科もどのような発達段階の子どもにも教えられるという仮説により、教育の現代化運動を推し進めた。

●アドバイス●

　名前と功績・著作物名を結び付けて頭に入れよう。

ヘックマン（Heckman, J.J. 1944-）

アメリカの経済学者。幼児期の教育的介入による非認知的スキル（肉体的・精神的健康、根気強さ、注意深さ、意欲、自信等）の育成が、成人後の生活と社会的成功に大きな影響を与えることを『幼児教育の経済学』などの著書で指摘。2000年、ノーベル経済学賞を受賞。

2 日本における保育の歴史的変遷

1 戦前の保育

(1) 明治時代の教育制度

明治政府は、欧米諸国に並ぶ近代国家建設のため、国民を教育する制度の整備に力を注ぎました。

1872（明治5）年、わが国で初めての近代教育制度を定めた法令である「学制」が公布されました。

(2) フレーベル式幼稚園の導入

1876（明治9）年、東京女子師範学校（現在のお茶の水女子大学）にフレーベルの幼稚園を模した附属幼稚園が開設されました。開園に当たって「東京女子師範学校附属幼稚園規則」が作成されました。この中で小学校の「教員」に相当する者には「保姆」という呼称が与えられ、幼稚園での教育には「保育」という言葉が使用されました。

保育時間は1日4時間とし、遊戯、体操、唱歌等のほか、「恩物」を中心とした指導が行われました。

最初の主任保姆はドイツ人の松野クララでしたが、実際の保育を行ったのは、同師範学校に勤務していた豊田芙雄と近藤濱の2人の女性でした。

1878（明治11）年より、東京女子師範学校附属幼稚園は、保姆見習生を受け入れ、保姆養成を始めました。しかし、この「東京女子師範学校附属幼稚園保姆練習科」は、1880（明治13）年に第1期生として20歳から40歳までの女性11名を輩出したのち、すぐに廃止されました。

1900（明治33）年に附属幼稚園批評掛及び女子高等師範学校の助教授として就任した東基吉は、恩物中心の形式的

check
「学制」には、フランスの公教育制度を手本にした学区制（全国を学区に分けて各段階の学校を一定数配置する制度）が取り入れられた。

check
東京女子師範学校附属幼稚園の初代監事は関信三である。保育料は高額であったため、上流家庭の子女が通う場所として定着した。

な保育方法の改善を目指し、児童中心的な思想に基づくわが国最初の体系的保育論の書『幼稚園保育法』を著しました。

日本で初めて開設された私立の幼稚園は、桜井ちかが1880（明治13）年に開いた「桜井女学校附属幼稚園」です。桜井は、東京府麹町の民家を借りて、1876（明治9）年に、キリスト教系の女学校「桜井女学校」を設立しました。ここに附設された附属幼稚園では、毎日4時間の保育が行われ、保育科目として「物品科」「美麗科」「知識科」が設けられ、フレーベル式の保育が行われました。

(3) 保育所の前身──託児所と貧民幼稚園

託児所

近代的な教育制度が導入されたばかりの頃、女子の就学率を向上させるため、全国に「子守学校」が設置されました。これは、子守奉公に出された女子の教育の場を確保する目的で、小学校や私塾に附設されたもので、子守たちは赤ん坊を背負ったまま学校に通っていました。こうした子守学校の中から、生徒の連れてきた乳幼児を別室で預かり、保育を行う託児事業のさきがけが出現しました。

1890（明治23）年、赤沢鍾美が開いた新潟の私塾「新潟静修学校」で日本初の託児事業が始まりました。最初は鍾美の妻・仲子とその助手が、生徒たちが連れてきた乳幼児の保育に当たっていましたが、やがて生徒以外の働く母親からも幼児の保育を委託されるようになりました。この託児施設は1908（明治41）年に「守孤扶独幼稚児保護会」と名付けられました。

貧民幼稚園

貧しい家庭の子どもを無償で受け入れる幼稚園は、宣教師トムソン夫人が神戸に開いた「善隣幼稚園」（1895〔明治28〕年）などの例がありましたが、1900（明治33）年、野口幽香と森島峰（美根）が東京に開設した「二葉幼稚園」の取り組みが有名です。二葉幼稚園は、利用者からはごく低額の保育料しか徴収せず、支援者の寄付金によって運営

check
子守学校は、貧困のために子守となっている学齢期の子どもたちに小学校教育を受けさせるために各地に開設された。法律に規定される正規の小学校ではなかった。

されました。フレーベル式幼稚園に倣った保育内容を提供するとともに、保護者の**就労支援**や、子どもたちへの**生活習慣指導**も行い、貧しい家庭の支援に大きく貢献しました。

二葉幼稚園は、2代目の園長である**徳永恕**ら優れた保姆たちの取り組みの下で、250名を超える園児を集めるまでになりました。幼稚園の規程から外れるほど大規模な施設になったため、1916（大正5）年「二葉保育園」と改称され「**幼児保育事業**」として位置付けられました。

(4)「幼稚園保育及設備規程」

幼稚園数の増加に伴い、1899（明治32）年に、幼稚園に関する総合的な規程を国として定めた「**幼稚園保育及設備規程**」が文部省令として公布されました。

これにより、幼稚園は「満三年ヨリ小学校ニ就学スルマテノ幼児ヲ保育スル所」であると定められ、家庭教育の補完を果たしながら望ましい発達や生活習慣の形成に寄与することがうたわれました。

2 大正期から戦中の保育

(1) 幼稚園令

1926（大正15）年、幼稚園に関するわが国最初の**独立した勅令**である「幼稚園令」が公布されました。その1条には幼稚園の目的として、「幼児ヲ保育シテ其ノ心身ヲ健全ニ発達セシメ善良ナル性情ヲ涵養シ家庭教育ヲ補フ」ことが示されました。幼稚園令において、保姆は検定に合格し地方長官から保姆免許状を授与された女子を指し、「幼児ノ保育ヲ掌ル」ことを業務とすることが定められました。

また、幼稚園に入園できるのは原則**3歳**からとしましたが、特別の事情がある場合は3歳未満の幼児の入園も認める規程が設けられました。

(2) 倉橋惣三の誘導保育論

倉橋惣三は、フレーベルの教育精神に敬服しつつも、当時の幼稚園で行われていた恩物中心の形式的な指導を排し、子どもの生活と**自発的**な遊びを基盤とし、**環境**を通して行

check
内務省は、明治末期以降、貧民救済・防貧事業に補助金を出すようになり、二葉保育園はその対象であった。

check
中村五六を主幹とするフレーベル会が、1898（明治31）年に文部大臣あてに提出した「幼稚園制度に関する建議書」が「幼稚園保育及設備規程」の公布に大きく貢献した。

check
「幼稚園令」制定以前は、幼稚園の規程に関しては小学校令施行規則に含められていた。

check
倉橋惣三は、1917（大正6）年、東京女子高等師範学校附属幼稚園主事に就任して保育内容の改革に当たったほか、戦後も「保育要領 — 幼児教育の手引き」の編纂に携わるなど、日本の幼児教育の理論的指導者となっている。

う保育を提唱しました。著書『幼稚園真諦』や『育ての心』では、遊びを中心とした子どものありのままの生活（さながらの生活）を出発点とし、その生活を充実させていくことで、学びや成長につながるよりよい生活へと発展させることができるという思想を、「生活を生活で生活へ」という言葉で示しました。

　倉橋は、子どもの生活や心もちを内側から理解し尊重しつつ、幼児の「自己充実」を援助すること（充実指導）を、保育者の重要な役割と考えました。また、断片的になりがちな子どもの生活における経験を、子どもの興味に即した教育的価値を持つテーマに結びつけ、学びを系統づけることで生活を充実させることを「誘導」と呼びました。倉橋が提唱した「誘導保育」は、デューイなどのプロジェクト・メソッドに影響を受けたものといわれています。

(3)「社会事業法」の成立と託児所

　1938（昭和13）年、民間社会事業に対する国家の助成と監督を定めた「社会事業法」が定められました。この法律で、「育児院、託児所其ノ他児童ノ保護ヲ為ス事業」は国庫補助の対象となり、基本的に貧困対策として開設される託児所と幼稚園とは、制度上区別されるようになりました。

農繁期託児所

　農村で、田植えや稲刈りなどの農繁期に放置されがちな子どもたちのため、「農繁期託児所」が各地に開設されました。特に、戦時下の食糧増産のために国が積極的に設置を奨励した1930年代以降に、飛躍的に開設数が増大しました。女子青年団や小学校教員、寺の住職の家族などが保育に当たりました。

戦時託児所

　昭和に入り、戦争が始まると、多くの女性は軍需工場に駆り出されるようになりました。また出征軍人の遺族は、子どもを預けて働かねばならず、そのための託児施設が必要となりました。「戦時託児所」は、戦時下で子どもを預か

💁アドバイス
　この法律は、民間で行われていた様々な救済事業に対する国家統制を強め、戦時下の総動員体制を強化することを目的としていた。

👑check
　最初の農繁期託児所は、筧雄平（かけゆうへい）によって1890（明治23）年鳥取県に設置されたが、その後、昭和に入るまで数は増えなかった。

る簡便な施設として設置され、体育や生活の規律訓練を中心に軍事色の強い保育が行われました。

3 戦後改革と新憲法下での保育制度

(1) 新憲法の制定と教育・児童福祉に関する法制度の成立

　第二次世界大戦後の日本では、GHQ の占領下で民主主義に基づく新しい国家体制が整えられていきました。

　1946（昭和 21）年「日本国憲法」が公布され、「**基本的人権の尊重**」という原則が明記されました。1947（昭和 22）年に制定された「**教育基本法**」と「**児童福祉法**」にも、この理念が貫かれています。

　これにより、幼稚園は「学校教育法」の定める**学校**として位置付けられ、文部省の所管となりました。また託児所は、「児童福祉法」の定める児童福祉施設である「**保育所**」として制度化され、厚生省が管轄することとなりました。

(2)「保育要領」の刊行

　1948（昭和 23）年、文部省は、「保育要領 ─ 幼児教育の手引き」を編纂・刊行し幼稚園、保育所、家庭における**幼児期の教育のあり方**を解説しました。そのまえがきでは、「幼児には幼児特有の世界がありかけがえのない生活内容がある」として、子どもという固有の存在を重視し、子どもの**興味**や**要求**を保育の出発点とする児童中心主義の理念が述べられています。

　また、保育内容として、「見学、リズム、休息、自由遊び、音楽、お話、絵画、制作、自然観察、ごっこ遊び・劇遊び・人形芝居、健康保育、年中行事」の 12 項目があげられています。

　「保育要領」は、幼稚園での保育のほか**家庭教育**のあり方にも言及しており、幼稚園教育内容に関しては、戦後はじめての公的な基準としての機能を持っていました。

(3) 厚生省による「保育所運営要領」

　戦後、町には多数の戦災浮浪孤児があふれ、児童福祉施設である保育所にとって、こうした児童の保護が最重要課

♔ check
　「保育要領」は、占領軍の CIE（Civil Information and Education Section：民間情報教育局）の初等教育担当者ヘレン・ヘファナンの助言のもと、倉橋惣三を委員長とする作成委員会によって編纂された。

題でした。そこで、保育所を管轄する厚生省は、「保育要領」とは別に、全国共通の保育所の運営の枠組みを示す「保育所運営要領」（1950〔昭和25〕年）を編集しました。保育所の任務としてあげられたのは、以下の4点でした。

■「保育所運営要領」における保育所の任務 ■

（1）児童を保護者の勤務のため要する時間中預かるべきこと
（2）保護者に代わって児童の文化的、衛生的習慣を養うべきこと
（3）児童福祉の立場から児童の保護者を指導すること
（4）保育所の社会的使命（地域への働きかけ）を果たすこと

「保育所運営要領」では、子どもに生活習慣を身に付けさせ、家庭生活を望ましいものに改善させるため、**保健指導**、**生活指導**、**家庭整備**の3つを保育内容としました。

(4)「幼稚園教育要領」の刊行

文部省は、1956（昭和31）年に、学校教育機関としての幼稚園と小学校との教育内容に一貫性を持たせるため、「保育要領」を大幅に改訂し、**幼稚園の教育課程の基準**を示すものとして「幼稚園教育要領」を刊行しました。同要領において、保育内容は6領域（健康、社会、自然、言語、音楽リズム、絵画製作）に分類され、さらに領域区分ごとに「**幼児の発達上の特質**」及びそれぞれの内容領域において予想される「**望ましい経験**」が定められました。

「保育要領」では幼児の生活が網羅的、総合的に述べられていましたが、改訂された「幼稚園教育要領」では幼稚園教育の目標が具体化され、その達成のための、**指導上の留意点**が明確にされました。

(5)「幼稚園と保育所との関係について」

1963（昭和38）年に、文部省初等中等教育局長と厚生省児童局長の連名による共同通知「幼稚園と保育所との関係について」が出されました。

この通知では「幼稚園は幼児に対し、**学校教育**を施すこ

🤴 check
幼稚園教育要領は1964（昭和39）年の改訂時に文部大臣の告示となり、法的拘束力を持つものになった。

137

とを目的とし、保育所は『保育に欠ける児童』の保育（この場合幼児の保育については、教育に関する事項を含み保育と分離することはできない）を行うことを、その目的とするもので、両者は明らかに機能を異にするものである」と明記され、幼稚園と保育所の機能の違いが強調されています。

また、「保育所のもつ機能のうち、教育に関するものは、**幼稚園教育要領**に準ずることが望ましいこと。このことは、保育所に収容する幼児のうち幼稚園該当年齢の幼児のみを対象とすること」とされ、それまで独自に保育を行っていた保育所においても、**3歳児以上**の教育の部分については幼稚園教育に準じた内容で行われることが求められることになりました。

⑹「保育所保育指針」の制定

1963（昭和38）年の共同通知が出されて以降、保育所関係者からの保育所独自の指針を求める声に応える形で、1965（昭和40）年保育所保育のガイドラインとして「保育所保育指針」が制定されました。最初の「保育所保育指針」では、**子どもの発達**に応じて領域を分けて示しました。

1990（平成2）年の改定で、現在の5領域（**健康**、**人間関係**、**環境**、**言葉**、**表現**）が設定されました。また、保育所独自の内容として「**養護**」が置かれ、年齢区分に「**6か月未満**」が設定され、1999（平成11）年の改定では、「**子どもの最善の利益**」及び保育士の「**専門性**」や「**倫理観**」といった新しい概念が取り入れられました。

2008（平成20）年の改定時には、厚生労働省告示となり、規範性を有するものとなりました。また、**養護と教育**を一体的に行うこと、**小学校との連携**の強化、**保護者支援**などが明確化されました。

2017（平成29）年告示、2018（平成30）年4月1日より施行されている指針には、すべての保育・幼児教育施設が、共通の理念のもとで保育の質を高めていくために、幼稚園

check
保育所は「保育に欠ける児童」の保育を行うため、入所については市町村が「措置」決定を行うこととされていた。保育所の措置入所は1997（平成9）年の児童福祉法改正まで続いた。

check
1965（昭和40）年の「保育所保育指針」における保育内容（領域）
4〜6歳：6領域（健康、社会、言語、自然、音楽、造形）
3歳：4領域（健康、社会、言語、遊び）
2歳：3領域（健康、社会、遊び）
2歳未満：2領域（生活、遊び）

check
2017（平成29）年の改定では、教育に関わる側面のねらい及び内容に関して、保育所保育指針、幼稚園教育要領、幼保連携型認定こども園教育・保育要領の整合性が図られた。

教育要領や幼保連携型認定こども園教育・保育要領と共通の「幼児教育を行う施設として共有すべき事項」として、「育みたい資質・能力」及び「幼児期の終わりまでに育ってほしい姿」等が明記されました。

(7)「幼保連携型認定こども園教育・保育要領」の制定

改正「認定こども園法（就学前の子どもに関する教育、保育等の総合的な提供の推進に関する法律）」の施行に伴い、幼保連携型認定こども園が、「学校及び児童福祉施設としての法的位置付けを持つ単一の施設」として新たに定義されました。

2014（平成26）年、認定こども園法10条の規定に基づき、新しい幼保連携型認定こども園の教育課程その他の教育及び保育の内容について定めた「幼保連携型認定こども園教育・保育要領」が策定されました。

また、幼保連携型認定こども園以外の認定こども園の教育及び保育についても、認定こども園法6条の規定に基づき、幼保連携型認定こども園の教育及び保育内容を踏まえて行われることとされています。「幼保連携型認定こども園教育・保育要領」は、内閣府・文部科学省・厚生労働省告示として公布、2015（平成27）年4月1日より施行され、保育所保育指針、幼稚園教育要領とともに2017（平成29）年に改訂、2018（平成30）年4月1日より施行されました。

ここで チャレンジ

問題 次の記述で正しいものに○、誤っているものに×をつけよ。

1. フレーベル（Fröbel, F.W.）は、主著『人間の教育』の中で、遊びが幼児期の子どもの最も美しい表れだと主張し、恩物（Gabe）を考案した。

2. コダーイ（Kodály, Z.）はハンガリーの作曲家である。コダーイの民族音楽による音楽教育法は後に「コダーイ・システム」などにまとめられ、幼児教育にも活用された。

3. モンテッソーリ（Montessori, M.）は、「子どもの家」を創設し、障害児教育の研究に基づき、様々な色や形の教具を使った「感覚教育」を行った。

4. 野口幽香と森島峰が開設した二葉幼稚園は、支援者の寄付金によって運営され、貧しい子どもを対象に保育を行った。

5. 新潟静修学校託児所は、筧雄平の指導の下に開設された農繁期託児所の一つである。

6. 「幼稚園令」は、わが国の幼稚園に関する最初の勅令として、1926（大正15）年に公布されたが、入園児は5歳児に限定されていた。

7. 倉橋惣三は、フレーベル（Fröbel, F.W.）の恩物中心の保育を推進した。

8. 第二次世界大戦以前は、託児所などの保育施設は基本的に貧困対策事業だった。

解答

1 ○　**2** ○　**3** ○　**4** ○　**5** ×　**6** ×　**7** ×　**8** ○

5　新潟静修学校託児所は、赤沢鍾美によって開設された私塾に付設された託児施設で、後に「守孤扶独幼稚児保護会」と称する保育事業に発展した。

6　「幼稚園令」では、幼稚園に入園できるのは原則3歳からとし、特別の事情がある場合は3歳未満の幼児の入園も認めた。

7　倉橋惣三は、当時の幼稚園で形式主義に陥っていたフレーベルの恩物中心の指導を改め、子どもの自発性を重視する誘導保育を提唱した。

必修

重要度

保育所の役割と保育士の専門性

section 8

出題
point

- 保育所の社会的役割と責任
- 保護者への支援
- 保育士の倫理観

1 保育所の社会的役割と責任

　現代社会の複雑化に伴い、子どもの利益を守る児童福祉施設としての保育所の社会的責任はますます大きくなっています。

　保育所保育指針第1章「総則」1「保育所保育に関する基本原則」（5）には、「保育所の社会的責任」として、以下の3つの事項が示されています。

> ア　保育所は、子どもの人権に十分配慮するとともに、子ども一人一人の人格を尊重して保育を行わなければならない。
> イ　保育所は、地域社会との交流や連携を図り、保護者や地域社会に、当該保育所が行う保育の内容を適切に説明するよう努めなければならない。
> ウ　保育所は、入所する子ども等の個人情報を適切に取り扱うとともに、保護者の苦情などに対し、その解決を図るよう努めなければならない。

(1) 子どもの人権・人格の尊重

　保育所は、子どもの人権を尊重し、ひとつの人格としての子どもの思いを受け止める場でなければなりません。また、家庭に対しても、子どもの人権と人格を大切にする関わりを伝え、指導していく役割があります。

(2) 個人情報の保護

　保育士は、業務上知り得た子ども及び保護者等の秘密を漏らしてはなりません（**守秘義務**）。また、「**個人情報の保護に関する法律**」の観点からも、保育記録や連絡帳など、子どもや家庭の事情が記入された記録類・文書類の取り扱いは慎重に行い、外部の人の目に触れない場所に保管するなど注意が必要です。

　保育の遂行に当たって必要な発達援助のための**関係機関等との連携**や、保護者同士の交流及び**地域交流の開催**などに当たって必要な情報交換等については、必ず関係者の承諾を得てから行う必要があります。

　ただし、**虐待が疑われるケース**で児童相談所に通告する場合など、特に「児童虐待の防止等に関する法律」にある**通告義務**や、関係機関との情報共有については、子どもの生命と安全を確保するという観点から、守秘義務よりも優先されるので注意しましょう。

守秘義務（児童福祉法）
••▶ p.144

(3) 苦情解決

　保護者等から寄せられた苦情を解決することは、保育所の**説明責任**に関わることであり、保育の内容を見直し、保育の質の向上を図るためにも、きちんと取り組まねばならないことです。

　社会福祉法82条には、利用者等からの苦情の適切な解決に努めるよう規定されています。また、児童福祉施設の設備及び運営に関する基準14条の3には、苦情を受け付けるための**窓口を設置**することなどが明記されています。

　保育所で苦情の解決に当たる際には、施設長を**苦情解決責任者**とし、その下に、**苦情解決担当者**を決めます。苦情受付から解決までの手続きを明確化し、書面で体制整備しておくことが必要です。また、中立、公正な第三者の関与を組み入れるために**第三者委員会**を設置することも求められています。

　苦情は、自らの保育や保護者等への対応を謙虚に振り返

苦情解決
••▶ p.295

check

　児童福祉施設の設備及び運営に関する基準14条の3第1項「児童福祉施設は、その行つた援助に関する入所している者又はその保護者等からの苦情に迅速かつ適切に対応するために、苦情を受け付けるための窓口を設置する等の必要な措置を講じなければならない」。

るためのきっかけとなるものです。苦情を寄せた保護者の言い分に耳を傾け、保育所の保育理念や保育の意図を丁寧に説明して**相互理解**を図り、信頼関係を築いていくよう、誠実に対応しましょう。苦情に関しての検討内容や解決までの経過は記録して、すべての職員間で共有できるよう、職員会議などで**共通理解**を図ることも大切です。

2 保護者との緊密な連携と協働

　保育所保育指針1章「総則」1「保育所保育に関する基本原則」（1）「保育所の役割」イでは「保育所は、その目的を達成するために、保育に関する専門性を有する職員が、**家庭との緊密な連携**の下に、子どもの状況や発達過程を踏まえ、保育所における環境を通して、養護及び教育を一体的に行うことを特性としている」ことが記されています。

　子どもの最善の利益を保障するには、保育所だけでなく、家庭での生活が子どもにとって望ましいものとなっていくことが必要です。

　現代社会では、保護者は様々な労働環境や経済状況の中に置かれており、子育てに対する考え方や価値観も多様になってきています。保護者の支援に当たっては、**保護者の意向**を受け止め、個々の家庭の事情を理解したうえで、子どもの成長を支えていくための方策を「**ともに考える**」姿勢が特に求められます。

check
保育所保育指針1章「総則」1（2）「保育の目標」イ「保育所は、入所する子どもの保護者に対し、その意向を受け止め、子どもと保護者の安定した関係に配慮し、保育所の特性や保育士等の専門性を生かして、その援助に当たらなければならない」にも注目。

3 保育士の倫理観と専門性

1 保育士の定義と義務

　「保育士」は、児童福祉法18条の4で次のように定められている国家資格です。

■ 保育士の定義（児童福祉法）■

第18条の4
　この法律で、保育士とは、第18条の18第1項の登録を受け、保育士の名称を用いて、専門的知識及び技術をもつて、児童の保育及び児童の保護者に対する保育に関する指導を行うことを業とする者をいう。

　同法18条の23には、保育士でない者が保育士または紛らわしい名称を使用してはならないことが定められています。

　さらに、保育士には、以下のように**守秘義務**（秘密保持義務）に関する規定があります。

■ 守秘義務（児童福祉法）■

第18条の22（秘密保持義務）
　保育士は、正当な理由がなく、その業務に関して知り得た人の秘密を漏らしてはならない。保育士でなくなつた後においても、同様とする。

　このように保育士という職業は、国が定める資格であるため、保育士となる人は、その**信頼性**を損ねることのないよう、職業に伴う義務を遵守しなければなりません。

　2022（令和4）年に改正された児童福祉法には、保育士が児童生徒に対し性暴力等を行ったと認められる場合には、都道府県知事は登録を取り消さなければならないことが定められました（18条の19）。また、保育士を任命・雇用する者は、保育士が児童生徒に対し性暴力等を行ったと考えられる場合には、速やかに都道府県知事に報告することが義務付けられることになりました（18条の20の3）。

2　保育士の倫理観

　保育士は、その言動が子どもや保護者に大きな影響を与える存在であることから、特に**高い倫理性**が求められます。保育士の持っている**人間観**、**子ども観**には、その保育士の人間性や価値観が自ずとあらわれるものです。つねに子ど

check
　保育士は名称独占の資格であり、保育士でない者が保育士と称した場合には、30万円以下の罰金に処せられる。

アドバイス
　このように、保育士の資格を有する者は、子どもに関わる専門職として、相応の義務と責任を負う。

もの立場に立って子どもの思いを代弁する姿勢をもち、子どもを一つの人格として尊重し、知り得た秘密を漏らさないなど、自らの倫理的意識をつねに高める努力が必要です。

　保育士については、保育士資格の法定化を機に全国保育士会において、保育のさらなる質の向上を目指し、「**全国保育士会倫理綱領**」が定められています。「全国保育士会倫理綱領」では、子どもの最善の利益の尊重、子どもの発達保障、保護者との協力、プライバシーの保護、チームワークと自己評価、利用者の代弁、地域の子育て支援といった項目について専門職の責務を果たし、自らの人間性と専門性の向上に努めることがうたわれています。

3 保育士の専門性

　保育士の専門性としては次のような項目があげられます。

■ 保育士の専門性 ■

・子どもの発達に関する専門的知識を基に子どもの育ちを見通し、その発達を援助する知識・技術
・子どもの発達過程や意欲を踏まえ、子ども自らが生活していく力を細やかに助ける生活援助の知識・技術
・保育所内外の空間や物的環境、自然環境や人的環境を生かし、保育の環境を構成していく知識・技術
・子どもの経験や興味・関心に応じて、様々な遊びを豊かに展開していくための知識・技術
・子ども同士の関わりや子どもと保護者の関わりなどを見守り、その気持ちに寄り添いながら適宜必要な援助をしていく関係構築の知識・技術
・保護者等への相談・助言に関する知識・技術

　これらの専門的知識や技術を身に付けることは、保育士の仕事をするうえでの前提ですが、それに加えて保育士の**判断力**も重要です。日々の保育の中で保育士は、子どもにどのように向き合い、どのような言葉をかけ、どのような援助を行うべきかといった、**倫理的な判断**を迫られます。このような場面では、保育士が自己の保育観や倫理観、さ

らには**高度な専門的知識**を基に、瞬時に的確な判断を行わねばなりません。

 4 災害への備え

保育所保育指針第3章「健康及び安全」4には「災害への備え」として、災害の発生への備えや緊急時の適切で円滑な対応のために、「施設・設備等の安全確保」「災害発生時の対応体制及び避難への備え」「地域の関係機関等との連携」の3項目が示されています。

保育所においては、**防火設備**、**避難経路**等の安全性が確保されるよう、定期的に**安全点検**を行います。また、備品や遊具等の配置・保管を適切に行い、高いところにはものを置かないなど、日頃から**安全環境**の整備に努めなければなりません。

災害の発生に備え、緊急時の対応について、**具体的な内容**や手順、職員の**役割分担**や、避難訓練計画に関するマニュアルを作成し、定期的に**避難訓練**を実施します。避難訓練は、地域の関係機関や保護者との連携の下に行うなどの工夫も必要です。また、災害発生時に、保護者等への連絡や子どもの引渡しを円滑に行うために、日頃から保護者との密接な連携に努め、連絡体制や引渡し方法等についても確認しておきます。

問題 次の記述で正しいものに○、誤っているものに×をつけよ。

1. 保育所は、地域社会との交流や連携を図り、保護者や地域社会に、保育の内容を適切に説明するよう努めなければならない。

2. 保育士は、専門的知識及び技術をもって児童の保育を行うことを業とする者であり、その業には児童の保護者に対する保育に関する指導は含まれない。

3. 保育所における苦情に関しては、中立性と公正性を保つために第三者のみによる苦情処理委員会で解決を図る。

4. 保育所は災害発生時に備え、防火設備等の点検を行い、災害発生時に保護者への連絡や、子どもの引渡しを円滑に行うために、日頃から連絡体制について確認しておくことが必要である。

5. 保育士は、正当な理由がなく、その業務に関して知り得た人の秘密を漏らしてはならない。ただし、保育士でなくなった後においては、その限りではない。

6. たとえどのようなことがあっても、保護者や子どものプライバシーの保護、知り得た事柄の秘密を保持しなければならない。

7. 災害の発生時に、保護者等への連絡及び子どもの引渡しを円滑に行うため、日頃から保護者との密接な連携に努め、連絡体制や引渡し方法等について確認をしておくことが大切である。

解答

1 ○ **2** × **3** × **4** ○ **5** × **6** × **7** ○

2 児童の保護者に対する保育に関する指導を行うことも含まれる。

3 苦情の解決に当たっては、施設長を苦情解決責任者とし、その下に苦情解決担当者を決めて、すべての職員間での共通理解のもとで解決することを基本とし、中立・公正な第三者による第三者委員会は、必要に応じて設置するものとされている。

5 保育士でなくなった後も、秘密保持義務がある。

6 虐待が疑われ、児童相談所への通告が必要な場合等は守秘義務より優先される。

 重要度

section 9　保育の現状と課題

- 各国の保育制度
- 日本における子どもの貧困と格差
- ワーク・ライフ・バランスと子どもにやさしい社会づくり

1 世界の保育の現状と課題

1 各国の保育制度

(1) フランス

　保育カリキュラムは、国で統一された基準が示されており、**言葉の習得**や**社会性の基礎**を培うことが目標となります。保育と小学校は、ともに初等教育課程とされ、カリキュラムの連続性が図られています。

●**集団保育所（0 － 3 歳）**

　保育者と親が関わり、遊びを中心とした保育が行われます。

●**幼稚園（2・3 － 5 歳）**

　施設数が少なく、開園時間、費用等はまちまち。

●**保育学校（母親学校）＝エコール・マテルネル（2・3 － 5 歳）**

　2・3 － 5 歳の 99％以上が通う施設。初等教育の体系に位置付けられ、親の就労にかかわらず希望すれば通園できます。多くは公立で、「**家庭生活の補完**」と「**小学校の準備教育**」を目的としています。

(2) アメリカ

　多文化共生や**家庭との連携**を重視し、様々なカリキュラムやメソッドを取り入れた保育が行われています。

> **check**
> フランスは中央集権の伝統が強く、就学前教育、初等・中等・高等教育を通じ、ほとんどの学校が国立である。

● **各州の教育関連部局が管轄する施設**
・プレ幼稚園（3 − 4 歳）
　公立の施設。
・幼稚園（5 歳児を対象とする 1 年保育）
　義務教育の 1 年目に当たり、90％が利用しています。多
　くは公立で無料。小学校と一体化したカリキュラムが提
　供されます。
● **児童福祉関連部局管轄の保育施設**
・デイナーサリー、家庭的保育、チャイルドケア等
　様々な名称のものがあり、3 歳までの保育施設は主に慈
　善団体等私立で運営されています。利用率は高いですが、
　保育者の資格要件は水準が低いなど課題もあります。

⑶ **イギリス**
　イギリスの義務教育は **5 歳**から始まり、国で定めたナショ
ナル・カリキュラムがあります。3 − 5 歳の幼児教育につ
いては、義務教育ではありませんが、2000 年以降、国で到
達目標が定められています。

● **デイナーサリー（3 か月− 5 歳）**
　働く保護者の支援のための施設。私立が多く、1 年を通じ
　早朝から夕方 19 時頃まで開所しています。

● **プレイグループ（3 − 5 歳）**
　保育学校の不足を補う目的で 1960 年頃から設置された、
　親や**ボランティア**が運営する非営利組織。週数回 2 − 3
　時間の預かりが多いですが、形態は多様です。

● **ナーサリースクール（2 − 5 歳）**
　義務教育開始前の子どもが対象で、小学校に附設されて
　いるものもあります。開所時間は 9 時から 15 時半頃まで
　が一般的ですが、午前クラス、午後クラスのみの半日制
　の施設もあります。多くは公立の施設です。

● **レセプションクラス（4 − 5 歳）**
　義務教育前の子どものための保育施設。読み書きを教え
　るなど**就学準備教育**が行われています。多くは公立。

保育学校
••▶ p.128

- ●認可保育ママ（家庭的保育）

　生後数か月から 8 歳までの子どもを家庭で保育。保育マ
マは養成課程での教育を経て、認可・登録が必要。

⑷ スウェーデン

　就学前保育と総称されるものには、「就学前保育所」「家
庭的保育所」「公開型保育」「就学前保育クラス」等があり
ます。こうした保育施設は、学校教育制度の初期段階とし
て位置付けられています。カリキュラムは簡潔で、総合的
な目標が定められていますが、教育の方法は地域の実情に
応じ、保護者と共同で決定されます。

⑸ ドイツ

　児童福祉施設としては、3歳未満の子どもを対象とした
保育所と、3歳から就学前の子どもを対象とした幼稚園が
あり、1歳までの子どもを個人の家庭で預かる「家庭的保育」
もあります。このほか学校教育制度における「学校幼稚園」
や、就学前の特別支援教育を行う「特殊学校幼稚園」があ
ります。

⑹ ニュージーランド

　テ・ファリキ（マオリ語で「織物」の意味）と呼ばれる
国の幼児教育統一カリキュラムが 1996 年に定められ、以下
の様々な形態のすべての保育施設における保育実践が、テ・
ファリキの理念のもとで行われています。

- ●デイケア、プリスクール（0 − 5 歳）

　日本の保育園のような施設。職員の半数以上は幼児教育
の教員資格が必要。

- ●公立幼稚園

　利用できる時間枠がデイケアやプリスクールよりも短く、
幼児教育の教員資格が求められます。

- ●プレイセンター

　保護者が当番制で教師のような役割を担い、共同で運営
する保育施設。

- ●コハンガレオ

check

テ・ファリキは 4
つの原則（エンパワ
メント、総合的な発
達、家族とコミュニ
ティ、関係構築）と
5 つの要素（幸福、
所属感、貢献、コミュ
ニケーション、探究
心）によって構成さ
れている。保育者
は子ども一人一人
の学びのプロセスを
「ラーニング・ストー
リー」として記録し
アセスメントする。

マオリの伝統的な文化や言語に基づいた保育が実施されています。

● プレイグループ

　1日最大4時間まで、**保護者**と**子ども**がともに通うことができます。

(7) イタリア

　0～3歳児はほとんどが家庭で過ごし、保育所に通っているのは19%程度です。

● 幼児学校

　3歳以上の70～90%、5歳以上の96%が通います。

● レッジョ・エミリア・アプローチ

　北イタリアの地方都市レッジョ・エミリア市で、戦後、ローリス・マラグッツィにより実践されてきた幼児教育を指します。**芸術的創作活動**を取り入れた、長期間にわたる子どもたちの主体的なテーマ活動（プロジェクト活動）を重視し、ペダゴジスタ（教育専門家）とアトリエリスタ（芸術・美術専門家）が協働して子どもの活動を支援します。子どもの活動の様子を写真や動画などに記録し、保護者や子どもも目にできるよう園の中に掲示する「ドキュメンテーション」という取り組みが行われています。

2 各国の早期補償教育制度

(1) ヘッド・スタート・プログラム／早期ヘッド・スタート・プログラム（アメリカ）

　経済的支援や社会的支援を必要とする家庭を対象とする補償教育プログラム。**貧困**を原因とする発達上の不利を就学前に解消することを目的としています。

(2) シュア・スタート（イギリス）

　1998年、ブレア政権下で、シュア・スタートと呼ばれる**貧困地域**の就学前の子どもとその家族を対象とする早期介入の補償保育・教育プログラムが開始されました。

2 日本の保育の現状と課題

1 子どもの貧困と格差

厚生労働省が発表している「国民生活基礎調査」によると、2012（平成24）年時点では日本の子どもの貧困率は16.3%で、2010（平成22）年の世界と比較するとOECD加盟国34か国のなかで**10番目に高い**数値でしたが、2015（平成27）年時点の調査では13.9%と12年ぶりに2.4ポイント改善されました。また、最新の調査である2021（令和3）年時点の子どもの貧困率は11.5%となっており、改善傾向にあります。

文部科学省が行った全国学力・学習状況調査の補完研究では、世帯年収により**子どもの学力**に差があることが明らかにされています。家庭の経済状況は学歴の格差につながり、貧しい家庭で育った子どもが、学歴格差から自らも貧困に陥るという**貧困の再生産**が問題となっています。

2 保育料負担の問題

日本の5歳児の保育に対する公的支出の額はOECD加盟国の中で非常に低く、日本の家庭が負担している保育料は他のOECD加盟国と比べて高くなっているため、保育料が家計を圧迫することになっており、このままでは、保育を受けたくても受けられない家庭が増えるのではないかと懸念されていました。

そのため、2019（令和元）年より、3～5歳の保育料の無償化（0～2歳は住民税非課税世帯が対象）が始まり、子育てにかかる負担の軽減が図られています。

3 保育所待機児童の問題

入所を希望しても公的保育施設を利用できない、いわゆる待機児童の問題の解消のために、保育の受け皿の整備を行うなど様々な施策が行われ、待機児童数は減少傾向にあります。

子どもの貧困率
•••> p.207

🐷アドバイス⑭

UNICEFでは、子どもの貧困率が10%以下であることを保育の質の評価基準の一つとしており、日本はその基準に達していない。

4　少子化社会における働き方と子育て観の見直し

．．．check
2023（令和 5）年
の合計特殊出生率は
1.20 で、過去最低を
更新した。

　日本の合計特殊出生率は、2005（平成 17）年に過去最低の 1.26 を記録しました。同年には出生数よりも死亡数が上回り、**人口減少**が始まりました。政府は、様々な少子化対策を打ち出していますが、目立った成果は得られていません。

　少子化の原因として、子どもを産み育てる世代の**雇用が不安定**で、結婚や出産に対して積極的になれないことや、仕事中心主義や**過重労働**のために家庭生活がおろそかにされていることなどが考えられます。

　2007（平成 19）年に決定された「子どもと家族を応援する日本」重点戦略では、仕事と生活の調和（ワーク・ライフ・バランス）の実現を目指し、「**親の就労と子どもの育成の両立**」及び「**家庭における子育て**」の 2 つを同時に支援することが打ち出されました。

　子育ての問題は、今や家庭内だけの問題ではなく、子どもを安心して産み育てることのできる**社会環境・労働環境**の整備と切り離すことはできません。まずは、社会全体で子どもを支えるという発想をもち、どの世代の人も子育てに関心を持ち、子どもにやさしいまちづくり、職場づくりを進めていく必要があります。

ここで チャレンジ

問題 次の記述で正しいものに○、誤っているものに×をつけよ。

1. 2015（平成27）年時点の調査で、日本の子どもの貧困率は12年ぶりに改善された。

2. 日本における合計特殊出生率は、2005（平成17）年に過去最低の1.26を記録したが、2023（令和5）年の値は1.50を上回っている。

3. ヘッド・スタート・プログラムは、アメリカで展開された補償教育プログラムで、経済的支援や社会的支援を必要とする家庭を対象とし、貧困を原因とする発達上の不利を就学前に解消することを目的とした。

4. 2007（平成19）年に決定された「子どもと家族を応援する日本」重点戦略では、仕事と生活の調和（ワーク・ライフ・バランス）の実現を目指し、「親の就労と子どもの育成の両立」及び「家庭における子育て」の2つを同時に支援することが打ち出された。

5. レッジョ・エミリア・アプローチとは、イタリア北部にある都市において展開された、教師、親、教育専門家、芸術専門家等が支え合って子どもの活動を援助するプロジェクトと呼ばれるテーマ発展型の保育方法である。

6. スウェーデンの保育施設は、学校教育制度の初期段階として位置付けられ、カリキュラムは簡潔なものとなっている。

7. 厚生労働省による子どもの貧困率に関する最新調査である「2022年国民生活基礎調査」によると、2021（令和3）年時点の日本の子どもの貧困率は20%を超えている。

解答

1 ○　**2** ×　**3** ○　**4** ○　**5** ○　**6** ○　**7** ×

2　2023（令和5）年の合計特殊出生率は1.20で過去最低となった。

7　11.5%である。

3章

子ども家庭福祉

学習ポイント

- 子ども家庭福祉の歴史（国内外の歴史上の法制度、人物名・設立施設など）、児童福祉施設の種類や対象（法的位置付け、専門職の要件など）については頻出項目のため、しっかりと理解しておく必要があります。
- 児童福祉法、児童憲章、児童の権利に関する条約について多く問われています。キーワードを確認して、穴埋め問題の対応もしておきましょう。
- 子育て支援、母子保健、障害児福祉（手当を含む）に関する法律や、制度の中身についての問題も出題されています。特に、地域子ども・子育て支援事業、母子保健施策について確認しておきましょう。
- 「児童養護施設入所児童等調査」「福祉行政報告例」からも出題されています。近年の動向と実際（現状）を理解しておくとよいでしょう。

現代社会における子ども家庭福祉の意義と歴史的変遷

出題
point
- 子ども家庭福祉の「歴史」
- 児童の権利に関する条約（子どもの権利条約）
- 現代社会の状況と子ども家庭福祉との関連

1 子ども家庭福祉とは

　子ども家庭福祉（児童家庭福祉）とは、「子ども（児童）」と「家庭」を対象とする「福祉」を意味し、**ウェルビーイング**を実現するための様々な仕組みととらえます。この考えに立つと、「子ども家庭福祉」とは、「子どもとその子どもを育む家庭の置かれた現状を視野に入れ、最善の利益を保障しその幸福を実現するために、その保護者とともに、国、地方公共団体及び社会全体が行う実践及び法制度」と理解できます。現在、子ども家庭福祉の対象は、「**子どもや保護者（親）**」「**子育て家庭**」、子育て家庭の構成員が暮らす「**地域社会や社会そのもの**」ととらえることが一般的です。

用語
◆ウェルビーイング
（well-being）
　個人の権利や自己実現が保障され、身体的・精神的・社会的に良好な状態にあること。

2 子どもの人権擁護と子ども家庭福祉

1 子ども観の転換

　長らく子どもは、独立した一個の人格としてではなく、大人に付き従う存在として考えられてきました。このような子ども観を転換させたのは**ルソー**です。彼は著書『**エミール**』（1762年）の中で「人は子どもというものを知らない」と述べ、各種の権利や可能性など「子ども期の重要性」を指摘しました。ルソーの思想を引き継いだ**エレン・ケイ**は、

ルソー
···> p.126

check
　エレン・ケイは、「子どもが教育を受ける権利」を享受することで、主体的に育つ可能性を示したことでも知られる。

エレン・ケイ
···> p.131

自身の子ども思想を著書『児童の世紀』（1900年）にまとめ、「20世紀は児童の世紀」であると声高くうたいました。

また、民衆の生活に注目した**アリエス**は、17世紀までの欧米では子どもは「小さな大人」として扱われ、労働に従事するなど、大人との違いを意識されていなかったことを著書『〈子供〉の誕生』の中で主張しています。

2 白亜館（ホワイトハウス）会議宣言

会議の正式名称は「要保護児童の保護に関する会議」であり、児童家庭福祉のためのアメリカの全国会議として約10年ごとに開催されています。第1回白亜館会議（1909年）はセオドア・ローズベルトのもと招集され、「**家庭は文明の最高の創造物**」との宣言は、20世紀の育児思想の基調になりました。また、「児童は緊急なやむをえない理由がない限り、家庭生活から引き離されてはならない」という家庭尊重の原則が宣言されました。後の第3回白亜館会議宣言（1930年）では「**児童憲章**」が採択され、日本の児童憲章の作成にも大きな影響を与えました。

3 児童の権利に関するジュネーブ宣言（ジュネーブ宣言）

第一次世界大戦後に発足した国際連盟において、**1924**年に採択されました。「人類は児童に対して**最善の努力**を尽くさねばならない」という精神の下で、強制労働や搾取からの保護、発達保障など広い分野にわたって権利保障をうたったものでした。この児童の権利に関するジュネーブ宣言は、国際児童福祉連合（International Union for Child Welfare）の「児童権利宣言」（1923年）を基につくられました。

4 児童の権利に関する宣言（児童権利宣言）

第二次世界大戦後に国際連合が結成されると、1948年には世界人権宣言が採択されました。その後、子どもには特別にその権利を保障しなければならないという世論から、1959年に児童権利宣言が採択され、その2条において「**児童の最善の利益**」が初めて明記されました。また、国連は、児童権利宣言の20年後に当たる1979年を国際児童年としました。

check
1889年にアダムズらはアメリカにおいてセツルメントであるハルハウスを開設した。

check
1980年代において、バンク＝ミケルセンは、知的障害者の親の会とともに、当時コロニーに収容されていた知的障害児者への対応を改善する活動をする中でノーマライゼーションの理念を広めた。

check
1942年には、ベヴァリッジが『社会保険及び関連サービス』を取りまとめた。5大悪が示されたほか、児童手当、医療政策等の推進は、子どものいる家庭にも影響を与えた。

check
国際児童年のスローガンは「わが子への愛を世界のどの子にも」である。

5 児童の権利に関する条約（子どもの権利条約）

(1) 児童の権利に関する条約の採択

　1924 年のジュネーブ宣言、**1959** 年の児童権利宣言の流れを受け継ぎ、**1979** 年の**国際児童年**を契機としてポーランドから提起されていた条約化の要求を受けて、その後 10 年にわたる国連での審議の末、1989 年 11 月 20 日国連総会において満場一致で採択されました。**子どもの人権**を総合的に規定した国際条約であり、世界各国に普及して締約国・地域の数は 196（2023 年 11 月現在）になっています。日本は **1994**（平成 **6**）年に**批准**しました（158 番目の批准国）。

(2) 児童の権利に関する条約の特徴

　児童の権利に関する条約は、全 **54 条**から構成されており、3 条 1 項では、児童に関する措置をとる際には「**児童の最善の利益が主として考慮される**」ことを定めています。従来からの受動的権利（保護や教育の対象としての権利）に加えて、「**能動的権利**」を明記したことは、当時としては画期的でした。

■ 児童の権利に関する条約の主な内容 ■

第 3 条（児童に対する措置の原則）

1　児童に関するすべての措置をとるに当たっては、公的若しくは私的な社会福祉施設、裁判所、行政当局又は立法機関のいずれによって行われるものであっても、児童の最善の利益が主として考慮されるものとする。

第 9 条（父母から引き離されない権利）

1　締約国は、児童がその父母の意思に反してその父母から分離されないことを確保する。ただし、（略）その分離が児童の最善の利益のために必要であると決定する場合は、この限りでない。

2　すべての関係当事者は、1 の規定に基づくいかなる手続においても、その手続に参加しかつ自己の意見を述べる機会を有する。

3　締約国は、児童の最善の利益に反する場合を除くほか、父母の一方又は双方から分離されている児童が定期的に父母のいずれとも人的な関係及び直接の接触を維持する権利を尊重する。

第 12 条（子どもの意見表明権）

1　締約国は、自己の意見を形成する能力のある児童がその児童に影響を及ぼすすべての事項について自由に自己の意見を表明

 check

　能動的権利とは、子どもの発達段階に応じた、主体としての子どもの権利であり、批准国は、国内法との関係を整理して直接実効性を持つものにすることと、5 年ごとに報告審査を行うことになっている。

check

　この他、児童の権利に関する条約には、表現・情報の自由（13 条）、思想・良心・宗教の自由（14 条）、結社・集会の自由（15 条）が規定されている。

check

　児童の権利に関する条約では、児童とは、18 歳未満のすべての者をいう。子どもの意見表明の機会については、「児童福祉法」2 条等にも明記されている。

する権利を確保する。この場合において、児童の意見は、その児童の年齢及び成熟度に従って相応に考慮されるものとする。

2　このため、児童は、特に、自己に影響を及ぼすあらゆる司法上及び行政上の手続において、国内法の手続規則に合致する方法により直接に又は代理人若しくは適当な団体を通じて聴取される機会を与えられる。

第 27 条（生活水準の確保）

1　締約国は、児童の身体的、精神的、道徳的及び社会的な発達のための相当な生活水準についてのすべての児童の権利を認める。

2　父母又は児童について責任を有する他の者は、自己の能力及び資力の範囲内で、児童の発達に必要な生活条件を確保することについての第一義的な責任を有する。

第 31 条（休息及び余暇の権利）

1　締約国は、休息及び余暇についての児童の権利並びに児童がその年齢に適した遊び及びレクリエーションの活動を行い並びに文化的な生活及び芸術に自由に参加する権利を認める。

第 43 条（児童の権利に関する委員会）

1　この条約において負う義務の履行の達成に関する締約国による進捗の状況を審査するため、児童の権利に関する委員会（以下「委員会」という。）を設置する。（略）

6 社会的養護を必要としている児童の権利擁護について

　子どもたちが安心できる日常生活を送り、適切な支援を受けながらその自立を支える環境を整えるためには、様々な場面において子どもの権利を尊重した関わり（**権利擁護の視点**）が欠かせません。

子ども尊重と最善の利益の考慮：子どもを尊重した養育・支援についての基本姿勢を明示し、施設内で共通の理解を持つための取組みを行う。施設長や職員が子どもの権利擁護に関する施設内外の研修に参加したり、自己研鑽に努めたりして人権感覚を磨くことで、施設全体が権利擁護への高い意識を持つ。

子どもの意向への配慮：子どもの意向を把握する具体的な仕組みを整備し、その結果を踏まえて、養育・支援の内容の改善に向けた取組みを行う。

入所時の説明等：施設で定めた様式に基づき、入所時に、養育・

支援の内容や施設での約束ごとについて、子どもや保護者等にわかりやすく説明する。

権利についての説明：子どもが権利について正しく理解できるよう、わかりやすく説明する（権利ノートやそれに代わる資料を使用して、施設生活の中で守られる権利について説明するなど）。

7 国際的な子の奪取の民事上の側面に関する条約（ハーグ条約）

2013（平成25）年の第183回通常国会において、国際的な子の奪取の民事上の側面に関する条約（ハーグ条約）の締結が承認され、国際的な子の奪取の民事上の側面に関する条約の実施に関する法律（条約実施法）が成立しました。日本では、2014（平成26）年4月1日に発効しています。ハーグ条約とは、「国境を越えて子どもを不法に連れ去る、あるいは留め置くことの悪影響から子どもを守る」ことを目的としています。親権・監護権（養育権）を持つ親のもとから、その同意なくして他の親が16歳未満の子を国境を越えて連れ去りまたは隠匿をしたときに、両国がこの条約に加盟していれば、子を奪われた親はその国の政府を通じて相手国に子の返還や面会を請求することができます。

3 児童家庭福祉の歴史的変遷

1 日本の児童家庭福祉のあゆみ

■ 日本の児童家庭福祉のあゆみ ■

明治	1874（明治 7）年	恤救規則制定・施行
	1885（明治18）年	高瀬真卿が私立予備感化院を設立
	1887（明治20）年	石井十次が岡山孤児院を開設
	1890（明治23）年	赤沢鍾美が新潟静修学校附設託児所を開設
	1891（明治24）年	石井亮一が孤女学院（現・滝乃川学園）を開設
	1899（明治32）年	留岡幸助が東京巣鴨に家庭学校を開設

check
孤児を救済するための施設は、593年に聖徳太子が設立した四箇院のうちの悲田院が最初といわれている。

check
石井十次は小舎制や里親委託などの先駆的な実践方法を展開した。

check
留岡幸助は、翌年の感化法成立にも貢献した。

明治	1900（明治33）年	感化法公布 野口幽香と森島峰（美根）が二葉幼稚園を開設
大正	1914（大正3）年	留岡幸助が北海道に家庭学校を設立
	1916（大正5）年	エレン・ケイの著書『児童の世紀』が翻訳出版
	1918（大正7）年	小河滋次郎らが大阪府で方面委員会制度を創設
	1919（大正8）年	大阪市が日本初の児童相談所を開設
昭和	1929（昭和4）年	救護法制定（施行は1932年）
	1932（昭和7）年	高木憲次が肢体不自由児学校光明学校を開設
	1933（昭和8）年	感化法が少年教護法に改正 児童虐待防止法制定・施行（のちに児童福祉法に統合されるかたちで廃止）
	1937（昭和12）年	母子保護法制定（施行は翌年）
	1942（昭和17）年	高木憲次が整肢療護園を開設
	1946（昭和21）年	日本国憲法公布
		糸賀一雄が知的障害児施設近江学園を開設
	1947（昭和22）年	児童福祉法制定（施行は翌年）
	1948（昭和23）年	児童福祉施設最低基準制定
	1951（昭和26）年	児童憲章制定
	1963（昭和38）年	糸賀一雄が重症心身障害児施設びわこ学園を設立
	1964（昭和39）年	母子福祉法制定（現・母子及び父子並びに寡婦福祉法）
	1965（昭和40）年	母子保健法制定

check
二葉幼稚園は、1916（大正5）年に事業や社会制度の変化に合わせて、幼稚園から保育園に名称を変更した。

check
1933（昭和8）年に制定された「児童虐待防止法」と現行の「児童虐待の防止等に関する法律」は別のものである。

check
高木憲次は、「療育」「肢体不自由」という言葉をつくり、「肢体不自由児の父」と呼ばれた。

check
糸賀一雄は「この子らを世の光に」を信念に、知的障害児の福祉・教育に生涯を捧げた。

3

子ども家庭福祉

❶ 現代社会における子ども家庭福祉の意義と歴史的変遷

2 児童憲章

　児童憲章は、児童福祉法ができても貧困状況におかれていた子どもに対して、**日本国憲法**の精神にしたがい、社会への正しい児童観の確認をはかり、児童福祉の理念を徹底させようとしたものです。児童憲章は、前文以下12か条からなっており、12条では「すべての児童は、**愛とまこと**によつて結ばれ、よい**国民**として人類の**平和**と**文化**に貢献するように、みちびかれる」ことをうたっています。

check
児童憲章は法律ではない。そのため、罰則規定はない。

児童憲章
‥➡ **下** p.10

 4 現代社会と児童家庭福祉

1 少子高齢化

　少子高齢化とは、社会における子どもの人口が減り、高
齢者の割合が増える現象のことです。わが国の出生数はし
だいに下がり続けており、2023（令和5）年は過去最少の
727,277人となり、第2次ベビーブームの1973（昭和48）
年の出生数（約209万人）と比べると、半数以下となっ
ています。また、1人の女性が一生の間に産む平均的な子
どもの数とされる合計特殊出生率も減少傾向にあります。
2005（平成17）年に過去最低の**1.26**まで下がった後、わ
ずかに上向きましたが、現在は8年連続で減少しており、
2023（令和5）年は**1.20**となり過去最低を更新しました。

　一方、**高齢化率**◆は、2023（令和5）年10月1日現在、
29.1％に達しており、4人に1人が高齢者であることを示
しています（15歳未満の「**年少人口**」の割合は**11.4**％）。
少子高齢化の要因には、未婚率の上昇や晩婚化の流れがあ
ります。また、婚姻関係にあっても子どもを産まないケー
スや多く産まないケースが増えています。出生児数の低下
は、養育や教育の**経済的負担**が最も大きい理由と考えられ、
いわゆる育児不安といわれる**精神的負担**や**身体的負担**など
も影響しているものと思われます。

用語

◆高齢化率
　総人口に占める
65歳以上の人口の
割合のこと。

■ 出生数及び合計特殊出生率の年次推移 ■

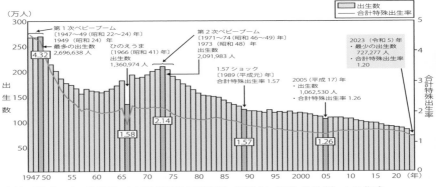

資料：「令和5年（2023）人口動態統計月報年計（概数）」（厚生労働省）より作成

2 子どもと家庭を取り巻く環境の変化

(1) 地域社会と子ども

　高度経済成長により雇用労働者が増加し、地方から都市部への人口移動がみられた結果、現在の都市化が生み出されました。子どもの遊び場であった自然環境は減少し、携帯電話、インターネットの普及により「モノ」や「情報」があふれる社会となりました。遊び方にも影響が出始め、外遊びや人との関わりが減少し、子どもの体力低下や人間関係の希薄化が問題になっています。地域コミュニティの崩壊も叫ばれ、近隣に住んでいる人の顔さえもわからないという状況のなか、子育ての孤立化が一層深刻になっています。

(2) 家族・家庭の多様化

　家族の維持よりも、個人の自己実現を優先する傾向をいう、いわゆる家族の個人化が進み、個人の選択を重視した考え方が広がった結果、晩婚や未婚、離婚や再婚などの選択肢が増えるなど、家族の形態は多様化しています。

　「令和5年（2023）人口動態統計月報年計（概数）」によると、2023（令和5）年の平均初婚年齢は、夫31.1歳、妻29.7歳です。また、出生順位別にみた母の平均年齢は、第1子出産時31.0歳で30歳を超えています。

　第二次世界大戦後の1966（昭和41）年の「ひのえうま」の年の合計特殊出生率（1.58）を下回った1989（平成元）年の合計特殊出生率は「1.57ショック」と呼ばれた。

　離婚率は、2002（平成14）年に2.30となったが、以後は多少の増減はあるものの減少傾向にある。

163

問題 次の記述で正しいものに○、誤っているものに×をつけよ。

1. ウェルビーイングとは、「個人の権利や自己実現が保障され、身体的・精神的・社会的に良好な状態にあること」を意味している。

2. ルソー（Rousseau, J.-J.）は、1762 年に『エミール』において、「子ども期」の重要性を指摘した。

3. 国際連合は、1924 年に「児童の権利に関する宣言」を採択し、その 20 年後を国際児童年とし、さらにその 10 年後に「児童の権利に関する条約」を採択した。

4. 糸賀一雄は、1899（明治 32）年、東京市郊外巣鴨に家庭舎方式の私立感化院「家庭学校」を設立した。

5. 児童の権利に関する条約における「児童」とは、各締約国の義務教育を終えるまでの年齢とされる。

6. 合計特殊出生率が低下し 1.57 ショックと呼ばれたのは、1989（平成元）年の合計特殊出生率のことである。

7. 児童憲章は正しい児童観について定めたものであり、これらの内容に従えず規定に抵触した者は、罰金刑などに処せられる。

解答

1 ○ **2** ○ **3** × **4** × **5** × **6** ○ **7** ×

3 国際連合による「児童の権利に関する宣言（児童権利宣言）」は 1959 年に採択された。1924 年に採択したのは、国際連盟による「児童の権利に関するジュネーブ宣言」である。

4 私立感化院「家庭学校」を設立したのは、留岡幸助である。糸賀一雄は近江学園を開設した。

5 18 歳未満のすべての者をいう。

7 児童憲章は、社会に対して正しい児童観を広めることを目的としたものである。法律ではないため、罰則などの規定は設けられていない。

子ども家庭福祉と保育

出題 point
- 保育所の子育て支援機能
- 保育所の現状
- 多様化する保育サービス

子ども家庭福祉の一分野としての保育

1 保育所

(1) 保育所の役割

　保育所の役割については、**児童福祉法** 39 条に「保育所は、保育を必要とする乳児・幼児を日々保護者の下から通わせて保育を行うことを目的とする施設（利用定員が 20 人以上であるものに限り、幼保連携型認定こども園を除く。）」と定められています。

　保育所における保護者に対する支援（子育て支援）は、「**入所している**子どもの保護者に対する子育て支援」と「保育所を**利用していない**子育て家庭等に対する**地域**における子育て支援」があります。

　前者は、保育所の業務の中心的な機能の一つとして行われ、後者は本来の**業務に支障がない範囲**で保育所の機能や特性を生かして社会的役割の一環として行われるなど、近年保育士や保育所に求められる機能（役割）は拡大してきています。

(2) 入所基準

　保育の必要性の基準等は、保育の実施主体である**市町村**が条例で定めることになっていますが、その多くは**子ども・子育て支援法施行規則** 1 条の 5 規定に則っています。

check
　児童福祉法 39 条 2 項には「特に必要があるときは、保育を必要とするその他の児童を日々保護者の下から通わせて保育することができる」ことも定められている。

■ 保育の必要性の認定基準 ■

①就労（フルタイムのほか、パートタイム、夜間も含む）
②妊娠中または出産後間がないこと
③疾病・負傷、精神もしくは身体の障害
④同居の親族（長期入院等の親族を含む）の常時介護・看護
⑤震災、風水害、火災その他の災害の復旧活動中
⑥継続的な求職活動（起業準備を含む）
⑦就学または職業訓練中
⑧虐待やDVのおそれがあること
⑨育児休業取得時にすでに保育を利用している子どもがいて、継続利用が必要
⑩その他、①〜⑨に類する状態として市町村が認める場合

保育の必要性の認定区分
••▷ p.86

(3) 保育所の設備と職員配置の基準

保育所の設備と職員配置の最低基準を定めていた「児童福祉施設最低基準」は、2012（平成24）年に「児童福祉施設の設備及び運営に関する基準」に改称・改正されました。保育所の設備と職員配置の基準は、都道府県が条例で定めることになりましたが、居室等の床面積や職員配置などに関しては、この基準に従い定めるものとし、その他の事項についてはこの基準を参酌して定めるものとしています。

保育所の設備基準

保育所の設備基準は、次のとおり定められています。

●乳児または満2歳に満たない幼児を入所させる保育所には、乳児室またはほふく室、調理室、医務室、便所を設置。
●乳児室の面積は、乳幼児（満2歳未満）1人につき **1.65m^2** 以上。ほふく室の面積は、乳幼児1人につき **3.3m^2** 以上。
●満2歳以上の幼児を入所させる保育所には、保育室または遊戯室、屋外遊戯場（これに代わるべき場所が保育所の近くにある場合はそれを含む）、調理室及び便所を設置。
●保育室・遊戯室の面積は、幼児1人につき **1.98**m^2 以上。屋外遊戯場の面積は、幼児1人につき 3.3m^2 以上。
●乳児室、ほふく室、保育室、遊戯室には、保育に必要な用具を常備。

check
「児童福祉施設の設備及び運営に関する基準」の規定を満たし、都道府県知事等から設置認可を受けた保育所を認可保育所という。市町村等が経営主体の公立の認可保育所と、社会福祉法人や株式会社等による私立の認可保育所がある。

check
医療的ケア児と家族を支援するために、「医療的ケア児及びその家族に対する支援に関する法律」が2021（令和3）年に施行された。
それにより、保育所の設置者等は、医療的ケア児に対する適切な支援を行う責務を有するとされた。

保育所の職員配置基準

保育所には、**保育士**、**嘱託医**、**調理員**を配置しなければなりません。保育士の配置数は、次のとおり定められています。

■ 保育士の配置数（児童福祉施設の設備及び運営に関する基準 33 条）■

乳児（0 歳児）	おおむね 3 人につき 1 人以上
満 1 歳以上満 3 歳に満たない幼児	おおむね 6 人につき 1 人以上
満 3 歳以上満 4 歳に満たない幼児	おおむね 15 人につき 1 人以上
満 4 歳以上の幼児	おおむね 25 人につき 1 人以上

※保育士の数は、保育所 1 か所につき 2 人以上。

⑷ 保育所保育指針

保育所保育指針は、保育所における保育の内容やこれに関連する運営等について定めたものです。各保育所が拠るべき**保育の基本的事項**を定め、保育所において一定の**保育の水準**を保つことをねらいにしています。

■ 保育所保育指針にみる子育て支援 ■

〇保護者の状況に配慮した個別の支援（4 章 2（2））

ア　保護者の**就労**と**子育て**の両立等を支援するため、保護者の多様化した保育の需要に応じ、病児保育事業など多様な事業を実施する場合には、保護者の状況に配慮するとともに、子どもの福祉が尊重されるよう努め、**子どもの生活の連続性**を考慮すること。

イ　子どもに障害や発達上の課題が見られる場合には、市町村や関係機関と連携及び協力を図りつつ、保護者に対する**個別の支援**を行うよう努めること。

ウ　外国籍家庭など、特別な配慮を必要とする家庭の場合には、状況等に応じて**個別の支援**を行うよう努めること。

〇不適切な養育等が疑われる家庭への支援（4 章 2（3））

ア　保護者に育児不安等が見られる場合には、保護者の**希望**に応じて**個別の支援**を行うよう努めること。

イ　保護者に不適切な養育等が疑われる場合には、**市町村**や関係機関と連携し、**要保護児童対策地域協議会**で検討するなど適切な対応を図ること。また、虐待が疑われる場合には、速や

♔ check

調理業務の全部を委託している施設では、調理員は必要としない。

♔ check

保育所の職員の配置基準の見直しが行われ、満 3 歳児以上の保育士の配置基準が 2024（令和 6）年 4 月より左表のように改正された。

保育所保育指針
⋯▶ p.93

保育所の特性を生かした子育て支援
⋯▶ p.118

♔ check

「日本語指導が必要な児童生徒の受入状況等に関する調査（令和 3 年度）」によると、外国籍の児童生徒数は 2014（平成 26）年以降増加傾向にあり、言語別にみるとポルトガル語や中国語を母語とするものが多い。

かに市町村又は児童相談所に通告し、適切な対応を図ること。

2 認可外保育施設（認可外保育所・無認可保育所）

保育を目的とする施設のうち、児童福祉法に基づき都道府県知事が認可した認可保育所以外の施設を総称して、**認可外保育施設**といいます。児童の安全確保等の観点から、保育内容、保育従事者数、施設設備等について「認可外保育施設指導監督基準」等に適合している必要があります。認可外保育所の設置者は、法人・個人の別、事業の規模を問わず都道府県知事に届け出ることが義務付けられています。

(1) 事業所内保育施設

従業員の福利厚生や雇用対策の一環として、企業や病院などの事業所内で、従業員の子どもを保育する施設です。

(2) へき地保育所

離島や山間へき地など、保育所が設置されていない地域に設置される保育施設であり、設置主体は**市町村**です。

3 認定こども園

認定こども園は、認定こども園法に基づく小学校就学前の子どもの保育・教育と保護者への子育て支援を総合的に提供する施設であり、2006（平成 18）年に制度化されました。保護者の就労の有無にかかわらず利用を受け入れます。

認定こども園法では、幼保連携型認定こども園は、教育基本法に基づく**学校**及び児童福祉法に基づく**児童福祉施設**として位置付けられています。

4 待機児童の解消

共働き家庭やひとり親家庭の増加等により、保育所の施設数と利用児童数は、ともに**増加傾向**にあります。特に都市部の低年齢児の場合、希望しているのに入所できない、いわゆる**待機児童**が多く発生しており、この解消策の推進が重要な行政課題になっています。保育所とは対照的に施設数及び利用児童数ともに減少傾向にある**幼稚園**は、一時預かり事業を実施し、「保育ニーズ」に対応しています。

check
認可外保育所を含む認可外保育施設は、都道府県・政令指定都市・中核市が行う指導監督の対象である。

check
認定こども園には、幼保連携型、幼稚園型、保育所型、地方裁量型の4つの型がある。

check
その他、私人、団体、民間企業などによる乳幼児のための保育施設があり、整備面や職員の配置基準などについては、行政の指導が行われている。

子育て支援施策や保育計画の策定はもちろん、**認定こども園**も、待機児童対策の一つに位置付けられています。

 2 保育所等における保育サービス

1 多様化する保育サービス

保護者の生活スタイルの変化や**就業形態の多様化**などにより、保育所における保育サービスも、様々な保育ニーズに対応するために多様化が進んでいます。

2 地域子ども・子育て支援事業

地域子ども・子育て支援事業とは、**市町村子ども・子育て支援事業計画**にしたがって行われる事業で、教育・保育施設を利用する子どもの家庭だけでなく、在宅の子育て家庭を含むすべての家庭及び子どもを対象としています。**市町村**が地域の実情に応じて実施しており、実施主体には特別区及び一部事務組合も含まれます。主な事業には次のものがあります。

(1) 利用者支援事業

子どもや保護者の身近な場所で、教育・保育施設や地域の子育て支援事業等の利用について情報提供を行うとともに、それらの利用に当たっての相談に応じ、必要な助言を行い、関係機関等との**連絡・調整**等を実施する事業です。

基本型	子ども及びその保護者等が、教育・保育施設や地域の子育て支援事業等を円滑に利用できるよう、**身近な場所**で、当事者目線の寄り添い型の支援を実施する。
特定型	待機児童の解消等を図るため、行政が地域連携の機能を果たすことを前提に主として保育に関する施設や事業を円滑に利用できるよう支援を実施する。
こども家庭センター型	全ての妊産婦、子育て世帯、こどもへ一体的に相談支援を行う機能を有する機関。関係機関のコーディネートを行い、地域のリソースや必要なサービスと有機的につないでいくソーシャルワークの中心的な役割を担う。

(2) 地域子育て支援拠点事業

子育て家庭の核家族化や、地域とのつながりの希薄化による子育て家庭の孤立感、不安感、負担感等に対応するた

check
午後10時頃まで開所する夜間保育所の実施か所数は73か所（2022〔令和4〕年）である。このほかにも、企業が従業員の働き方に応じて柔軟な保育サービスを提供するための仕組みとして、企業主導型保育事業がある。

check
地域子ども・子育て支援事業の費用は国・都道府県・市区町村が1/3ずつ負担する。ただし、妊婦健康診査と延長保育事業（公立分）は、市町村が10/10負担。

check
特定型は、待機児童の相談援助に限定することなく、保育サービスに関する相談に応じ、情報提供や利用に向けての支援等を行う。

check
2024（令和6）年4月1日施行の児童福祉法の改正により、地域子ども・子育て支援事業として、新たに「子育て世帯訪問支援事業」「児童育成支援拠点事業」「親子関係形成支援事業」が創設された。

めに、**公共施設**や保育所、児童館等、地域の身近な場所で
実施されている事業です。子育て中の親子が気軽に集まり、
相互交流や子育ての不安や悩みを相談する**場の提供**、地域
の子育て関連情報の提供等をしています。

⑶ 妊婦健康診査

　妊婦の健康の保持及び増進を図るために、妊婦に対する
健康診査として、①健康状態の把握、②検査計測、③保健
指導を実施するとともに、妊娠期間中の適時に必要に応じ
た**医学的検査**を実施する事業です。

⑷ 乳児家庭全戸訪問事業

　生後 4 か月までの乳児のいる**すべて**の家庭を訪問して、子育
て支援に関する情報提供や養育環境等の把握を行う事業です。

⑸ 養育支援訪問事業

　乳児家庭全戸訪問事業等によって把握した「保護者の養
育を支援することが**特に必要**と判断される家庭」に対して、
保健師・助産師・保育士等がその居宅を訪問して、養育に
関する相談支援や育児・家事援助等を行う事業です。

---

①妊娠期からの継続的な支援を特に必要とする家庭等に対する
　安定した妊娠出産・育児を迎えるための相談・支援。
②出産後間もない時期（概ね 1 年程度）の養育者に対する育児
　不安の解消や養育技術の提供等のための相談・支援。
③不適切な養育状態にある家庭など、虐待のおそれやそのリス
　クを抱える家庭に対する養育環境の維持・改善や児童の発達
　保障等のための相談・支援。
④児童養護施設等の退所又は里親委託の終了により児童が復帰
　した後の家庭に対して家庭復帰が適切に行われるための相
　談・支援。

　養育支援訪問事業における家庭内での育児に関する支援
には以下のものがあります。

・産褥期の母子への育児支援や簡単な家事等の援助
・未熟児や多胎児等に対する育児支援・栄養指導

- ・養育者に対する身体的・精神的不調状態に対する相談・指導
- ・若年の養育者に対する育児相談・指導
- ・児童が児童養護施設等を退所後にアフターケアを必要とする家庭等に対する養育相談・支援

(6) 子育て短期支援事業

母子家庭等が安心して子育てしながら働くことができる環境を整備するために、一定の事由により児童の養育が一時的に困難となった場合に、児童を児童養護施設等で預かる**短期入所生活援助（ショートステイ）事業◆**、**夜間養護等（トワイライトステイ）事業◆**です。

■ 子育て短期支援事業の対象事由例 ■

- ・児童の保護者の疾病
- ・冠婚葬祭、転勤、出張、学校等の行事への参加
- ・育児疲れ及び不安、慢性疾患時の看病疲れ
- ・出産、看護、事故、災害、失踪

(7) 子育て援助活動支援事業（ファミリー・サポート・センター事業）

乳幼児や小学生等の児童を有する**子育て中**の**労働者**や**主婦**等を**会員**として、児童の預かり等の援助を受けることを希望する者と当該援助を行うことを希望する者との相互援助活動に関する**連絡**、**調整**を行う事業です。

子どもを預かる場所は、会員の自宅、児童館や地域子育て支援拠点等、子どもの安全が確保できる場所として会員間の合意により決定します。なお、ファミリー・サポート・センターには、アドバイザーを配置しなければなりません。

■ 相互援助活動の例 ■

- ・保育施設等までの送迎
- ・保護者の病気や急用等の場合の子どもの預かり
- ・冠婚葬祭や学校行事の際の子どもの預かり
- ・病児・病後児の預かり、早朝・夜間等の緊急預かり

用 語

◆短期入所生活援助事業
　ショートステイ事業ともいう。児童を養育している保護者が家庭における養育が困難になった場合に、児童養護施設等で一時的に養育・保護すること。

◆夜間養護等事業
　トワイライトステイ事業ともいう。保護者が、仕事や病気などの理由により、平日の夜間または休日に不在となり、児童の養育が困難となった場合など、緊急の場合に、児童養護施設などにおいて児童を保護し、生活指導、食事の提供を行う事業。

⑻ 一時預かり事業

　家庭において一時的に保育を受けることが困難になった**乳幼児**を、**保育所、幼稚園**その他の場所で一時的に預かり、必要な保護を行う事業です。

　一時預かり事業では「主として、保育所、幼稚園、認定こども園等に通っていない、又は在籍していない乳幼児」を対象とする一般型、「主として、幼稚園等に在籍する満3歳以上の幼児」を対象とする幼稚園型などがあります。

⑼ 延長保育事業

　保育認定を受けた子どもについて、通常の利用日及び利用時間以外の日及び時間において、保育所等で引き続き保育を実施する事業です。

⑽ 病児保育事業

　病院・保育所等において病気の児童を一時的に保育するほか、**保育中**に体調不良となった児童への緊急対応並びに病気の児童の**自宅**に訪問する事業です。大きく「**病児対応型**」「**病後児対応型**」「**体調不良児対応型**」「**非施設型（訪問型）**」「**送迎対応**」の事業類型で構成されます。

　事業の対象は、保育を必要とする乳児、幼児、または保護者の労働もしくは疾病その他の事由により家庭において保育を受けることが困難となった小学校に就学している児童です。

⑾ 放課後児童健全育成事業（放課後児童クラブ）

　小学校に就学している児童であって、その保護者が労働等により**昼間家庭にいない者**に、授業の終了後に児童厚生施設等の施設を利用して**適切な遊び及び生活の場**を与えて、その健全な育成を図る事業です。事業内容としては、放課後における子どもの健康管理・安全確保、遊びを通じての自主性・社会性・創造性の向上、家庭や地域における各種環境づくり支援などを行っています。

check

2023（令和5）年5月1日現在の放課後児童クラブの登録数は145万7,384人（前年比6万5,226人増）で過去最高を記録している。また、待機児童数は1万6,276人（前年比1,096人増）で、前年度より増加している（「令和5年放課後児童健全育成事業（放課後児童クラブ）の実施状況」）。

3 地域型保育事業

　地域子ども・子育て支援事業のほかにも、子ども・子育て支援新制度では、大都市部の待機児童対策や児童人口減少地域の保育基盤維持等、地域における多様な保育ニーズにきめ細かく対応しながら子どもの成長を支援するための仕組みとして、市町村による認可事業として地域型保育事業を位置付けています（児童福祉法に規定）。

　地域型保育事業は次の4事業からなり、研修を修了した保育士によって保育が提供されます。

(1) 家庭的保育事業

　家庭的保育者の自宅等において、定員5人以下の0〜2歳児に保育を提供する事業です。

(2) 小規模保育事業

　定員6人以上19人以下の小規模な保育施設で、0〜2歳児に保育を提供する事業です。

(3) 事業所内保育事業

　事業主が主として雇用する労働者の子ども（従業員枠）のほか、地域において保育を必要とする、0〜2歳児（地域枠）に保育を提供する事業です。

(4) 居宅訪問型保育事業

　保育を必要とする乳幼児の居宅において、家庭的保育者による保育を提供する事業です。

地域型保育事業の位置付け

問題　次の記述で正しいものに○、誤っているものに×をつけよ。

1. 認定こども園には、幼保連携型、幼稚園型、保育所型の 3 つの型がある。

2. 乳児家庭全戸訪問事業は、生後 4 か月までの乳児のいるすべての家庭を訪問して、子育て支援に関する情報提供や養育環境等の把握を行う事業である。

3. 病児保育事業は、病児対応型、病後児対応型の 2 類型からなる。

4. 利用者支援事業は、地域子ども・子育て支援事業の一つであり、実施主体は、市町村（特別区及び一部事務組合を含む）である。

5. 家庭的保育事業は「社会福祉法」によって法定化されている。

6. 保育所の設備・運営は「児童福祉施設の設備及び運営に関する基準」に基づいており、職員配置及び保育時間については、条例の策定主体である自治体にとっていずれも「従うべき基準」として定められている。

7. 地域子育て支援拠点事業、子育て短期支援事業、延長保育事業は、いずれも地域子ども・子育て支援事業に位置付けられている。

解答

1 ×　**2** ○　**3** ×　**4** ○　**5** ×　**6** ×　**7** ○

1　地方裁量型を加えた 4 つの型がある。

3　「病児保育事業実施要綱」によると、病児対応型、病後児対応型、体調不良児対応型、非施設型（訪問型）、送迎対応の 5 類型がある。

5　家庭的保育事業は、2008（平成 20）年に「児童福祉法」において法定化された。

6　職員配置は記述のとおりだが、保育時間は「参酌すべき基準」である。

子ども家庭福祉の制度と実施体系

section 3

出題
point
- 児童福祉法
- 児童福祉六法
- 障害者支援法や子ども・子育て支援法などの新たな法律

1　子ども家庭福祉の制度と法体系

1 児童福祉法

(1) 児童福祉法の基本理念

　児童福祉法は 1947（昭和 22）年に成立した児童の福祉に関する基本法です。2016（平成 28）年の改正では、①児童が「児童の権利に関する条約」の精神にのっとり、適切な養育を受け、健やかな成長・発達や自立等を保障されること、②国・地方公共団体は、保護者を支援するとともに、家庭と同様の環境における児童の養育を推進すること、③国・都道府県・市町村それぞれの役割・責務等を明確化すること、④親権者は、児童のしつけに際して、監護・教育に必要な範囲を超えて児童を懲戒してはならないこと、などの基本理念が明確化されました。また、児童の保護者は、児童を心身ともに健やかに育成することについて第一義的責任を負うことが示されました。

■ 児童福祉法 ■

> **第 1 条**　全て児童は、児童の権利に関する条約の精神にのっとり、適切に養育されること、その生活を保障されること、愛され、保護されること、その心身の健やかな成長及び発達並びにその自立が図られることその他の福祉を等しく保障される権利を有する。

check
児童福祉法 2 条
1 項：全て国民は、児童が良好な環境において生まれ、かつ、社会のあらゆる分野において、児童の年齢及び発達の程度に応じて、その意見が尊重され、その最善の利益が優先して考慮され、心身ともに健やかに育成されるよう努めなければならない。
2 項：児童の保護者は、児童を心身ともに健やかに育成することについて第一義的責任を負う。
3 項：国及び地方公共団体は、児童の保護者とともに、児童を心身ともに健やかに育成する責任を負う。

(2) 児童福祉法における児童

　児童福祉法 4 条では、児童福祉の対象となる児童について「満 18 歳に満たない者」と定義し、さらに「児童」を**乳児、幼児、少年**に区分しています。

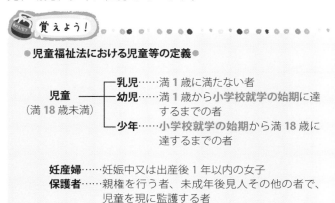

覚えよう！

●児童福祉法における児童等の定義●

児童
（満 18 歳未満）
- **乳児**……満 1 歳に満たない者
- **幼児**……満 1 歳から**小学校就学の始期**に達するまでの者
- **少年**……**小学校就学の始期**から満 18 歳に達するまでの者

妊産婦……妊娠中又は出産後 1 年以内の女子
保護者……親権を行う者、未成年後見人その他の者で、児童を現に監護する者

(3) 児童福祉法の内容

　児童福祉法には、児童福祉審議会、実施機関、児童福祉司、児童委員、保育士、療育の指導、居宅生活の支援（障害福祉サービス、子育て支援）、**児童福祉施設・里親・児童福祉事業の利用等**（障害児相談支援や児童自立生活援助事業等）、要保護児童の保護措置、被措置児童等虐待の防止等、費用、保育計画、認可外施設への規制、罰則などが定められています。

(4) 児童福祉施設の設備及び運営に関する基準など

　児童福祉施設の設備及び運営に関する基準では、施設の設備、職員の資格、配置基準などを定めています。**都道府県**は、職員配置や施設の床面積等に関してはその基準に従い、その他の事項に関してはその基準を参酌して条例を定めています。

　そのほか、各種措置・基準などを定めた**児童福祉法施行令（政令）**や児童相談所の職員の資格、保育士養成の基準などについて定めた**児童福祉法施行規則（省令）**があります。

check
少年法上の少年の定義については、p.212 を参照。
少年法
…▷ p.178
児童
…▷ p.88

check
児童福祉法では、新生児については定義していない。

check
児童福祉法には「障害児相談支援給付費及び特例障害児相談支援給付費の支給」について定められているが、児童手当、児童扶養手当、特別児童扶養手当、子どものための教育・保育給付等は、根拠法が別である点に注意。

保育所の設備と職員配置の基準
…▷ p.166

check
児童福祉施設の基準は、児童福祉施設の設備及び運営に関する基準をもとに都道府県が条例で定める。

2 児童福祉六法

　児童福祉法と次の5つの法律を合わせて、児童福祉六法と呼びます。

(1) 児童扶養手当法

　1961（昭和36）年に成立し、2010（平成22）年改正で、**父子家庭**も対象となりました。**父または母と生計を同じくしていない児童**（生計を同じくしていても、父または母が、政令で定める程度の障害の状態にある児童）が育成される家庭の生活の安定と自立促進に寄与するため、その児童について支給し、児童の福祉の増進を図ることを目的にしています（所得制限あり）。

(2) 特別児童扶養手当等の支給に関する法律

　1964（昭和39）年に成立。**特別児童扶養手当**は、精神・身体に障害を有する児童の養育者、**障害児福祉手当**は、精神・身体に重度の障害を有する児童本人、**特別障害者手当**は、精神・身体に著しく重度の障害を有する者本人に手当を支給するしくみです（それぞれ所得制限あり）。施設に入所している場合には、同法の規定にしたがい、原則として手当は支給されません。

(3) 母子及び父子並びに寡婦福祉法

　1964（昭和39）年に母子福祉法として成立し、1981（昭和56）年改正で寡婦が対象になりました。その後2002（平成14）年改正で**父子家庭**も対象となり、さらに2014（平成26）年に現在の法律名に改称されました。母子及び父子家庭並びに寡婦の生活の安定と向上のために必要な措置を講じることにより福祉の向上を図ることを目的としています。

(4) 母子保健法

　1965（昭和40）年に成立。母性並びに乳児、幼児に対する保健指導、健康診査、医療その他の措置を講じ、国民保健の向上に寄与することを目的としています。

(5) 児童手当法

　1971（昭和46）年に成立。**子ども・子育て支援**の適切な

check
　母子及び父子並びに寡婦福祉法では、児童を「20歳に満たない者」と定義している。

check
　2024（令和6）年4月1日現在の支給額は、子ども一人当たり月額で、3歳未満は1万5千円、3歳から小学校修了前までの第1子・第2子は1万円、第3子以降は1万5千円、中学生は1万円となっていて、支給に所得制限が設けられている。なお、2024（令和6）年10月1日施行予定の改正法により、所得制限の撤廃、支給額の増額、支給対象年齢の引き上げ等が行われる。

実施を図るため、父母その他の保護者が子育てについての**第一義的責任**を有するという基本的認識の下に、児童を養育している者に**児童手当**を支給することにより、家庭等における**生活の安定**に寄与するとともに、次代の社会を担う児童の**健やかな成長**に資することを目的としています。

　児童手当は、**15** 歳到達後最初の **3** 月 **31** 日までにある児童（**中学校修了前の児童**）を養育している者に支給されます。

3　その他の関連法

⑴ 児童買春、児童ポルノに係る行為等の規制及び処罰並びに児童の保護等に関する法律（児童買春・児童ポルノ禁止法）

　1999（平成 11）年に成立。児童買春、児童ポルノに係る行為等を規制し処罰するとともにこれらの行為等により心身に有害な影響を受けた児童の**保護**のための措置等を定めることにより、児童の**権利**を擁護することを目的にしています。

⑵ 児童虐待の防止等に関する法律（児童虐待防止法）

　2000（平成 12）年に成立。児童虐待が**児童の人権**を著しく侵害すること等から、児童に対する虐待の**禁止**、児童虐待の**予防及び早期発見**、国及び地方公共団体の**責務**、児童虐待を受けた児童の**保護及び自立**の支援のための措置等を定めることで、児童虐待の防止等に関する施策を促進し、児童の**権利利益**の擁護を図ることを目的としています。

⑶ 少年法

　1948（昭和 23）年に成立。少年の健全な育成を期し、非行のある少年に対して**性格の矯正及び環境の調整**に関する保護処分を行うとともに、少年の刑事事件について特別の措置を講ずることを目的にしています。

⑷ 育児休業、介護休業等育児又は家族介護を行う労働者の福祉に関する法律（育児・介護休業法）

　育児や家族の介護を行う労働者等の職業生活と家庭生活との**両立**に寄与することを通じて、福祉の増進を図り、経済及び社会の発展に資することを目的にしています。

check
　2000（平成 12）年5月、国連総会は「児童の売買、児童買春及び児童ポルノに関する児童の権利条約の選択議定書」を採択した。日本は、これを 2005（平成 17）年 1 月に批准した。

check
　「児童買春・児童ポルノ禁止法」の処罰対象となるのは、「児童買春をした者」「児童買春の周旋をする目的で、人に児童買春をするように勧誘した者」「自己の性的好奇心を満たす目的で児童ポルノを所持した者」「児童ポルノを不特定もしくは多数の者に提供、または公然と陳列した者」等である。

児童虐待防止法
p.208
下 p.103

また、法改正によって、男女とも仕事と育児を両立できるように、雇用環境整備、個別周知・意向確認の措置が義務化され、産後パパ育休制度（出生時育児休業制度）が創設されました。

　同法では小学校就学の始期に達するまでの子を養育する労働者の時間外労働の制限についても定めています。

(5) 少子化社会対策基本法

　2003（平成15）年に成立。少子化に的確に対処するための施策を総合的に推進することを目的にした法律です。政府は「少子化社会対策会議」を設置し、2004（平成16）年に「少子化社会対策大綱」が制定されました。なお、こども基本法の制定により、こども家庭庁に「こども政策推進会議」が置かれたことに伴い少子化社会対策会議は廃止、少子化社会対策大綱は「こども大綱」に統合されました。

(6) 次世代育成支援対策推進法（2025年3月31日まで延長）

　2003（平成15）年に成立。国、地方公共団体、企業をはじめ、社会全体で子育て支援を推進するための法律です。次世代育成支援対策に関して、国には「指針」、地方公共団体及び企業（従業員101人以上）には「行動計画」の策定を規定しています。

(7) 発達障害者支援法

　2004（平成16）年に成立した発達障害者支援法は、発達障害者及び発達障害児を対象とした法律です。2016（平成28）年6月に改正され、基本理念等が追加されました。

　切れ目なく支援を行うことが重要であるとし、障害者基本法の基本的な理念にのっとり、発達障害を早期に発見し、発達支援を行うことに関する国及び地方公共団体の責務を明らかにするとともに、学校教育における発達障害者への支援、発達障害者の就労支援等を定めています。

　発達障害者の自立及び社会参加に様々な支援を行い、すべての国民が、障害の有無によって分け隔てなく、相互に人格と個性を尊重し合いながら共生する社会の実現に資することを目指しています。

check
　育児・介護休業法の内容には、短時間勤務者の制度、所定外労働の制限の義務、出産後8週間以内の父親等の育児休業に関する特例等がある。

アドバイス
　妊産婦の時間外労働の制限について規定しているのは、労働基準法である。

check
　行動計画の策定は、地方公共団体は任意、従業員101人以上の企業は義務である。

発達障害者支援法
•••▷ p.252
下 p.162

(8) 障害者総合支援法

障害者総合支援法は、「地域社会における**共生の実現**に向けて、障害福祉サービスの充実等障害者の日常生活及び社会生活を総合的に支援するため、新たな障害保健福祉施策を講ずること」を趣旨として、障害者自立支援法を改称して、2013（平成25）年4月1日に施行されました。

法律の基本的構造は、障害者自立支援法と同じですが、同法が2010（平成22）年に改正されたときに変更された点（対象に**発達障害**を含む点、利用者負担が**応能負担**になった点、障害児施設・事業は原則児童福祉法に一本化された点等）は継承されています。この他の改称時の変更点等としては、①基本理念の創設：共生社会の実現に関する規定を明記、②対象の範囲：難病の者等を追加、③障害支援区分：障害程度区分から変更、④支援拡充：重度訪問介護の対象拡大等が挙げられます。

(9) 就学前の子どもに関する教育、保育等の総合的な提供の推進に関する法律（認定こども園法）

2006（平成18）年に成立。保育所と幼稚園を一体化した「**認定こども園**」が設置できるようになりました。「認定こども園」は、保育と教育の一体的な提供と地域での子育て支援の実施を条件に、**都道府県知事**等が認定を行います。

2012（平成24）年に改正法が成立し、2015（平成27）年4月から、「**幼保連携型認定こども園**」は、教育基本法に基づく学校と、児童福祉法に基づく児童福祉施設の両方に位置付けられています。

障害者総合支援法の正式名称は、「障害者の日常生活及び社会生活を総合的に支援するための法律」である。

障害者総合支援法
••• p.252

認定こども園の認定等の事務・権限は、都道府県から指定都市及び中核市へ移譲されている。

子ども・子育て支援新制度
••• p.122,200

⑽ 子ども・子育て支援法（2012〔平成24〕年成立）

　地域の子ども・子育て支援を推進するための法律で、保育施設として、**認定こども園**、特定地域型保育事業者を位置付け、子ども・子育て支援給付などを定めています。

　この法律によって内閣府に**子ども・子育て会議**が設置されました。この会議は、内閣総理大臣の諮問に応じ、法律の施行に関する重要事項を調査審議し、内閣総理大臣その他の関係各大臣に意見を述べることができます。なお、市町村や都道府県にも、審議会その他の**合議制の機関**を置くことが努力義務として規定されています。

👑 check
このほか、民法に定められる「親権」についてもよく理解しておくこと。
⋯▶ p.253

■ 子ども・子育て支援法 ■

第1条　この法律は、我が国における急速な少子化の進行並びに家庭及び地域を取り巻く環境の変化に鑑み、児童福祉法その他の子どもに関する法律による施策と相まって、子ども・子育て支援給付その他の子ども及び子どもを養育している者に必要な支援を行い、もって一人一人の子どもが健やかに成長することができる社会の実現に寄与することを目的とする。

第2条　子ども・子育て支援は、父母その他の保護者が子育てについての第一義的責任を有するという基本的認識の下に、家庭、学校、地域、職域その他の社会のあらゆる分野における全ての構成員が、各々の役割を果たすとともに、相互に協力して行われなければならない。

2　子ども・子育て支援給付その他の子ども・子育て支援の内容及び水準は、全ての子どもが健やかに成長するように支援するものであって、良質かつ適切なものであり、かつ、子どもの保護者の経済的負担の軽減について適切に配慮されたものでなければならない。

⑾ こども基本法

　日本国憲法及び**児童の権利に関する条約**の精神にのっとり制定されました。次代の社会を担う全てのこどもが、生涯にわたる**人格形成**の基礎を築き、**自立した個人**として健やかに成長することができ、その権利の擁護が図られ、将来にわたって**幸福な生活**を送ることができる社会の実現を目指して、こども施策を総合的に推進することを目標としています。政府に対して「**こども大綱**」を策定することを義務付けています。

👑 check
こども政策を総合的に推進するため、政府全体のこども施策の基本的な方針等を定める「こども大綱」が2023（令和5）年12月22日に閣議決定された。

こども大綱
⋯▶ p.244

2 児童家庭福祉行財政と実施機関

1 児童家庭福祉の財政

(1) 事業運営費

児童家庭福祉に関わる主な財源には、**一般財源**、**措置費**、**補助金**等があります。

一般財源	一定の積算基準のもと、国が自治体に対して地方交付税等として負担。支出額は基本的に自治体の判断に委ねられる。 公立保育所の運営費など
措置費	児童相談所が措置する施設の費用を賄う。事務費（人件費や管理費）と事業費（日常生活費）に大別される。一時保護に係る費用など
補助金等	特定の事業を実施する場合の費用など

(2) 利用者負担（費用徴収）

利用者の負担能力に応じて徴収される「**応能負担**」と、事業・サービスを受けた対価として徴収される「**応益負担**」（定率負担）とに大別されます。児童養護施設等ほとんどの児童福祉施設・事業は**応能負担**ですが、保育所については一部は無償、その他は両方を組み合わせた仕組みです。

2 児童家庭福祉を実施する行政機関

(1) 国の役割

福祉に関する国の代表機関は**厚生労働省**ですが、児童福祉に関しては、多くの事務が新設された**こども家庭庁**に移管されています。児童家庭に関する福祉行政全般についての企画調整、監査指導、事業に要する費用の予算措置等、中枢的役割を担っています。

(2) こども家庭庁

内閣府の外局として設置されています。こどもやこどものある家庭の福祉の増進及び保健の向上、こどもの**権利利益の擁護**に関する事務を行うことや、関連する政策に関する内閣の事務を助けることを任務としています。

(3) 都道府県・指定都市◆・中核市◆の役割

都道府県・指定都市・中核市は、児童福祉事業の企画、

check

2019（令和元）年10月より、保育所等に通う3〜5歳児及び住民税非課税世帯の3歳未満児の費用は無償化された。

用語

◆指定都市
政令で指定する人口50万人以上の市のこと。2022（令和4）年7月5日現在、全国に20市ある。政令指定都市、政令市ともいう。
◆中核市
政令で指定する人口が20万人以上の市のこと。2023（令和5）年4月1日現在、全国に62市ある。

予算措置、児童福祉施設の認可並びに指導監督、児童相談所・福祉事務所・保健所の設置運営などと、市町村相互の連絡調整、情報提供その他必要な援助を行います。措置権をはじめとして、児童福祉に関する都道府県の権限の一部は、児童相談所に委任されています。

(4) 市区町村の役割

児童と妊産婦の福祉に関して、実情の把握に努め、情報の提供を行うとともに、家庭その他からの相談に応じて必要な調査・指導を行います。これらの業務を行うに当たって、専門的知識や技術が必要な場合や、専門的判定を必要とする場合には、児童相談所の技術的援助や助言、判定を求めなければなりません。また、保育所など児童福祉施設の設置と保育の実施、子育て支援事業の実施、1歳6か月児健康診査、3歳児健康診査などを行います。

市区町村（一部事務組合を含む）は、「こども家庭センター」の実施主体でもあります。同拠点には、子ども家庭支援員、心理担当支援員、虐待対応専門員が配置され、子どもとその家庭、妊産婦等を対象にコミュニティを基盤にしたソーシャルワークの機能を担います。

3 児童福祉の審議機関等

(1) 児童福祉審議会の設置

児童福祉審議会は、児童、妊産婦、知的障害者の福祉に関する事項を調査・審議する機関で、都道府県と指定都市に設置義務があり（ただし、地方社会福祉審議会に児童福祉に関する事項を調査・審議させる場合は、設置しなくてもよいことになっています）、市町村は任意設置です。国における児童福祉の審議会は、社会保障審議会◆です。

(2) 都道府県児童福祉審議会の役割

児童福祉法にみる都道府県等が都道府県児童福祉審議会に意見を聴かなければならない場合は、次のとおりです。

①児童福祉法27条6項に定める内容に従い、措置等を実施・解除・停止・変更する場合。

check
母子保健法に従い、すべての市町村は「1歳6か月児健康診査」と「3歳児健康診査」を行わなければならない。このほかに、市町村は妊娠の届出をした者に対して母子健康手帳を交付することや、妊産婦が妊娠や出産に支障を及ぼす恐れがある疾病があるときに医師などの診察を受けるために必要な援助などを行う。

check
「こども家庭センター」は一定の条件のもとに委託も可能。また、複数自治体による共同設置も可能である。

check
法改正により、2024（令和6）年4月1日から、「市区町村子ども家庭総合支援拠点」は「こども家庭センター」へ移行された。

用語
◆社会保障審議会
児童福祉を含む社会保障全体の主要事項について審議する機関である。児童福祉に関する事項を取り扱う児童部会などが設置されている。

②都道府県知事が、国、地方公共団体以外の者の保育所設置の認可をしようとする場合。

③児童福祉施設の設備又は運営が条例の基準を満たしておらず、設置者に対してその事業の停止を命ずる場合。

④児童福祉施設等に対して児童の福祉のため必要があると認めてその事業の停止又は施設の閉鎖を命ずる場合。

4 児童相談所

(1) 児童相談所の設置

児童相談所は、子どもの福祉を図ることと、子どもの権利を擁護することを主たる目的として、**都道府県**、**指定都市**に設置が義務付けられています。児童福祉法の改正により 2017（平成 29）年 4 月 1 日から、特別区でも児童相談所を設置できるようになりました。

児童相談所は、市町村と役割分担や連携を図りながら、子どもに関する家庭その他からの相談に応じ、子どもが抱えている問題や真のニーズ、子どもの置かれた環境の状況等を的確にとらえ、個々の子どもや家庭に対して効果的な援助を行うための機関です。

児童相談所には、所長、**児童福祉司**、**児童心理司**、弁護士、精神科医・小児科医、保健師、相談員、心理療法担当職員、その他必要とする職員が配置されています。

(2) 児童相談所の業務

児童相談所の業務は、相談の受付から援助を実行するまでの全体にわたっています。一時保護、立入調査、各施設への入所措置などの役割を担っています。

① 相談の受付

児童に関する様々な問題については、都道府県（児童相談所）が、家族・親戚、学校、警察、保健所、児童福祉施設などや、行政、本人などからの**相談**（巡回相談、電話相談など）を受け付けています。また、地域住民や関係機関からの**通告**、福祉事務所や家庭裁判所からの児童の**送致**も受け付けています。

「令和 3 年度福祉行政報告例の概況」（厚生労働省）によれ

check

児童福祉審議会には、里親の認定の適否を行う場合にも意見を聴く。

check

2024（令和 6）年 4 月 1 日現在、全国に設置されている児童相談所は 234 か所。

check

2016（平成 28）年の児童福祉法改正により、児童相談所への弁護士の配置または準ずる措置が義務づけられた。

check

2004（平成 16）年の児童福祉法改正により、市町村が一義的窓口として位置付けられるとともに、児童相談所はより高度な専門的対応や法的対応が必要なケースに重点的に関わる仕組みになった。

ば、2021（令和3）年度中に児童相談所が対応した相談件数は57万1,961件です。相談の種類別の内訳は、**養護**相談が49.5%と最も多く、次いで**障害**相談が35.6%、**育成**相談が7.3%となっています。養護相談の割合は年々増加しています。

　同年度、児童相談所が対応した児童虐待相談の対応件数における相談種別の割合は、**心理的**虐待60.1%、**身体的**虐待23.7%、**保護の怠慢・拒否（ネグレクト）**15.1%、**性的**虐待1.1%となっています。

②調査・診断・判定

　相談を受けた事項については、主に**児童福祉司**、**相談員**が、

♛check
　児童虐待に関する相談は、養護相談に含まれる。

児童虐待の実態
···▶ p.211

3

子ども家庭福祉

❸ 子ども家庭福祉の制度と実施体系

■ 児童相談所における相談援助活動の体系・展開 ■

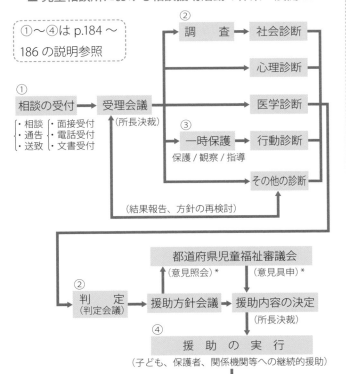

①～④は p.184～186 の説明参照

①相談の受付
・相談　・面接受付
・通告　・電話受付
・送致　・文書受付

受理会議
（所長決裁）

②調査 → 社会診断

心理診断

医学診断

③一時保護
保護／観察／指導

行動診断

その他の診断

（結果報告、方針の再検討）

都道府県児童福祉審議会
（意見照会）* 　　　（意見具申）*

②判定
（判定会議）→ 援助方針会議 → 援助内容の決定
（所長決裁）

④援助の実行
（子ども、保護者、関係機関等への継続的援助）

援助の終結、変更
（受理、判定、援助方針会議）

資料：「児童相談所運営指針」

*p.183 の都道府県児童福祉審議会に意見を聴くケース①

児童とその家庭の調査を行い、環境、問題性、社会資源の活用などの可能性を明らかにする社会診断を行います。

調査は、面接、電話、照会、委嘱、立入調査などの方法によって行います。虐待相談の場合は、子どもの心身の状況を直接見て観察することが基本とされており、保護者が子どもへの面接を拒否したり、立入調査を拒むような場合には、裁判所の許可状により臨検や捜索が行われます。

このとき、必要に応じて、児童心理司などによる心理診断、医師（精神科医、小児科医）による医学診断、一時保護所において児童指導員や保育士による児童の行動診断が行われます。これらの関係者の協議により総合的な調査・診断・判定を行い、個々の児童に対する援助方針を立てます。また、判定結果を踏まえ、必要に応じて市町村に対して助言等の支援を行います。

③一時保護

一時保護は、児童虐待、家出などの理由によって緊急に児童を保護する必要があると児童相談所長または都道府県知事等が認めた場合などに行われます。また、判定のための行動観察や施設入所までの短期入所指導を目的に行われる場合もあります。児童相談所に附設される一時保護所を利用するほかに、児童福祉施設、里親などに一時保護を委託することができます。

一時保護は子どもの権利擁護の観点から、子どもや保護者の同意を得て行うことが望まれます（子どもの福祉を害するときには同意を得なくても一時保護できます）。一時保護の期間は2か月を超えてはならないとされていますが、必要がある場合には引き続き行うことができます。

④援助の実行

判定結果に基づき、次のような援助が行われます。

児童虐待対応の仕組み
•••▶ p.208

一時保護
•••▶ p.210

■ 児童相談所により実施される主な援助 ■

1. 在宅指導等
（1）措置によらない指導
ア　助言指導
イ　継続指導
ウ　他機関あっせん
（2）措置による指導
ア　児童福祉司指導
イ　児童委員指導
ウ　市町村指導
エ　児童家庭支援センター
　　指導
オ　知的障害者福祉司、社
　　会福祉主事指導

カ　障害者等相談支援事業
　　を行う者による指導
キ　指導の委託
（3）訓戒、誓約措置
2. 児童福祉施設入所措置
　　指定発達支援医療機関委託
3. 里親、小規模住居型児童
　　養育事業委託
4. 児童自立生活援助の実施◆
5. 市町村への事案送致
6. 福祉事務所送致等
7. 家庭裁判所送致
8. 家庭裁判所への家事審判
　　の申立て

資料：「児童相談所運営指針」

(3) 児童相談所の費用

　児童相談所で必要となる費用は、**都道府県**が負担することになっています。ただし、一時保護に関わる費用は、その **2分の1** を国が負担します。

(4) 児童相談所運営指針

　児童相談所の業務の内容や組織についての指針がまとめられています。1990（平成2）年に定められ、その後、**親権停止**に関する児童相談所長の権限の強化、医師・保健師・弁護士の配置等に関しての改正が行われました。2022（令和4）年に公布された「児童福祉法等の一部を改正する法律」の一部施行にともない、2024（令和6）年4月1日より全部改正されています。

5 福祉事務所

　福祉行政における第一線機関で、児童や**妊産婦**の福祉に関する実情把握・相談・調査・指導などを行います。**都道府県**、**市**、特別区には設置が義務付けられていますが、**町村**は任意設置です（社会福祉法14条）。

check
　援助を行う権限の多くは、都道府県（指定都市と中核市を含む）の長が持っているが、実際には、委任されて児童相談所長が行っている。

用語
◆児童自立生活援助の実施
　児童自立生活援助事業（自立援助ホーム）に対象児童を措置すること。

check
　都道府県が、児童を、乳児院、児童養護施設、障害児入所施設、児童心理治療施設、児童自立支援施設などに入所させた場合に負担した費用は、本人またはその扶養義務者から負担能力に応じて全部または一部を徴収できる。

親権停止
→ 下 p.56

check
　福祉事務所は、生活保護制度に関する事務や、助産施設及び母子生活支援施設の各利用（助産の実施、母子保護の実施）の実施主体として機能している。

社会福祉主事、身体障害者福祉司、知的障害者福祉司、母子・父子自立支援員などが配置されています。都道府県、市町村、特別区の福祉事務所に設置される**家庭児童相談室**には、家庭相談員が配置され、育児や児童に関する様々な相談に対応します。

6 児童家庭支援センター

児童福祉施設の一つであり、**児童福祉司**が配置されています。児童、家庭、地域住民その他からの児童に関する相談のうち、専門的な知識や技術を必要とするものに応じ、必要な助言と指導を行います。児童養護施設退所者のアフターケア事業も実施しています。

7 保健所・市町村保健センター

保健所は、**地域保健法**に基づき、**都道府県**、**指定都市**、**中核市**、その他政令で定める市または特別区に設置が義務付けられている保健機関です。児童福祉に関する業務は次のとおり児童福祉法に定められています。

①児童の保健について、正しい衛生知識の普及を図る。

②健康相談や健康診査、必要に応じて保健指導を行う。

③身体に障害のある児童や疾病により長期にわたり療養を必要とする児童の療育について、指導を行う。

④児童福祉施設に対して、栄養の改善その他衛生に関して必要な助言を与える。

市町村保健センターは、**市町村**に任意に設置される保健機関であり、住民に対して、健康相談、保健指導及び健康診査その他地域保健に関して必要な事業を行う機関です。

3 児童福祉施設等

1 児童福祉施設

児童福祉施設には、行政機関の措置による施設と児童や保護者の自由意思（契約）により利用できる施設があり、利用形態は大きく**入所型**、**通所型**、**利用型**に分けられます。

児童福祉施設は、児童福祉法7条に示されている。

■ 児童福祉施設 ■

施設名	対象・目的
助産施設	経済的理由により入院助産を受けられない妊産婦を入所させ助産を受けさせる。
乳児院	乳児（特に必要な場合、幼児も含む）を入院させて養育し、あわせて退院した者について相談その他の援助を行う。
母子生活支援施設	配偶者のない女子又はそれに準ずる事情にある女子及びその者の監護すべき児童を入所させ保護・支援し、退所した者の相談・援助を行う。
保育所	保育を必要とする乳児・幼児を日々保護者の下から通わせて保育を行う。
幼保連携型認定こども園	満3歳以上の幼児に対する教育及び保育を必要とする乳児・幼児に対する保育を一体的に行う。
児童厚生施設	児童館、児童遊園等、児童に健全な遊びを与えてその健康を増進し、又は情操を豊かにする。
児童養護施設	保護者のない児童、虐待されている児童等を入所させて養護し、退所した者の相談・援助を行う。
障害児入所施設	福祉型障害児入所施設と医療型障害児入所施設に区分され、障害児の保護、指導、知識技能の付与を行う。医療型施設では治療も行う。
児童発達支援センター	地域の障害児の健全な発達において中核的な役割を担う機関として、障害児を日々保護者の下から通わせて、適切な発達支援を提供する。
児童心理治療施設	環境上の理由により社会生活への適応が困難な児童に、社会生活に適応するために必要な心理に関する治療等を行い、退所した者の相談・援助を行う。
児童自立支援施設	不良行為をなし、又はなすおそれのある児童及び生活指導を要する児童を入所又は通所させ、指導、自立支援を行い、退所した者の相談・援助を行う。
児童家庭支援センター	地域の児童の福祉に関する家庭その他からの相談に応じ助言等を行うとともに、市町村の求めに応じ、助言、援助等を行うほか、保護を要する児童やその保護者に対する指導を行い、あわせて児童相談所、児童福祉施設等との連絡調整等を総合的に行い、地域の児童、家庭の福祉の向上を図る。
里親支援センター	里親の普及啓発、里親支援事業、里親や委託児童に対する相談支援等を行う。

check

母子生活支援施設は、DV被害者の保護施設としても使われており、母子支援員が配置されている。父子の利用は認められていない。

保育所
⋯▶ p.165

保育所保育
⋯▶ p.93

check

「令和3年度福祉行政報告例」によると、児童福祉施設等に入所している人数は、乳児院2,367人、児童養護施設23,013人、児童心理治療施設1,343人、児童自立支援施設929人等となっている。

check

児童福祉法改正により、2024（令和6）年4月1日より、福祉型児童発達支援センターと医療型児童発達支援センターが一元化された。また、「里親支援センター」が児童福祉施設に新たに位置づけられた。

(1) 乳児院

　1歳未満の乳児（必要な場合は幼児も含む）を入院させて養育する児童福祉施設です。小児科医または嘱託医、看護師、個別対応職員、家庭支援専門相談員、心理療法担当職員（心理療法を必要とする乳幼児やその保護者10人以上の施設）、栄養士、調理員が配置されています。

　乳児院における養育の基本は、子どもが養育者と、時と場所を共有し、共感し、**応答性**のある環境のなかで、**生理的・心理的・社会的**に要求が充足されることにあります。そして、家族や**地域社会**と連携を密にし、**豊かな人間関係**を培い、社会の一員として参画できる基礎づくりが目指されます。

(2) 児童養護施設

　保護者が養護できない児童（満1歳から満18歳未満）を入所させて養護する児童福祉施設です。場合によっては満20歳になるまで延長できます（措置解除された者に対しては、原則**22**歳の年度末まで引き続き必要な支援を受けることができる**社会的養護自立支援事業**がある）。特に必要がある場合は、**乳児**も入所できます。

　「児童福祉施設の設備及び運営に関する基準」44条では、「児童養護施設における養護は、児童に対して**安定した生活環境**を整えるとともに、生活指導、**学習指導**、職業指導及び**家庭環境**の調整を行いつつ児童を**養育**することにより、児童の心身の健やかな成長とその**自立**を支援することを目的として行わなければならない」と定めています。

　近年、虐待経験や障害のある子どもなど、親がいても家庭で養育できない子どもの入所が増えており、措置施設の中で**最も入所人数が多い施設**です。児童指導員、嘱託医、保育士、個別対応職員、**家庭支援専門相談員**、**里親支援専門相談員**、心理療法担当職員（心理療法を必要とする児童10人以上の施設）、栄養士、調理師等が配置されています。

2 小規模住居型児童養育事業（ファミリーホーム）

　要保護児童の養育に関し、里親や児童養護施設等の職員

 check
乳児院は、2022（令和4）年3月末現在、全国に145か所あり、定員3,827人、現員2,367人である。

check
児童養護施設は、2022（令和4）年3月末現在、全国に610か所あり、定員3万140人、現員2万3,013人である。

check
児童40人以下を入所させる児童養護施設では栄養士、調理業務の全部を委託する施設では調理員を置かなくてもよい。

の経験がある者が養育者となり、**養育者の住居**において5〜6人の子どもを養育するもので、里親と同様に**家庭養護**を行う制度です。原則として、2人の養育者（夫婦）と補助者1人を置く必要があります。

3 自立援助ホーム

児童福祉法に規定された児童自立生活援助事業を実施する施設です。**義務教育**を終了した満20歳未満の児童等や、大学等に在学中で満22歳になる年度の末日までにある者（満20歳に達する日の前日に自立援助ホームに入居していた者に限る）であって、児童養護施設等を退所した児童等に対して、相談、日常生活上の援助、生活指導、就業の支援を行う事業です。自立援助ホームでは、原則として5人以上20人以下が**共同生活**をしています。

4 里親

里親とは、様々な事情により家庭での養育が困難または受けられなくなった子どもたちを、温かい愛情と正しい理解を持った家庭環境の下で養育するしくみです。ただし、**都道府県知事**等が適当と認める必要があります。**児童相談所長**は都道府県・指定都市等からの委任を受けて、子どもを里親に委託する措置をとることができます。

里親の認定に当たっては、児童相談所の調査を基に児童福祉審議会の意見を聴くこととされており、里親への委託は「里親委託ガイドライン」、運営は「里親制度運営要綱」に基づいて行われています。

里親には、次の4種類があります。

①養育里親	家族と暮らせない子どもを一定期間、自分の家庭に迎え入れて養育する里親
②専門里親	養育里親のうち、虐待や非行、障害等の理由によって専門的な援助を必要とする子どもを養育する里親
③親族里親	実親が死亡、行方不明等の状況から養育できない場合に、祖父母等の親族が子どもを養育する里親
④養子縁組里親	養子縁組によって子どもの養親になることを希望する里親

里親制度
⋯▶ 下 p.63

check
ファミリーホームは、2022（令和4）年3月末現在、全国に446か所設置されている（委託児童数1,718人）。

check
自立援助ホームは2023（令和5）年6月1日現在、全国に274か所設置されている。

check
都道府県（委任されている児童相談所）には、里親の新規開拓から委託児童の自立支援に至る一貫した里親支援が業務として位置付けられている。

3 子ども家庭福祉

❸ 子ども家庭福祉の制度と実施体系

 ## 4 児童家庭福祉の専門職・実施者

1 児童福祉の実施機関における専門職

(1) 児童福祉司

児童相談所において面接などによる相談・指導や関係機関との連絡調整を行う専門職員です。児童福祉司養成学校・養成課程修了者、医師、社会福祉士、精神保健福祉士、公認心理師のほかにも、社会福祉主事として2年以上児童福祉事業に従事した者がなることができます。その他、大学で心理学等の学科・課程修了者は1年以上の指定施設における相談援助業務の経験、保健師等の有資格者は1年または2年以上の指定施設における相談援助業務の経験と講習会を受講することにより児童福祉司の任用資格要件を満たします。

(2) 児童心理司

児童相談所において、児童や保護者からの相談に応じ、診断面接、心理検査、観察などによる心理判断と心理療法、カウンセリングなどの助言を行います。資格要件は、医師であって精神保健に関して学識経験を有する者や、大学において心理学を専修する学科等の課程を修めて卒業した者等です。

(3) 家庭相談員

福祉事務所に置かれる家庭児童相談室で相談援助を行います。大学での児童福祉等の学科・課程修了者、医師、社会福祉士のほかにも、社会福祉主事として2年以上児童福祉の仕事に従事した者、これに準ずる者がなることができます。

(4) 母子・父子自立支援員

福祉事務所等に配置されます。母子家庭の母・父子家庭

アドバイス

「心理学等」とは、心理学、教育学、社会学のことである。
「保健師等」とは、保健師、助産師、看護師、保育士、教育職員普通免許状取得者、児童指導員のことである。

の父及び寡婦に対する相談、情報提供、指導や、職業能力の向上と求職活動に関する支援を行います。社会的信望があり、職務を行うに当たって必要な熱意と識見を持っている者のなかから任命されます。

2 児童福祉施設に配置される専門職

児童福祉施設には、児童と家庭を支援する様々な専門職員が配置されています。

(1) 児童指導員

乳児院、児童養護施設、障害児入所施設、児童発達支援センター、児童心理治療施設で児童の生活指導を担います。資格要件は、児童福祉施設職員養成学校の卒業者、社会福祉士、精神保健福祉士、大学（外国の大学を含む）で社会福祉学等を修めた者、幼稚園・小・中・義務教育学校・高校または中等教育学校の教員免許を持ち都道府県知事が適当と認める者などです。

(2) 保育士

児童福祉施設において児童に直接的に関わる職員として、児童指導員と並んで支援の中核的役割を果たします。一般的には保育所における仕事がよく知られており、保育士の職務は乳幼児に対する保育活動だけととられがちですが、実際には、児童指導員等とともに生活指導や学習指導を行い、障害児の療育や訓練、地域の一般家庭に対する育児相談などの役割を果たすことも重要な仕事です。

2001（平成13）年11月の児童福祉法改正（2003〔平成15〕年施行）によって、保育士資格は法定化され、保育士は、保育士でないものが保育士と称することを禁じるという名称独占の国家資格となりました。同時に、保育士には、保育士としての信用をなくすような行為をしたり業務上知り得た秘密を漏らしたりしてはいけないという信用失墜行為の禁止や守秘義務が課せられました。この守秘義務は、保育士でなくなった後においても課せられます。

check

都道府県は、保育士試験の実施及び保育士の登録事務を担う。

なお、保育士となる資格を有する者が保育士となるには、都道府県に備える保育士登録簿に、必要事項の登録を受けなければならない。

保育士は、**名称独占の国家資格**である。

(3) 個別対応職員

乳児院、児童養護施設、児童心理治療施設、児童自立支援施設、母子生活支援施設（個別に特別な支援を行う必要がある場合）に配置されます。虐待を受けた児童等の施設入所の増加に対応するために、被虐待児等の個別の対応が必要な児童への１対１の対応や保護者への援助等を行うために職員を配置して、対応の充実を図ることを目的としています。

(4) 家庭支援専門相談員（ファミリーソーシャルワーカー）

乳児院、児童養護施設、児童心理治療施設、児童自立支援施設に配置されます。資格要件は社会福祉士、精神保健福祉士、当該施設に５年以上従事した者、児童福祉司の要件に該当する者です。職務は、保護者等への早期家庭復帰支援やアフターケア、里親委託の促進、養子縁組の推進、地域子育て支援、要保護児童に関する協議会への参画、関係機関との連絡調整などです。

3　その他の児童福祉に関する専門職

(1) 家庭裁判所調査官

裁判所法に基づき、家庭裁判所で取り扱う、**家事事件**◆の審判、調停や少年の保護事件の審判などに必要な調査を行うことが主な職務です。

(2) 保護司

保護司法に基づき、「社会奉仕の精神をもつて、犯罪をした者及び非行のある少年の改善更生を助けるとともに、犯罪の予防のため世論の啓発に努め、もつて地域社会の浄化をはかり、個人及び公共の福祉に寄与する」ことを使命としています。保護司は、**法務大臣**に委嘱された**非常勤の国家公務員**です。法務大臣が定める**保護区**に所属して職務を行います（給与の支給はない）。任期は**２**年で再任可能です。

check

児童自立支援施設には、児童自立支援専門員（同施設において児童の自立支援を行う者）、児童生活支援員（同施設において児童の生活支援を行う者）が配置される。

◆家事事件

家庭内紛争などの家庭に関する事件のこと。家族の感情的な対立が背景にあったり、個人のプライバシーに配慮する必要があることが多いため、家庭裁判所が非公開の手続きをとる。

(3) スクールカウンセラー

　児童生徒へのカウンセリングだけでなく、教職員や保護者への指導・助言、教職員や保護者、地域住民を対象にした講演などの啓蒙活動、事例研究会のスーパーバイズなどを行います。

(4) スクールソーシャルワーカー

　児童生徒本人や家族への面接、家庭訪問を通して、社会福祉援助の視点から関係調整を行います。また、学校内においてチーム体制を構築したり、行政や関係機関に働きかけて、児童生徒をサポートするために必要な人的資源や機関調整などの支援を担います。

4 児童委員・主任児童委員

(1) 児童委員

　厚生労働大臣により委嘱され、市町村を区域に活動する児童家庭福祉のための民間の奉仕者（ボランティア）です。給与の支給はありませんが、交通費などの実費は支給されます。児童委員は民生委員を兼ねており、任期は3年で再任可能です。2023（令和5）年3月末現在で227,426人います（厚生労働省「令和4年度福祉行政報告例」）。

　児童委員は、担当区域内の住民の生活状態を必要に応じ適切に把握することや、生活に関する相談に応じ、助言その他の援助を行うこと、社会福祉主事、児童福祉司の職務に協力することなど、地域の住民福祉を図るうえで重要な役割を担います。

(2) 主任児童委員

　厚生労働大臣が、児童委員の中から指名します。区域を担当せずに児童福祉に関する事項を専門的に担当し、児童福祉に関係する機関と児童委員との連絡調整を行うとともに、児童委員の活動に対する援助と協力を行います。

5 地域における民間協力者

(1) 人権擁護委員

　法務省は、様々な人権問題に対処するために、幅広い世代・

民生委員法
••▶ p.251

民生委員（児童委員）
••▶ p.264

check
　児童委員は、住民による福祉事務所や児童相談所への要保護児童の通告の際の仲介機関として位置付けられている。

分野の出身者に人権擁護委員を委嘱しています。人権擁護委員に対して、いじめや体罰、児童虐待、児童買春等の人権問題に関する各種研修等を通して、その知識の習得を図っており、2021（令和3）年1月1日現在、全国に約1万4千人の人権擁護委員がいます。

(2) 母子保健推進員

母子保健推進員は、**市町村長**の委嘱を受けて、**母性**と乳幼児の健康の保持増進を目的に、地域の実情に応じた子育て支援と健康増進の啓発活動を行っています。

(3) 少年警察ボランティア

警察は、少年の非行を防止し、その健全な育成を図るために少年警察ボランティアを委嘱しています。下記のような種類があります。

・少年指導委員

「風俗営業等の規制及び業務の適正化等に関する法律」に基づき、都道府県公安委員会から委嘱され、少年補導活動や風俗営業者などへの助言活動等に従事します。

・少年補導員

警察本部長等から委嘱され、街頭補導活動や環境浄化活動をはじめとする幅広い非行防止活動等に従事します。

・少年警察協助員

警察本部長等から委嘱され、非行集団に所属する少年を集団から離脱させ、非行を防止するための指導・相談に従事します。

(4) 少年補導委員

内閣府では、**地方公共団体**が委嘱している少年補導委員の活動に対して、補導・相談の効果的な進め方等の情報共有を図っています。少年補導委員は、2023（令和5）年4月1日現在約4万6千人います（令和5年版「再犯防止推進白書」）。

問題 次の記述で正しいものに〇、誤っているものに×をつけよ。

1. 児童福祉法では、乳児とは満1歳に満たない者とされている。

2. 児童福祉法で、保護者とは、親権を行う者、未成年後見人その他の者で、児童を現に養育する者をいう。

3. 児童相談所には、保護司の配置が義務付けられている。

4. 児童家庭支援センターは児童厚生施設の一つである。

5. 児童養護施設には、保育士を配置しなければならない。

6. 里親には、養育里親、専門里親、親族里親、養子縁組里親の4種類がある。

7. 家庭相談員は、都道府県または市町村の福祉事務所に設置される家庭児童相談室に配置される職員である。

8. 家庭支援専門相談員はファミリーソーシャルワーカーともいい、乳児院、児童養護施設、児童心理治療施設、児童自立支援施設、児童相談所に配置されている。

9. 児童扶養手当は、精神・身体に障害を有する児童の養育者への手当である。

10.「令和3年度福祉行政報告例の概況」によれば、児童相談所が対応した相談の種類別で一番多いのは「養護相談」である。

解答

1 〇 **2** × **3** × **4** × **5** 〇 **6** 〇 **7** 〇 **8** × **9** × **10** 〇

2 児童福祉法における保護者の定義は、「親権を行う者、未成年後見人その他の者で、児童を現に監護する者」である。

3 保護司ではなく児童福祉司である。児童相談所において面接などによる相談・指導や関係機関との連絡調整を行う専門職員である。

4 児童家庭支援センターは児童福祉施設の一つである。児童厚生施設も児童福祉施設の一つであり、児童遊園、児童館などがこれに該当する。

8 児童相談所には配置義務はない。その他の施設は「児童福祉施設の設備及び運営に関する基準」により配置が定められている。

9 精神・身体に障害を有する児童の養育者に支給される手当は特別児童扶養手当である。

必修

重要度

子ども家庭福祉の現状と課題

出題
point

- 子育て支援事業と母子保健との関連
- 多様な保育ニーズとしての児童虐待・貧困・障害
- 子育て支援施策の展開

 ## 1 少子化と子育て支援サービス

1 子育て支援の施策

　少子化の進行、核家族化、夫婦共働き家庭の一般化、家庭や地域の子育て機能の低下など、児童や家庭を取り巻く環境の変化や、子育てに対する社会的支援の必要性の高まりから、子育て支援施策の推進が図られました。

(1)「今後の子育て支援のための施策の基本的方向について（エンゼルプラン）」（1994年）

　子育て支援施策の出発点として位置付けられます。「仕事と育児との両立のための雇用環境の整備」をはじめ、「多様な保育サービスの充実」のほか、「学校教育」「母子保健医療」「住宅」までを範囲としていました。

 覚えよう！

●エンゼルプランの7つの柱（重点施策）●
①仕事と育児との両立のための雇用環境の整備
②多様な保育サービスの充実
③安心して子どもを生み育てることができる母子保健医療体制の充実
④住宅及び生活環境の整備
⑤ゆとりある学校教育の推進と学校外活動・家庭教育の充実
⑥子育てに伴う経済的負担の軽減
⑦子育て支援のための基盤整備

👑 **check**
　少子化を示す指標の一つである合計特殊出生率は、わが国では1990年代半ばから1.5を下回った低水準が続き、2023（令和5）年は1.20であった。

少子高齢化
••▶ p.162

👑 **check**
　エンゼルプランでは、子育て支援のための施策の基本的方向として次の5つが示された。①子育てと仕事の両立支援の推進、②家庭における子育て支援、③子育てのための住宅及び生活環境の整備、④ゆとりある教育の実現と健全育成の推進、⑤子育てコストの軽減。

(2)「当面の緊急保育対策等を推進するための基本的考え方（緊急保育対策等5か年事業）」（1994年）

エンゼルプラン具体化のために「緊急保育対策等5か年事業」が発表されました。

低年齢児（0～2歳児）保育、延長保育、一時的保育、乳幼児健康支援デイサービス事業、**放課後児童クラブ**などの整備が目標値を掲げて計画的に進められました。

(3)「重点的に推進すべき少子化対策の具体的実施計画について（新エンゼルプラン）」（1999年）

1999（平成11）年に策定された「少子化対策推進基本方針」に基づいて発表されたのが「新エンゼルプラン」です。「エンゼルプラン」と「緊急保育対策等5か年事業」を見直し、**子育て支援サービスの充実（拡大）**などが加えられました。

(4)「少子化社会対策大綱に基づく重点施策の具体的実施計画について（子ども・子育て応援プラン）」（2004年）

「**少子化社会対策大綱**」に盛り込まれた施策の推進を図るため、国が地方公共団体や企業等とともに計画的に取り組む必要がある事項について、2005（平成17）年度から2009（平成21）年度までの5年度間に講ずる**具体的な施策内容**と**目標**が掲げられました。

(5)「子ども・子育てビジョン」（2010年）

このビジョンでは、社会全体で子育てを支え、個人が「希望」をかなえられるような**教育・就労・生活**の環境を社会全体で整備することを基本的な考え方としています。そして、「目指すべき社会への政策4本柱」を示しました。

覚えよう！

●**目指すべき社会への政策4本柱**●
①子どもの育ちを支え、若者が安心して成長できる社会へ
②妊娠、出産、子育ての希望が実現できる社会へ
③多様なネットワークで子育て力のある地域社会へ
④男性も女性も仕事と生活が調和する社会へ
（ワーク・ライフ・バランスの実現）

check
子ども家庭福祉領域の支援施策である「エンゼルプラン」を学習する際には、高齢者領域の支援施策である「ゴールドプラン」と混同しないように注意。

check
少子化社会対策基本法には、基本的施策として「雇用環境の整備（10条）」「保育サービス等の充実（11条）」「地域社会における子育て支援体制の整備（12条）」「母子保健医療体制の充実等（13条）」「ゆとりのある教育の推進等（14条）」「生活環境の整備（15条）」「経済的負担の軽減（16条）」「教育及び啓発（17条）」の8つが掲げられている。

3
子ども家庭福祉

❹ 子ども家庭福祉の現状と課題

(6) 子ども・子育て支援新制度

　「子ども・子育て関連3法」に基づく**子ども・子育て支援新制度**は、消費税率の引上げによる財源の一部を得て、2015（平成27）年4月に施行されました。主なポイントは、①認定こども園、幼稚園、保育所を通じた共通の給付（「**施設型給付**」）及び小規模保育等への給付（「**地域型保育給付**」）の創設、②認定こども園制度の改善、③地域の実情に応じた子育て支援の充実などです。

(7) これまでの取り組み

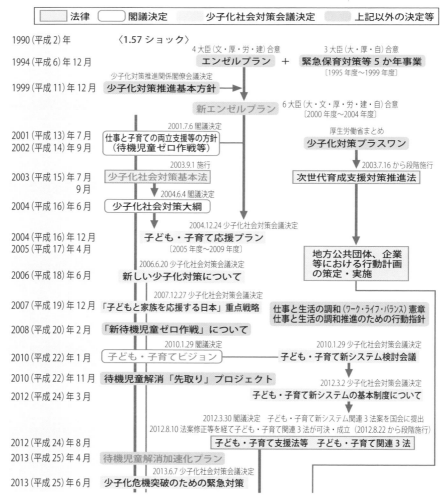

| 法律 | 閣議決定 | 少子化社会対策会議決定 | 上記以外の決定等 |

1990（平成2）年　　　　〈1.57ショック〉

1994（平成6）年12月　4大臣（文・厚・労・建）合意 **エンゼルプラン** ＋ 3大臣（大・厚・自）合意 **緊急保育対策等5か年事業**〔1995年度～1999年度〕

1999（平成11）年12月　少子化対策推進関係閣僚会議決定 **少子化対策推進基本方針**

新エンゼルプラン 6大臣（大・文・厚・労・建・自）合意〔2000年度～2004年度〕

2001（平成13）年7月
2002（平成14）年9月　2001.7.6閣議決定 **仕事と子育ての両立支援等の方針（待機児童ゼロ作戦等）**　厚生労働省まとめ **少子化対策プラスワン**

2003（平成15）年7月　2003.9.1施行 **少子化社会対策基本法**
　　　　　　　　9月　2003.7.16から段階施行 **次世代育成支援対策推進法**

2004（平成16）年6月　2004.6.4閣議決定 **少子化社会対策大綱**

2004（平成16）年12月
2005（平成17）年4月　2004.12.24少子化社会対策会議決定 **子ども・子育て応援プラン**〔2005年度～2009年度〕

2006（平成18）年6月　2006.6.20少子化社会対策会議決定 **新しい少子化対策について**　**地方公共団体、企業等における行動計画の策定・実施**

2007（平成19）年12月　2007.12.27少子化社会対策会議決定 **「子どもと家族を応援する日本」重点戦略**　**仕事と生活の調和（ワーク・ライフ・バランス）憲章　仕事と生活の調和推進のための行動指針**

2008（平成20）年2月　**「新待機児童ゼロ作戦」について**

2010（平成22）年1月　2010.1.29閣議決定 **子ども・子育てビジョン**　2010.1.29少子化社会対策会議決定 **子ども・子育て新システム検討会議**

2010（平成22）年11月　**待機児童解消「先取り」プロジェクト**

2012（平成24）年3月　2012.3.2少子化社会対策会議決定 **子ども・子育て新システムの基本制度について**

2012.3.30閣議決定　子ども・子育て新システム関連3法案を国会に提出
2012.8.10法案修正等を経て子ども・子育て関連3法が可決・成立（2012.8.22から段階施行）

2012（平成24）年8月　**子ども・子育て支援法等　子ども・子育て関連3法**

2013（平成25）年4月　**待機児童解消加速化プラン**

2013（平成25）年6月　2013.6.7少子化社会対策会議決定 **少子化危機突破のための緊急対策**

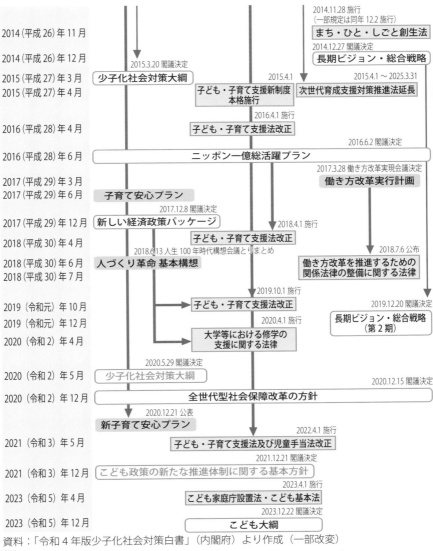

2014（平成26）年11月		2014.11.28 施行 （一部規定は同年 12.2 施行） **まち・ひと・しごと創生法**
2014（平成26）年12月		2014.12.27 閣議決定 **長期ビジョン・総合戦略**
2015（平成27）年3月	2015.3.20 閣議決定 **少子化社会対策大綱**	
2015（平成27）年4月	2015.4.1 **子ども・子育て支援新制度 本格施行**	2015.4.1 〜 2025.3.31 **次世代育成支援対策推進法延長**
2016（平成28）年4月	2016.4.1 施行 **子ども・子育て支援法改正**	
2016（平成28）年6月	**ニッポン一億総活躍プラン**	2016.6.2 閣議決定
2017（平成29）年3月 2017（平成29）年6月	**子育て安心プラン**	2017.3.28 働き方改革実現会議決定 **働き方改革実行計画**
2017（平成29）年12月	**新しい経済政策パッケージ** 2017.12.8 閣議決定	
2018（平成30）年4月	**子ども・子育て支援法改正** 2018.4.1 施行	
2018（平成30）年6月 2018（平成30）年7月	**人づくり革命 基本構想** 2018.6.13 人生 100 年時代構想会議とりまとめ	2018.7.6 公布 **働き方改革を推進するための 関係法律の整備に関する法律**
2019（令和元）年10月	→ **子ども・子育て支援法改正** 2019.10.1 施行	2019.12.20 閣議決定
2019（令和元）年12月 2020（令和2）年4月	→ **大学等における修学の 支援に関する法律** 2020.4.1 施行	**長期ビジョン・総合戦略 （第 2 期）**
2020（令和2）年5月	2020.5.29 閣議決定 少子化社会対策大綱	
2020（令和2）年12月	**全世代型社会保障改革の方針**	2020.12.15 閣議決定
2021（令和3）年5月	2020.12.21 公表 **新子育て安心プラン** **子ども・子育て支援法及び児童手当法改正** 2022.4.1 施行	
2021（令和3）年12月	こども政策の新たな推進体制に関する基本方針 2021.12.21 閣議決定	
2023（令和5）年4月	**こども家庭庁設置法・こども基本法** 2023.4.1 施行	
2023（令和5）年12月	**こども大綱** 2023.12.22 閣議決定	

資料：「令和 4 年版少子化社会対策白書」（内閣府）より作成（一部改変）

2 児童福祉法の近年の主な改正点

(1) 2008（平成 20）年の児童福祉法改正

　改正により①乳児家庭全戸訪問事業、②養育支援訪問事業（育児支援家庭訪問事業）、③地域子育て支援拠点事業、④一時預かり事業は、**児童福祉法上の事業**として位置付けられるとともに、**市町村**に実施に関する努力義務が課されました。

乳児家庭全戸訪問事業は、原則として生後4か月を迎えるまでの乳児のいる家庭すべてが対象です。市町村等が実施する研修プログラムを受けた者が実施することとされており、保健師、助産師、看護師、保育士などの専門家だけでなく、子育て経験者など幅広い人材により行われています。

養育支援訪問事業は、育児ストレス、産後うつ病、育児ノイローゼなど、子育てについての不安や孤立感を抱えている家庭など、養育支援が必要な家庭を訪問し、問題の解決や軽減を図る事業です。

(2) 2016（平成28）年の児童福祉法改正

児童虐待の対策を強化するため、児童相談所の体制強化等が盛り込まれ、家庭で適切な養育を受けられない場合には家庭に近い環境での養育を推進することも規定されました。このほかの改正点として、政令で定める特別区への児童相談所の設置や、児童相談所への弁護士の配置があります。

(3) 2019（令和元）年の児童福祉法改正

児童相談所の人員配置として、法律関連業務に常時関われる弁護士（または準ずる措置）を配置する、医師と保健師をそれぞれ1人以上配置する、とされました。

(4) 2022（令和4）年の児童福祉法改正

子育て世帯に対する包括的な支援のため、市区町村にこども家庭センターの設置の努力義務が課されました。また、自立支援の年齢上限が撤廃されました。

2 母子保健と児童の健全育成

1 母子保健

児童福祉法10条には、市町村の業務として、児童と妊産婦の福祉に関し、「家庭その他からの相談に応じ、並びに必要な調査及び指導を行うこと」「児童と妊産婦の福祉に関する必要な実情把握に努めること」「必要な情報提供を行うこと」などが規定されています。

check
「ニッポン一億総活躍プラン」では、「希望出生率1.8」の実現に向けて、多様な保育サービスの充実、働き方改革の推進、希望する教育を受けることを阻む制約の克服等の対応策が掲げられた。

check
養育支援訪問事業では、児童養護施設を退所または里親委託が終了した児童などの家庭復帰が適切に行われるための相談・支援も担う。

地域子育て支援拠点事業
•••▶ p.169
家庭的保育事業
•••▶ p.85,173

check
養育支援訪問事業は乳児家庭全戸訪問事業と同様の人材により行われている。

check
母子保健法においても、母子保健施策を通じた虐待防止が規定されている。

アドバイス
「妊産婦」とは妊娠中または出産後1年以内の女子と定義されている（児童福祉法及び母子保健法）。

(1) 健康診査

①妊産婦健康診査：ハイリスク妊娠を可能な限り早期に把握し、妊婦の健康管理の支援を推進しています。

②乳児健康診査：各種の疾病、発達の遅れ、視聴覚異常等を見出し、適切な事後指導を行い、同時に育児支援や親同士の交流も図ります。

③1歳6か月児健康診査：1歳6か月を超え満2歳に達しない幼児に対して、乳児健康診査の内容に加え、離乳食から幼児食への切り替え、虫歯予防、排泄のしつけ等の保健指導が行われます。

④3歳児健康診査：満3歳を超え満4歳に達しない幼児に対して、乳児健康診査の内容に加え、人間としての各種の機能を獲得し、より自立して独立していく時期の指導が行われます。

(2) 保健指導

保健所等で健康診査とともに行われる育児支援や、保育所などでの保健指導も実施されています。

覚えよう！

●その他の母子保健施策●
①母子健康手帳の交付（市町村）
②予防接種（定期接種、任意接種）
③新生児マススクリーニング検査

(3) 訪問指導

健康診査と同様の目的で、妊産婦、新生児、未熟児に対して、必要な場合には助産師や保健師などが各家庭を訪問して指導を行います。

(4) 療養援護等

①未熟児養育医療：医療を必要とする未熟児に対して医療給付またはその費用の支給が行われます。

②療育の指導：身体に障害のある児童に対する診査・相談や療育の指導は、保健所などの専門機関が担います。

③自立支援医療（育成医療）：児童福祉法4条2項に規定す

 check
わが国の乳児死亡率と妊産婦死亡率は、母子保健施策の成果により、世界の中でも低い水準にある。
乳児死亡率
･･･▶下 p.97

母子保健サービス
･･･▶下 p.178

予防接種
･･･▶下 p.134

 check
新生児マススクリーニング検査は、生後4～6日の新生児のかかとから血液をろ紙に採り乾燥させて検査する。アミノ酸や糖の代謝異常、甲状腺や副腎の内分泌異常が発見できる。

新生児マススクリーニング検査
･･･▶下 p.123,178,259

る障害児で、手術等の治療により確実に効果が期待できる者に、生活の能力を得るために必要な自立支援医療費の支給を行うものです。実施主体は**市町村**です。

④**小児慢性特定疾病対策における医療費助成制度**：小児慢性特定疾病対策は、児童の健全育成のため、医療費の助成（自己負担分の補助）を行うものです。厚生労働大臣が定める特定疾病にかかっている18歳未満の児童等が対象であり、下記のすべてを満たすことが要件になります。

> ・慢性に経過する疾病であること
> ・生命を長期に脅かす疾病であること
> ・症状や治療が長期にわたって生活の質を低下させる疾病であること
> ・長期にわたって高額な医療費の負担が続く疾病であること

(5) 産前・産後サポート事業

　妊娠・出産、子育てに関する悩み等に対して、**母子保健推進員**や、研修を受けた**子育て経験者・シニア世代**の者、**保健師**、**助産師**、**保育士**等の専門職等が、不安や悩みを傾聴し、相談支援（寄り添い）を行う事業です。地域の親同士の仲間づくりを促し（交流支援）、妊産婦の家庭や地域における孤立感を軽減し（孤立感の解消）、安心して妊娠期を過ごし、育児に臨めるようサポートすることも目的としています。

　実施主体は、**市町村**（特別区を含む）で、一定の要件のもとで委託できます。対象者は、妊娠初期（母子健康手帳交付時等）から産後**1**年頃までの時期が目安となりますが、親子の状況や地域のニーズ、社会的資源等の状況を踏まえて**市区町村**が判断します。

(6) 産後ケア事業

　産後ケアを必要とする人を対象に、分娩施設退院後から一定の期間、病院や保健センター、利用者の居宅などにおいて、母子に対して健やかな育児ができるよう支援することを目的としています。助産師、保健師、看護師等が実施を担

check
　産前・産後サポート事業の実施の方法には、保健師や助産師等が利用者の居宅を訪問し、個別の相談に応じるアウトリーチ（パートナー）型と、公共施設等において妊婦等の相談に個別もしくは集団形式で応じるデイサービス（参加）型がある。

check
　母子保健法改正（2021〔令和3〕年4月1日施行）により、産後ケア事業の実施が市町村の努力義務となった。

当します。

2 健全育成

(1) 児童厚生施設

　児童厚生施設とは、**児童館**、**児童遊園**等のことをいいます。児童に健全な遊びを与えて、その健康を増進し、または情操を豊かにすることを目的とする施設とされ、職員として「児童の遊びを指導する者」が置かれています。

　児童館ガイドラインには、児童館の機能・役割として、「**遊び及び生活**を通した子どもの発達の増進」「子どもの安定した日常の生活の支援」「子どもと子育て家庭が抱える可能性のある課題の**発生予防・早期発見**と対応」「**子育て家庭への支援**」「子どもの育ちに関する組織や人との**ネットワークの推進**」があげられています。児童館の活動内容は以下の通りです。

---

1. 遊びによる子どもの育成
2. 子どもの居場所の提供
3. 子どもが意見を述べる場の提供
4. 配慮を必要とする子どもへの対応
5. 子育て支援の実施
6. 地域の健全育成の環境づくり
7. ボランティア等の育成と活動支援
8. 放課後児童クラブの実施と連携

---

(2) 放課後児童健全育成事業

　放課後児童健全育成事業の実施主体は市町村（特別区及び一部事務組合を含む）であり、一般的には「学童保育」「放課後児童クラブ」と呼ばれています。**小学校に就学している児童**（**特別支援学校**の小学部の児童も加えることができる）であって、その保護者が労働等により**昼間家庭にいない者**を対象に行われている事業です。クラブ数、利用児ともに年々増加傾向にあります。社会福祉法において第二種社会福祉事業に規定されており、実施主体に制限はありません。

check
　「放課後子ども総合プラン」に基づき、放課後子供教室と一体的な実施（連携を含む）が求められてきている。

check
　同ガイドラインの理念には、子どもの心身の健やかな成長、発達及びその自立が図られることを地域社会の中で具現化する児童福祉施設であること、国及び地方公共団体や保護者をはじめとする地域の人々とともに、年齢や発達の程度に応じて、子どもの意見を尊重し、その最善の利益が優先して考慮されるよう子どもの育成に努めなければならないことが記されている。

check
　放課後児童健全育成事業は全国で2万5,807か所設置されており、開設場所は、学校施設内が51.8％、児童館内が9.2％である（放課後児童健全育成事業〔放課後児童クラブ〕の実施状況2023〔令和5〕年5月1日現在）。

内容としては、授業の終了後に児童館等の施設を利用して適切な遊びや生活の場を与えて、その健全な育成を図ります。「放課後児童クラブガイドライン」（2007〔平成19〕年厚生労働省）に基づいて実施されています。

(3) 新・放課後子ども総合プラン

共働き家庭等の、いわゆる「小1の壁」や「待機児童」を解消するとともに、すべての児童が放課後を安全・安心に過ごし、多様な体験・活動を行うことができるように、放課後児童クラブと放課後子供教室の両事業の計画的な整備等を推進するために、目標が設定されました。

放課後児童クラブについては、待機児童解消を目指すことや、新たに開設する放課後児童クラブの約80%を小学校内で実施すること、放課後子供教室との連携等を目指しています。

(4) 児童文化財（児童福祉文化財）の推薦

児童の人格形成時に、すぐれた児童福祉文化財（出版物、舞台芸術、映像メディア等）に直接に触れることは、児童の創造性などを高めるために重要です。

社会保障審議会の福祉文化分科会では、子どもたちの健やかな育ちに役立つことを目指して、絵本や児童図書等の出版物、演劇やミュージカルの舞台芸術、映画等の映像・メディア等の作品について以下の推薦基準に基づいて推薦を行っています。

- 児童に適当な文化財であって、児童の道徳、情操、知能、体位等を向上せしめ、その生活内容を豊かにすることにより児童を社会の健全な一員とするために積極的な効果をもつもの。
- 児童福祉に関する社会の責任を強調し、児童の健全な育成に関する知識を広め、または、児童問題の解決についての関心及び理解を深める等、児童福祉思想の啓発普及に積極的な効果をもつもの。
- 児童の保育、指導、レクリエーション等に関する知識及び技術の普及に積極的な効果をもつもの。

---

check
前身となる放課後子ども総合プランは、2014（平成26）年、文部科学省と厚生労働省により共同で策定された。

check
放課後児童クラブについては、2023（令和5）年度末までに新たに30万人分の受け皿を整備し、計152万人の整備を目標としていたが、達成できなかったことから、こども未来戦略「加速化プラン」において、改めて目標達成の取り組みを示している。

3 多様な保育ニーズへの対応

1 子どもの貧困

「国民生活基礎調査」によると、2012（平成 24）年の日本の子どもの貧困率は 16.3％で、日本の子どもの **6** 人に 1 人が貧しい生活を送っているという結果でした。2010（平成 22）年の世界と比較してみると、相対的貧困率◆は OECD（経済協力開発機構）が公表している加盟国 34 か国のなかで **10** 番目に高い水準でした。

このような流れを受けて、2014（平成 26）年には「子どもの貧困対策の推進に関する法律」が施行され、同年に「子供の貧困対策に関する大綱」が閣議決定されました。その結果、子どもの貧困率に関する最新調査である「2022（令和 4）年国民生活基礎調査」では、子どもの貧困率は 11.5％と改善されてきていますが、ひとり親世帯の貧困率は **44.5**％（大人が 2 人以上いる世帯では **8.6**％）と、約半数が厳しい生活状態におかれています。

2 多文化共生

多文化共生とは、国籍や民族などの異なる人々が互いの文化的な違いを認め合い、対等な関係を築こうとしながら共に生きていくことをいいます。

法務省によれば、在留外国人は 2023（令和 5）年末現在で、約 342 万人にのぼり、わが国の総人口の約 **3**％を占めています。言語、文化、民族、宗教など様々な背景の違いを踏まえると、子どもとその家族には、特別な配慮が必要な場合もあります。多文化共生にかかる取り組みを加速させるため、総務省を中心に、多文化共生アドバイザー制度の活用が推進されています。

児童福祉法は、外国籍の子どもを含む「すべての児童」を対象としています。それぞれの子どもの持つ文化や個性が尊重される多文化共生保育の視点が重要となります。

アドバイス
「子どもの貧困率」は、相対的貧困率から算出している。

子どもの貧困率
···▷ p.152

用語
◆相対的貧困率
等価可処分所得の貧困線に満たない世帯員の割合をさす。世帯所得をもとに国民一人一人の所得を計算して並べ、真ん中の人の所得の半分に満たない人の割合である。

check
「子供の貧困対策に関する大綱」は、2023（令和 5）年 12 月に閣議決定された「こども大綱」に統合された。

3

子ども家庭福祉

❹ 子ども家庭福祉の現状と課題

4 児童虐待防止

1 児童虐待の定義と親権の行使

児童虐待について、**児童虐待の防止等に関する法律**（以下「児童虐待防止法」）2条に次のように定義されています。

■ 児童虐待の定義（児童虐待防止法）■

> **第2条** この法律において、「児童虐待」とは、保護者（親権を行う者、未成年後見人その他の者で、児童を現に監護するものをいう。以下同じ。）がその監護する児童（18歳に満たない者をいう。以下同じ。）について行う次に掲げる行為をいう。
> 一 児童の身体に外傷が生じ、又は生じるおそれのある暴行を加えること。
> 二 児童にわいせつな行為をすること又は児童をしてわいせつな行為をさせること。
> 三 児童の心身の正常な発達を妨げるような著しい減食又は長時間の放置、保護者以外の同居人による前二号又は次号に掲げる行為と同様の行為の放置その他の保護者としての監護を著しく怠ること。
> 四 児童に対する著しい暴言又は著しく拒絶的な対応、児童が同居する家庭における配偶者に対する暴力（配偶者（婚姻の届出をしていないが、事実上婚姻関係と同様の事情にある者を含む。）の身体に対する不法な攻撃であって生命又は身体に危害を及ぼすもの及びこれに準ずる心身に有害な影響を及ぼす言動をいう。）その他の児童に著しい心理的外傷を与える言動を行うこと。

同法の14条1項には、児童の親権を行う者は、児童の**しつけ**に際して体罰その他の児童の心身の健全な発達に**有害な影響を及ぼす言動をしてはならない**ことが規定されています。

2 児童虐待対応の仕組み

(1) 通告

学校、児童福祉施設、病院その他児童の福祉に業務上関係のある団体や職務上関係のある者は、児童虐待を発見しやすい立場にあるとして、児童虐待の**早期発見**に努めなけ

check
毎年11月を「児童虐待防止推進月間」と位置づけ、広報・啓発活動が行われている。また、現在、児童相談所全国共通ダイヤル「189（いちはやく）」が運用されている。

check
市町村には、虐待の未然防止・早期発見を中心に積極的な取り組みが求められている。

check
三号の虐待を「保護の怠慢・拒否」あるいは「ネグレクト」という。

児童虐待防止法
•••▶ p.178

check
学校や児童福祉施設は、児童及び保護者に対して、児童虐待防止のための教育または啓発に努めなければならない。

ればならないことが規定されています。また、虐待を受けていると思われる児童を発見した者は、市町村、都道府県の設置する福祉事務所（以下単に「福祉事務所」）、児童相談所のいずれかに通告しなければなりません。

児童相談所
•••> p.184

■ 児童虐待防止法・児童福祉法による児童虐待対応の仕組み ■

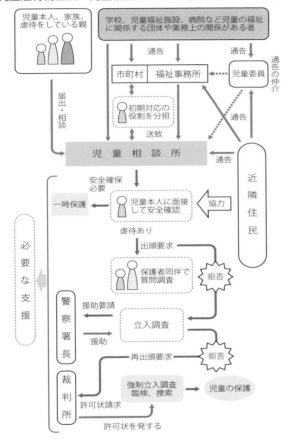

3

子ども家庭福祉

アドバイス

通告しなければならない、という義務があることに注意する。

check

近隣住民等からの通告は地域の児童委員を介して行われることもある。

❹ 子ども家庭福祉の現状と課題

check

虐待を受けていると思われる児童は、児童福祉法上の要保護児童に該当する。対応に関しては、児童虐待防止法と児童福祉法の規定は同様である。

要保護児童
•••> p.225

check

立入調査を行う場合には児童の居住地を管轄する警察署長に援助を求めることができる。

児童虐待の現状
•••> 下 p.101

(2) 措置

①安全確認

児童虐待の通告を受けた場合、安全確認や状況確認等に関して迅速な初期対応を行うために児童相談所・**市町村**間で共通**アセスメントツール**を活用したり、市町村が対応することが適当な事案を児童相談所から市町村に送致したり

するなどで対応していきます。

②一時保護

　安全確認をした際の状況から必要と認められれば、一時保護が行われます。一時保護は、虐待や放任等を理由とした緊急保護、行動観察や短期入所指導などを目的に行われる保護があり、児童相談所に附設されている一時保護施設で行われる場合と児童福祉施設等に委託する場合があります。

　一時保護は原則2か月以内ですが、必要があれば引き続き保護することができます。2018（平成30）年4月2日施行の法改正により、親権者等の同意なしに保護する場合は、家庭裁判所の承認を受けなければならなくなりました。

③出頭要求と立入調査

　児童虐待が行われているおそれがあると認められる場合、児童相談所はまず、保護者に対して、児童を同伴しての出頭を求めて、必要な調査または質問を行います。出頭に応じない場合には、立入調査をすることができますが、立入調査を拒否した場合には、再出頭要求するとともに、児童相談所は裁判所に立入調査の許可状を請求し、児童相談所の職員等は、臨検◆、捜索を行うことができます。

④保護

　児童相談所は、親権者の意向に反する場合でも、家庭裁判所の承認を得て児童を児童養護施設に入所させるなどの措置を行うことができます。また、保護者の求める児童への面会・通信・周辺の徘徊等を制限・禁止することもできます。

(3) 支援

　虐待から保護された児童のために、一時保護所への心理職（心理療法担当職員等）の配置やカウンセリング強化事業等が行われています。また、配置される先の児童養護施設等には、心理療法担当職員や被虐待児個別対応職員、家庭支援専門相談員（ファミリーソーシャルワーカー）等がそれぞれ配置されています。

◀アドバイス▶
　一時保護は、事前または事後に子どもや保護者の同意を得ることが望ましい。

一時保護
･･･▶ p.186

check
　子どもの権利利益の擁護のため、2012（平成24）年に施行された民法及び児童福祉法の改正により、親権停止の制度が新設された。

親権停止
･･･▶ p.187

用語
◆臨検
　行政機関の職員が子どもの安全確認等を目的に、現場に出向いて行われる強制的な立入調査のこと。

check
　施設等入所後の「被措置児童等虐待の防止」に関しては、施設や事業者を監督する立場にあるのは都道府県等であり、児童福祉法に基づいた対応がとられる。なお、「被措置児童等虐待対応ガイドライン」を作成するのは国である。

児童福祉施設に配置される専門職
･･･▶ p.193

保護者への支援は、**家族再統合**を目標に、児童相談所職員が関係機関と連携を図りながら行います。その際、保護者は職員の指導を受けなければ**都道府県知事**に**勧告**されることになります。

3 児童虐待の実態

2022（令和4）年度中に児童相談所が対応した養護相談のうち、児童虐待相談の対応件数は21万9,170件で、年々増加しています。相談種別の割合は、「**心理的虐待**」が59.1%（12万9,484件）と最も多く、「**身体的虐待**」が23.6%（5万1,679件）、「**ネグレクト**」が16.2%（3万5,556件）、「**性的虐待**」が1.1%（2,451件）と続きます。

また、「子ども虐待による死亡事例等の検証結果等について（第19次報告）」によると、虐待死亡事例は68例（74人）であり、「心中以外」が50人、「心中（未遂を含む）」が24人です。「心中以外」で死亡した子どもの年齢は0歳児が最多で、主たる加害者は「**実母**」、加害の動機は「**しつけのつもり**」が最も多くなっています。

■ 児童相談所における児童虐待相談対応件数の推移 ■

年度	平成 30年度	令和 元年度	令和 2年度	令和 3年度	令和 4年度
件数	159,838	193,780	205,044	207,660	219,170
前年比	+26,060	+33,942	+11,264	+2,616	+11,510

5 ドメスティック・バイオレンス

1 ドメスティック・バイオレンスの定義

ドメスティック・バイオレンス（Domestic Violence：以下DV）とは、通常「婚姻関係、婚約関係、恋愛関係などの親密な関係にある男女間での一方から他方に対する暴力」をいいます。暴力の内容には、身体的暴力や性的暴力に限らず、精神的抑圧や**精神的暴力**、**経済的暴力**（経済的搾取）なども含まれます。

check
関係機関、団体等には、民間団体も含まれる。

check
2021（令和3）年度中に、市町村において保育所を経路とした児童虐待相談の対応件数における相談種別の割合は、
・心理的虐待 46.5%
・身体的虐待 26.5%
・ネグレクト 26.1%
・性的虐待 0.9%
である。

check
心中による虐待死（未遂を含む）のケースでは、加害の動機は、「保護者自身の精神疾患、精神不安」が最も多い。

ドメスティック・バイオレンス
⋯▶ 下 p.104

3
子ども家庭福祉

4
子ども家庭福祉の現状と課題

2001（平成 13）年「配偶者からの暴力の防止及び被害者の保護等に関する法律（**DV 防止法**）」が制定・施行され、DV が**犯罪**であることが認識されるようになりました。その後、2014（平成 26）年 1 月の一部改正施行により、適用対象が拡大され、「生活の本拠を共にする交際（婚姻関係における共同生活に類する共同生活を営んでいないものを除く）」をする関係にある相手からの暴力及びその被害者についても、配偶者からの暴力及びその被害者に準じることになりました。また、2024（令和 6）年 4 月 1 日施行の改正により、保護命令のうち「接近禁止命令」が身体への暴力だけでなく、精神的な暴力にも適用されることになりました。

2 ドメスティック・バイオレンスの相談体制

DV 対応の相談窓口として「**配偶者暴力相談支援センター**」が都道府県に設置されています。その他、**福祉事務所**も 2004（平成 16）年の改正 DV 防止法以降、被害者の自立支援の役割を担っています。

6 社会的養護

1 少年非行

少年法 3 条では家庭裁判所の審判に付すべき少年として、**非行少年**を次のように定義しています。

■ 非行少年の定義 ■

犯罪少年：14 歳以上で犯罪を行った少年
触法少年：14 歳に満たないで、刑罰法令に触れる行為をした少年
虞犯少年：その性格または環境に照らして、将来、罪を犯し、または刑罰法令に触れる行為をするおそれのある少年

check
DV 防止法前文において、「我が国においては、日本国憲法に個人の尊重と法の下の平等がうたわれ、人権の擁護と男女平等の実現に向けた取組が行われている」と規定されている一方で配偶者からの暴力の「被害者の救済が必ずしも十分に行われてこなかった」ことに触れている。

check
都道府県が設置する女性相談支援センターその他の適切な施設が、配偶者暴力相談支援センターとしての機能を果たしている。

少年法
•••▶ p.178

check
少年法では、「少年」とは「20 歳に満たない者」をいう。また、「少年に対して法律上監護教育の義務ある者及び少年を現に監護する者」を保護者と定義している。

児童福祉法における児童
•••▶ p.176

(1) 非行少年への措置

非行少年への措置としては、比較的低年齢の者に対しては、**児童福祉法**に基づいて行われます。家庭環境に非行の主な原因がある場合は、基本的に**児童相談所**による判定結果に基づき、次のような措置等がとられます。

①児童または保護者への訓戒、または誓約書の提出。

②児童福祉司、社会福祉主事、児童委員などの指導。

③里親への委託、または児童自立支援施設などの児童福祉施設への入所。

④家庭裁判所への送致。

(2) 家庭裁判所の調査・審判

警察が非行少年を発見した場合は、その場で必要な捜査または調査を行い、必要に応じて検察庁、家庭裁判所、児童相談所などの関係機関へ送致するか通告します。

(3) 罪を犯した少年の処分

少年の事件は、全件が**家庭裁判所**に送られて、検察官送致（逆送）、**保護処分**（保護観察所における保護観察、**少年院**への送致、児童自立支援施設または児童養護施設への送致など）などが決定されます。このとき、家庭裁判所が刑罰を科すべき判断をして逆送が決定した場合は、原則として検察官によって刑事裁判所に起訴されて懲役刑や罰金刑などの刑罰が科されることになります。なお、**重大な事件**については、原則として**逆送**が決定されます。

(4) 少年院・少年刑務所

少年院は、家庭裁判所による**保護処分**の執行を受ける者及び少年院において懲役または禁錮刑の執行を受ける者を収容し、**矯正教育**、その他の必要な処遇を行う施設をいいます。

2022（令和4）年4月1日施行の改正少年院法により、新たに第五種少年院が設けられました。

♔··check··
2021（令和3）年の少年による犯罪のうち、検挙人数が最も多かった罪名は窃盗である。

第一種	保護処分の執行を受ける者であって、心身に著しい障害がないおおむね 12 歳以上 23 歳未満の者
第二種	保護処分の執行を受ける者であって、心身に著しい障害がない犯罪的傾向が進んだおおむね 16 歳以上 23 歳未満の者
第三種	保護処分の執行を受ける者であって、心身に著しい障害があるおおむね 12 歳以上 26 歳未満の者
第四種	少年院において刑の執行を受ける者
第五種	特定少年のうち、2 年間の保護観察に付された者に、保護観察中の重大な遵守事項違反があった場合

少年刑務所は、審判によって保護処分よりも懲役又は禁錮等の刑罰が妥当と判断された原則 16 歳以上 26 歳未満の少年を収容し、矯正教育を本旨とする行刑を行います。

少年法の定めにより、審判は、懇切を旨として和やかに行うとともに、非行のある少年に対し自己の非行について内省を促すものとしなければなりません。また、審判は公開されません。

■ 少年事件の手続の概要 ■

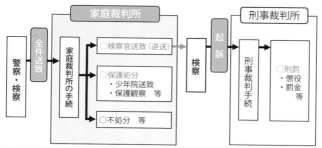

(5) 少年非行の現状

「令和 4 年中における少年の補導及び保護の概況」(警察庁生活安全局人身安全・少年課)によると、2010(平成 22)年以降は、触法少年は減少していましたが、2021(令和 3)年度以降は増加に転じています。

また、『令和 5 年版犯罪白書』によると、少年による刑法犯の検挙人員は 2004(平成 16)年以降減少し続けていましたが、2022(令和 4)年は 2 万 9,897 人で微増しています。同検挙人数の人口比は、20 歳以上の刑法犯のそれと比べて

高い（約 1.3 倍）ものの、その差は減少傾向にあります。

⑹ 改正少年法の内容

　2022（令和 4）年 4 月より、18・19 歳は「特定少年」として引き続き少年法が適用され、事件の全件が家庭裁判所に送られ、処分が決定されることになりました（逆送決定後は 20 歳以上の者と原則同様に扱われるなど例外あり）。また、少年の時に犯した事件については実名・写真等の報道が禁止されていますが、特定少年の年齢の時に犯した事件について起訴された場合にはこれらの報道が禁止ではなくなるなど、その扱いが改められています。

⑺ 児童自立支援施設

　児童自立支援施設は、不良行為を行うか、行うおそれのある児童や、家庭環境その他環境上の理由により生活指導等を要する児童を入所させたり、保護者の下から通わせたりしながら、個々の児童の状況に応じて必要な指導を行い、その自立を支援することを目的とする児童福祉施設です。また、同施設を退所した者に対して、相談その他の援助も行っています。児童自立支援専門員と児童生活支援員が子どもたちのケアを担っています。

2 情緒障害児への対応

　情緒障害を治療するための施設として児童心理治療施設があり、都道府県（児童相談所に委任）の措置により入所が決定されます。児童指導員、保育士のほか、心理療法担当職員（必置職員）、医師・看護師等も配置され、情緒障害児への治療（感情面の不安定さへの支援）を行います。

覚えよう！

●児童心理治療施設●
　児童心理治療施設は、家庭環境、学校における交友関係その他の環境上の理由により社会生活への適応が困難となった児童を、短期間、入所させ、または保護者の下から通わせて、主に社会生活に適応するために必要な心理に関する治療及び生活指導を行い、あわせて退所した者について相談その他の援助を行うことを目的とする施設である。

check
　児童養護施設入所児童等調査の結果（平成 30 年 2 月 1 日現在）によると、児童自立支援施設に入所している児童の約 6 割は児童虐待を受けた経験を持つ。

check
　一定期間入所した児童が情緒障害が治癒した後も保護者の虐待等家庭環境等の問題から保護者の下で生活できない場合には、児童養護施設・里親等に措置変更されることになる。

3 児童買春・児童ポルノ

(1) 児童ポルノ事犯（事件）の検挙件数

2011（平成 23）年から 2018（平成 30）年まで増加し続けました。2022（令和 4）年の検挙件数・検挙人員はそれぞれ 3,035件、2,053 人で横ばい傾向にあります。

(2) 児童ポルノ事犯被害児童の学職別・被害態様等

2022（令和 4）における児童ポルノ事犯の被害児童の学識別割合では中学生が 39.8％、高校生が 39.0％となっており、中学生・高校生で被害児童の約 8 割を占めます。被害児童の被害態様別割合では「児童が自らを撮影した画像」に伴う被害が約 4 割、低年齢児童の被害態様別割合では「盗撮」が約 4 割を占めます。

(3) 児童売買、児童買春及び児童ポルノに関する児童の権利に関する条約の選択議定書

性的搾取等から児童を保護するために、児童の売買や児童買春、児童ポルノに係る一定の行為の犯罪化、裁判権の設定、犯罪人引渡し、国際協力等について定めています。2000 年の第 54 回国連総会において採択され、2002 年に発効。日本は 2005（平成 17）年に批准しています。

4 ひとり親家庭

1964（昭和 39）年に成立した母子福祉法は、1981（昭和 56）年、母子及び寡婦福祉法と改称され、以降、母子家庭等及び寡婦の生活の安定と向上のために必要な措置を講じてきました。2014（平成 26）年、母子及び父子並びに寡婦福祉法と改称され、父子家庭への福祉の向上も図ってきました。

(1) 母子及び父子並びに寡婦福祉法における用語の定義

母子及び父子並びに寡婦福祉法 6 条において定義されています。

■ ひとり親家庭に関連する用語の定義 ■

配偶者のない女子：配偶者と死別した女子であって、現に婚姻をしていない者及びこれに準ずる女子。婚姻には事実婚も含

👑 check ✦
　母子及び父子並びに寡婦福祉法では、「母子家庭の母及び父子家庭の父並びに寡婦は、自ら進んでその自立を図り、家庭生活及び職業生活の安定と向上に努めなければならない」と規定されている（4条）。

む（以下同じ）。

配偶者のない男子：配偶者と死別した男子であって、現に婚姻をしていない者及びこれに準ずる男子。

配偶者のない女子に準ずる女子：配偶者と離婚したり配偶者から遺棄された者。配偶者が生死不明だったり、海外にいて扶養を受けられない者、配偶者が精神または身体の障害により長期に労働能力を失っている者。

児童：20歳未満の者。

寡婦：配偶者のない女子であって、かつて配偶者のない女子として民法第877条の規定により、児童を扶養していたことのある者。

(2) ひとり親家庭等日常生活支援事業

母子家庭、父子家庭及び寡婦が、修学等や病気等の状況から**一時的**に生活援助・保育サービスが必要な場合などに、家庭生活支援員の派遣等を行い、乳幼児の保育や身の回りの世話等を行う事業です。

(3) 児童扶養手当

①支給対象者は、父母が婚姻を解消した児童、父または母が障害の状態にある児童等を監護または養育する母または父等であり、**父子家庭**にも支給されます。非嫡出子で父から認知された児童も支給対象です。

②手当は、受給者の所得に応じて、全部支給と一部支給とがあります（所得制限あり）。また、児童2人目以降の場合には加算があります。

(4) 母子父子寡婦福祉資金貸付金制度

事業開始資金、事業継続資金、修学資金、技能習得資金、修業資金、就職支度資金、医療介護資金、生活資金、住宅資金、転宅資金、就学支度資金、結婚資金の**12種類**があります。資金の種類によって、貸付限度額、貸付期間、償還期限、利率がそれぞれ異なります。

(5) 母子・父子福祉のための施設

児童福祉法による**母子生活支援施設**と助産施設、母子及び父子並びに寡婦福祉法による母子・父子福祉施設（母子・

check

事業の実施要綱では、実施場所について、「生活援助」は被生活援助者の居宅、「子育て支援」は①家庭生活支援員の居宅、②講習会等職業訓練を受講している場所、③児童館、母子生活支援施設等ひとり親家庭等の利用しやすい適切な場所と定めている。

check

母子父子寡婦福祉資金の貸付けは、寡婦についても母子福祉資金に準じて行われる。

check

母子家庭を対象とする母子生活支援施設は、児童福祉施設である。父子の利用はできない。

父子福祉センター、母子・父子休養ホーム）があります。

(6) その他のひとり親家庭への支援

①ひとり親家庭の親が家計の中心者として直ちに就労せざ
るを得ない急迫した事情にあることに配慮し、保育所に
優先して入所できるよう取り扱われます。

②ひとり親家庭の親が疾病や事故等で一時的に家庭での子
どもの養育が困難になった場合に、一定期間だけ児童養
護施設や里親が子どもを保護して養育する**短期入所生活
援助事業**や**夜間養護等事業**があります。

③地方公共団体は公営住宅を供給する場合には、母子・父
子世帯向け住宅の建設、母子・父子世帯の優先的入居、
家賃の減免などの配慮をします。

7 障害のある児童への対応

1 障害者施策の基本的理念

障害者基本法1条には、わが国の障害者施策における基
本的理念とわが国が**実現すべき社会**について記されていま
す。また、4条においては、障害を理由として差別するこ
とを禁じています。

■ 障害者施策の基本的理念（障害者基本法）■

> **第1条** この法律は、全ての国民が、障害の有無にかかわらず、
> 等しく基本的人権を享有するかけがえのない個人として尊重
> されるものであるとの理念にのつとり、全ての国民が、障害
> の有無によつて分け隔てられることなく、相互に人格と個性
> を尊重し合いながら共生する社会を実現するため、（中略）
> 障害者の自立及び社会参加の支援等のための施策を総合的か
> つ計画的に推進することを目的とする。

2 国際生活機能分類（ICF）

WHO（世界保健機関）において2001年に採択された新
しい障害者観です。個人の属性としての機能の回復や補完
に着目していた国際障害分類（ICIDH）にかわり、**障害を**

check

「ひとり親家庭等
の支援について」（平
成30年 厚生労働
省）には、日本のひ
とり親家庭の親の就
業率（85.9％：2007
年）は、OECD加盟
国の同就業率の平
均（66.5％：2011年）
よりも高いことが示
されている。

障害者基本法
p.251

環境との相互作用に着目してとらえる考え方になりました。
子ども・青少年版として、ICF-CY も採択されています。

■ 国際生活機能分類（ICF）■

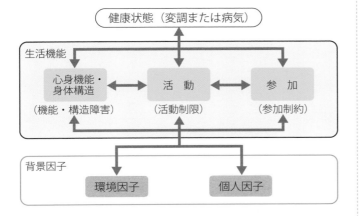

3 障害者と障害児の定義

　障害者は、障害者基本法 2 条 1 号で「身体障害、知的障害、精神障害（発達障害を含む。）その他の心身の機能の障害（以下「障害」と総称する。）がある者であつて、障害及び社会的障壁により継続的に日常生活又は社会生活に相当な制限を受ける状態にあるもの」と定義されています。

　障害児は、児童福祉法 4 条 2 項で「身体に障害のある児童、知的障害のある児童、精神に障害のある児童（発達障害者支援法 2 条 2 項 に規定する発達障害児を含む。）又は治療方法が確立していない疾病その他の特殊の疾病であつて障害者の日常生活及び社会生活を総合的に支援するための法律 4 条 1 項の政令で定めるものによる障害の程度が同項の主務大臣が定める程度である児童」と定義されています。

4 障害の分類

(1) 身体障害

　身体障害者福祉法上の身体障害とは、視覚障害、聴覚または平衡機能の障害、音声機能・言語機能・咀しゃく機能の障害、肢体不自由、心臓・腎臓・呼吸器・膀胱・直腸・小腸・

 check
　障害児の定義には、治療法が確立していない疾病等のいわゆる「難病等」の児童を含む。

check
　身体障害者手帳交付の手続きは、医師の診断書・意見書を添付して、申請書を都道府県の窓口に提出する。同一等級に 2 つの重複する障害がある場合は、原則として 1 級上の級となる。

肝臓の機能障害、ヒト免疫不全ウイルスによる免疫機能障害のことであり、それぞれ身体障害者障害程度等級表において1〜7級の等級が設定されています。原則として、これらの障害を有し**身体障害者手帳**を交付されている子どもには、「身体障害児」として児童福祉法や障害者総合支援法におけるサービスが適用されます。

(2) 知的障害

知的障害者とは、学校教育法施行令で、知的発達の遅滞があり、他人との意思疎通が困難で日常生活を営むのに頻繁に援助を必要とするもの、または、社会生活への適応が著しく困難なものとされており、おおむねIQ**70**〜**75**程度以下の子どもです。

知的障害者には**療育手帳**が交付されます。療育手帳の交付には、**児童相談所**または**知的障害者更生相談所**において知的障害があると判定されることが必要です。

(3) 精神障害

精神保健及び精神障害者福祉に関する法律では、精神障害者を「統合失調症、精神作用物質による急性中毒又はその依存症、知的障害、精神病質その他の精神疾患を有する者」と定義しています。

また、2012（平成24）年4月施行の児童福祉法では、それまでの、**身体**に障害のある児童、**知的**障害のある児童に加えて、**精神**に障害のある児童（発達障害児を含む）も障害児に含む形に定義が見直されました。

(4) 発達障害

発達障害者支援法上の発達障害とは、自閉症、アスペルガー症候群その他の広汎性発達障害、学習障害、注意欠陥多動性障害その他これに類する脳機能の障害であって、その症状が通常低年齢において発現するものとして政令で定めるものです。児童福祉法では、発達障害児を「精神に障害のある児童」に含めています。

check
身体障害者福祉法でいう「身体障害者」とは、同法の別表に示された障害がある18歳以上の者で、身体障害者手帳の交付を受けた者である。

check
療育手帳は、都道府県や指定都市によって名称が異なる（例として東京都は「愛の手帳」である）。

5 母子保健

新生児の障害を予防するために、都道府県と市町村は、次のような**母子保健対策**を行っています。

母子保健対策
…▶ 下 p.178

①妊娠・出産・育児についての知識の普及と啓蒙活動。

②妊産婦と乳幼児（乳児、1歳6か月児、3歳児など）に対する精神発達などの健康診査、精神発達精密健康診査及びその事後指導、健康管理指導。

③フェニルケトン尿症、先天性甲状腺機能低下症（クレチン症）などに対する**マススクリーニング検査**の実施。

6 障害児施策

在宅障害児のための支援施策には、児童福祉法に基づく障害児通所支援と、下記のような、障害者総合支援法に基づく支援等があります。

障害児通所支援
…▶ p.223

■ 障害者総合支援法に基づく在宅障害児のための主な事業 ■

介護給付	居宅介護（ホームヘルプサービス）	
	日常生活を営むのに支障がある障害児に、食事・入浴・排泄の介護などの援助を行う。	
	短期入所事業	
	保護者の疾病その他の理由から、家庭での介護が一定期間困難になった障害児を、一時的に肢体不自由児施設などに入所させ保護する。	
補装具	補装具費の支給	
	障害の状態からみて、義肢・装具・車いすなどの補装具の購入・修理が必要であると認める場合（障害児の世帯員の所得が政令で定める基準以上の場合を除く）、購入・修理費を支給する。ただし、上限額内で原則1割を自己負担する。	
地域生活※支援事業	日常生活用具の給付・貸与	
	重度障害児（者）がいる家庭に、便器、訓練用いす、訓練用ベッドなどの日常生活用具を給付又は貸与する。	

※地域生活支援事業には、移動支援、日中一時支援もある。

また、次のような支援もあります。

(1)計画相談支援

サービス利用支援及び継続サービス利用支援に大別され、サービス申請に係る**支給決定前**に**サービス等利用計画**を作

check

介護給付の支給に当たっては、現在の生活や障害の状況についての調査（アセスメント）をもとに決定された障害支援区分によりサービス支給量が決まる。それに応じて事業実施事業者と契約を行ってサービスを利用する。

成する支援のことをいいます。

(2) 行動援護

自己判断能力が制限されている人が行動する際に、生じ得る**危険を回避**するために必要な援護、外出時における移動中の介護（**外出支援**）を行います。

7 障害児への手当

障害児とその家庭への経済的保障として各種手当が支給されます。いずれも受給には所得制限があります。

①**障害児福祉手当**：20歳未満で精神または身体に重度の障害があり、日常生活において常に介護を必要とする在宅の障害児に対して支給されます。

②**特別児童扶養手当**：20歳未満の在宅の精神または身体に障害を有する児童を家庭で監護・養育している父母等に支給されます。

8 障害児施設

(1) 通園施設：児童発達支援センター

障害児を日々保護者の下から通わせて児童発達支援を提供する施設で、障害児が身近な地域で支援を受けられるように設けられるものです。

児童発達支援センターでは、通所利用障害児への支援だけでなく、身近な地域の障害児やその家族への相談、障害児が利用する保育所等への援助・助言も行っており、地域の**中核的**な療育支援施設として機能しています。

(2) 入所施設：障害児入所施設

障害児を入所させて、障害児入所支援を提供する施設で、重度・重複障害児や被虐待児への対応と自立支援の充実を目指して設けられるものです。

障害児入所施設には、**福祉型**障害児入所施設と**医療型**障害児入所施設があります。福祉型は障害児入所支援を提供し、医療型は治療も加えた障害児入所支援を提供します。

●アドバイス🖤

2024（令和6）年度の支給額（月額）
障害児福祉手当：
　1万5,690円
特別児童扶養手当：
・重度
　（障害等級1級）
　5万5,350円
・中度
　（障害等級2級）
　3万6,860円

check

児童発達支援センター、障害児入所施設は、児童福祉法上の児童福祉施設である。

check

児童福祉法改正により、2024（令和6）年4月1日より、福祉型児童発達支援センターと医療型児童発達支援センターが一元化された。

9 障害児通所支援・障害児入所支援

(1) 障害児通所支援（実施主体は市町村）

　障害児通所支援には、児童発達支援、放課後等デイサービス、保育所等訪問支援等があります。

①児童発達支援：障害児を児童発達支援センター等に通わせ、日常生活における基本的動作と知識技能の習得や、集団生活への適応のための支援などを提供します。また、肢体不自由（上肢、下肢または体幹の機能の障害）のある児童に対して、児童発達支援センターにおいて治療を提供します。

②放課後等デイサービス：学校通学中の障害児に対して、放課後や夏休み等の長期休暇中に生活能力向上のための必要な支援等を継続的に提供します。

③保育所等訪問支援：保育所や幼稚園を利用中の障害児や利用予定の障害児を訪問して、障害児以外の児童との集団生活に適応するための専門的な支援を提供します。

(2) 障害児入所支援（実施主体は都道府県）

　障害児入所支援とは、障害児入所施設に入所または指定医療機関に入院している障害児に対して、保護、日常生活の指導、知識技能の付与及び治療を提供する支援です。

(3) 障害児相談支援（実施主体は市町村）

　障害児相談支援とは、主に障害児通所支援を利用する障害児とその保護者の意向やその他の事情を勘案して、障害児支援利用計画を作成し、関係者との連絡調整などを行う支援です。

check
　障害児通所支援・障害児入所支援を受けた場合の利用者負担は、原則として応能負担である。

3
子ども家庭福祉

④ 子ども家庭福祉の現状と課題

 問題 次の記述で正しいものに○、誤っているものに×をつけよ。

1. 生後4か月までの乳児のいる家庭を訪問する乳児家庭全戸訪問事業は、「母子保健法」に基づき実施されている。

2. 児童自立支援専門員は児童養護施設と児童自立支援施設に置かれる。

3. 放課後児童健全育成事業は、父母が就労等により昼間家庭にいない児童だけに限らず、広くすべての児童を対象としている。

4. 妊娠の届出をすると、市町村から母子健康手帳が交付される。

5. 養育支援訪問事業は、子育て困難家庭等に対し保健師が訪問指導を行う事業であるため、保育士や子育て経験者等は担当することができない。

6. 産後ケア事業は、原則として医師を中心とした実施体制とする。

7. 教員や保育士など業務上子どもに深く関わる専門職は、「児童虐待を受けたと思われる児童」を発見しても、通告は控えるべきである。

8. 暴力を受けている母親に対して保育士が紹介する機関としては、配偶者暴力相談支援センターが適当である。

9. 16歳以上の少年が、故意の犯罪行為で被害者を死亡させた場合は、原則として検察官に送致する。

10.「児童福祉法」による障害児の定義には、難病等の児童は含まれない。

解答

1 × **2** × **3** × **4** ○ **5** × **6** × **7** × **8** ○ **9** ○ **10** ×

1 児童福祉法6条の3第4項に基づく事業である。

2 児童自立支援専門員が置かれるのは、児童自立支援施設である。児童養護施設には、児童指導員が置かれる。

3 保護者が労働等により昼間家庭にいない小学校に就学している児童を対象としている。

5 児童福祉法6条の3第5項に基づくもので、保育士や子育て経験者等も担当できる。

6 助産師、保健師、看護師が実施担当者である。

7 通告義務は、守秘義務より優先される（児童虐待防止法6条3項）。

10 児童福祉法4条2項により、いわゆる難病等も障害児に含まれる。

子ども家庭福祉の動向と展望

出題
point

- 要保護児童対策地域協議会の役割や構成
- 支援のネットワーク
- 国際的な視点

保育・教育・療育・保健・医療等との連携とネットワーク

1 要保護児童対策地域協議会（子どもを守る地域ネットワーク）

　要保護児童対策地域協議会は、2000（平成12）年度に創設された「児童虐待防止市町村ネットワーク事業」が発展したものです。虐待を受けている子どもをはじめとする**要保護児童**、**要支援児童**、**特定妊婦**◆の早期発見や適切な保護を目的に、2004（平成16）年の改正で児童福祉法に位置付けられました。**市町村**が主体となり設置されますが、設置は**努力義務**で、複数の市町村による**共同設置**が可能です。要保護児童対策地域協議会を設置した場合、設置したこと、協議会の名称、構成する関係機関の名称などを公示しなければなりません。

2 要保護児童対策地域協議会の役割

　要保護児童対策地域協議会は、住民に身近な市町村域において、保健、医療、福祉、教育、警察、司法等の関係機関、団体等が一堂に会し、**児童虐待等への対応**を行うために情報交換や状況把握、援助の具体例の検討などを行います。そのために必要があると認めるときには、関係機関等に対して、資料または情報の提供、意見、その他必要な協力を求めることができます。支援の対象には、**要保護児童の保護者**、**要支援児童の保護者**も含まれます。

　なお、協議会の構成員には、正当な理由なく、協議会の

check

児童福祉法では、要保護児童を「保護者のない児童又は保護者に監護させることが不適当であると認められる児童」と定義している。虐待を受けた子どものほか、非行児童も含まれる。

用語
◆特定妊婦

　出産後の養育について出産前において支援を行うことが特に必要と認められる妊婦のこと。例えば、知的・精神的障害がある、決まった仕事がなく収入が不安定、家族構成が複雑であるというような妊婦がこれに当たる。

職務に関して知り得た秘密を漏らしてはならないという**守秘義務**が課せられています。

3 要保護児童対策調整機関

要保護児童対策地域協議会は、多くの関係機関・団体、児童福祉従事者などで構成されているため、その運営がスムーズにいくように、協議会を構成する**関係機関の一つを**要保護児童対策調整機関として指定し、協議会の事務を総括させます。指定は地域協議会を設置した**地方公共団体の長**が行い、調整機関は**一つ**に限られています。

♕ check
守秘義務に違反すると、1年以下の懲役または50万円以下の罰金が科せられる。

■ 要保護児童対策地域協議会（子どもを守る地域ネットワーク）の主な構成員 ■

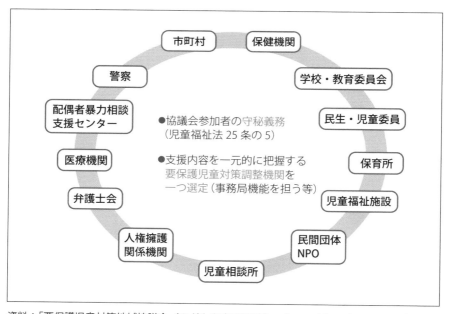

資料：「要保護児童対策地域協議会（子どもを守る地域ネットワーク）スタートアップマニュアル」（厚生労働省）より作成

4 要保護児童対策地域協議会の基本的考え方

協議会設置・運営指針によると、要保護児童（支援対象児童）等の「**早期発見**や適切な保護を図るためには、関係機関がその子ども等に関する情報や考え方を**共有**し、適切な連携の下で対応していくことが重要である」ことや、「運

営の中核となって関係機関相互の連携や役割分担の調整を行う機関を明確にするなどの**責任体制の明確化**」等に触れられています。

また、地域協議会では、関係機関等が子どもやその家庭に関する情報や考え方を共有し、適切な連携の下で対応するため、同一の認識の下、役割分担を通じて、よりよい支援につなげていくことができます。

5 要保護児童対策地域協議会の実施状況

2020（令和2）年4月時点で、すべての市町村のうち1,738市町村（99.8％）が要保護児童対策地域協議会を設置しています。要保護児童対策調整機関への配置職員の所有資格は、「保健師・助産師・看護師」が最も多く、次いで「社会福祉士」です。

この要保護児童対策地域協議会は、主に**代表者会議**、**実務者会議**、**個別ケース検討会議**の3つから構成されます。

2 諸外国の動向

地球規模で考えてみると、貧困問題から人身売買や商業的性的搾取、あるいは武力紛争に巻き込まれる子どももいます。国際連合は武力紛争への児童の関与を重くみて、2000年の総会において「**武力紛争**における児童の関与に関する**児童の権利**条約に関する選択議定書」を採択しました（2002年発効）。そこには、18歳未満の子どもの**強制的徴兵**をしないことが明記されています。

また、**ユニセフ**◆発行の「世界子供白書2023」のテーマは、「すべての子どもに予防接種を」です。新型コロナウイルス感染症の世界的な流行の影響等により、子どもの予防接種率が大きく後退しました。予防接種を受けることは子どもの権利です。ユニセフは各国政府に対し、すべての子どもに予防接種を受けさせるよう求めています。

用語

◆ユニセフ
国連児童基金（UNICEF）。子どもの権利に関する条約の理念に則り子どもの問題に専念する国際機関。

問題 次の記述で正しいものに○、誤っているものに×をつけよ。

1. 要保護児童対策地域協議会は、2020（令和2）年4月時点で全国の市町村の99.8%が設置している。

2. 要保護児童対策地域協議会の運営が適切に行われるために、設置した地方公共団体の長は、事務局機能を担う複数の要保護児童対策調整機関を指定しなければならない。

3. 地方公共団体は、単独で又は共同して、要保護児童の適切な保護又は要支援児童若しくは特定妊婦への適切な支援を図るため、関係機関、関係団体及び児童の福祉に関連する職務に従事する者その他の関係者により構成される要保護児童対策地域協議会を置くように努めなければならない。

4. 要保護児童対策地域協議会における支援の対象者には、保護者の養育を支援することが特に必要と認められる児童である要支援児童及びその保護者が含まれる。

5. 「児童福祉法」25条の5に基づき、要保護児童対策地域協議会を構成する者は正当な理由なく、当該協議会の職務に関して知り得た秘密を漏らしてはならない。

解答

1 ○　**2** ×　**3** ○　**4** ○　**5** ○

2　児童福祉法25条の2第4項により、地方公共団体の長は、要保護児童対策調整機関を一つに限り指定することができる。

4章

社会福祉

学習ポイント

- 社会福祉の理念に関する用語（ノーマライゼーション、エンパワメントなど）は基本となります。その意味も含めて、理解しておきましょう。
- 国内外の社会福祉の歴史については、子ども家庭福祉、社会的養護と重複する部分もありますが、出題傾向からみると、特に法制度の成立時期を時系列で把握しておく必要があります。
- 社会福祉の実施機関については、設置義務や職員配置などを問うものが出題されています。児童福祉施設の社会福祉法上の位置付け（第一種、第二種社会福祉事業など）とともに押さえておきましょう。
- 健康保険、年金、生活保護などの社会保障制度の内容については、その仕組みや運用に関する内容の学習が求められます。
- 近年、相談援助（ソーシャルワーク）に関する理論（展開過程を含む）や専門性、視点などについての出題が増えています。バイステックの原則に基づく関わりや、利用者支援の視点などを理解しておきましょう。

section 1　現代社会と社会福祉

出題
point
- 社会福祉の理念
- 社会福祉の対象と主体
- 現代社会の問題と実態

社会福祉の概念と理念

1 社会福祉の概念

社会福祉ということばは、私たちの持つ価値や規範、社会の目標という意味で使う場合と、何らかの問題を解決するための方策や技術を指す具体性のある意味で使う場合があります。前者は**目的概念**あるいは理念型と呼ばれ、後者は**実体概念**あるいは実体型と呼ばれています。

2 現代の社会福祉政策の援助観

現代の社会福祉政策の援助観の基本は、日本国憲法 11 条の「**基本的人権の保障**」、13 条の「**生命、自由及び幸福追求権の尊重**」、25 条の「**生存権の保障**」等にみることができます。とりわけ、25 条の内容は、国による最低生活保障の考え方の基となっています。また、1966 年に国連総会において採択され、その 10 年後に発効した**国際人権規約**◆に規定されている内容も援助観の基本となるものです。

3 社会福祉の理念

社会福祉の理念とは、理論や実践の基盤となる考えのことです。利用者の**自己決定**を尊重し、利用者の視点で構築されることが重要とされ、援助者側には適切な援助観・倫理観が求められます。

用語

◆国際人権規約
　世界人権宣言を明文化したもので、社会権規約と自由権規約に大別できる。法的拘束力をもつ。

(1) ナショナルミニマム

国は、各国の生活水準からみた国民の**最低限度の生活を保障**しなければならない（最低生活保障）という考えです。日本国憲法 25 条に「**生存権**」として示されています。

■ 日本国憲法 25 条 ■

> **第 1 項**　すべて国民は、健康で文化的な最低限度の生活を営む権利を有する。
>
> **第 2 項**　国は、すべての生活部面について、社会福祉、社会保障及び公衆衛生の向上及び増進に努めなければならない。

(2) ノーマライゼーション

わが国の**社会福祉分野**における**共通的な理念**として位置付けられています。デンマークの**バンク＝ミケルセン**によって提唱されました。障害の**有無**にかかわらず、誰もが地域において**普通（ノーマル）の生活**を営み、**差別**されず、それが当たり前であるという社会を作り出そうという考えです。

(3) ソーシャルインクルージョン

1980 年代の**ヨーロッパ**で提唱された理念です。すべての人々を、その属性（虐待、DV、国籍、貧困等）にかかわらず、社会的な孤立や排除、摩擦等から守り、社会の構成員として**包み支え合おう**という考えです。「社会的包括」あるいは「社会的包摂」等と訳され、**ノーマライゼーション**の理念を踏まえたものです。

(4) エンパワメント

本来、持ちうる力が潜在化している状態に置かれている人々が、その力を**発揮**したり**高めて**いけるような機会を作れるように支援することをいいます。その際には、**ストレングス**（その人の強み・強さ）の部分に着目して支援を組み立てていく視点が大切になります。

(5) ユニバーサルデザイン

考え方の一つに、**障害の有無**や年齢、性別、国籍などにかかわらず、誰にでも利用しやすく、**直感的**に利用できる

☆check☆
ノーマライゼーションの理念に合致する例として、障害者の作業所において労働の対価として工賃を得たり、児童養護施設において子どもによる自治会を組織して活動に参画したりすることなどがあげられる。

ことがあげられます。バリア（障壁）の除去ではなく、あらかじめバリアのない環境をつくるための、すべての人のための製品、建物、空間等のデザインを意味します。

(6) 自立支援

社会福祉においては、いずれの分野にも共通の理念となっています。

例えば、障害者福祉分野では「障害者基本法」や「障害者総合支援法」、高齢者福祉分野では「介護保険制度」、児童家庭福祉分野では「児童福祉法」等において施設入所児童の自立支援や家庭の自立支援がうたわれています。

(7) QOL（Quality of Life）の向上

QOL は「生活の質」と訳され、障害の程度や種類にかかわらず、その人が**より質の高い生活**を送ることができるようにしていこうという考えです。福祉サービスの利用は、QOL 向上の一助になります。

2　社会福祉の対象と主体

1　社会福祉の対象

時代による社会福祉の対象の変化には、社会福祉問題の**質的拡大**と**量的拡大**の二面があります。社会福祉が政策として登場した当初、社会福祉の対象は絶対的貧困や要保護児童に限定されていましたが、社会福祉問題のとらえ方の変化（救貧から防貧へ）とともに、一般市民にまで拡大されました。これが質的拡大です。一方、質的拡大の影響や実際のニーズの増大によって量的拡大が生じました。

2　社会福祉の 4 つの機能

社会福祉の機能は一般的に 4 つに分類されています。

①社会体制を**維持**していく機能

②個人の生活を社会的判断で**保護**していく機能

③個人の主体性を尊重しつつ**生活を支援**していく機能

④代替・補完的機能、**緊急一時的に対応**する機能

check
児童福祉法では、「保護者のない児童又は保護者に監護させることが不適当であると認められる児童」を要保護児童、「保護者の養育を支援することが特に必要と認められる児童」を要支援児童と定義しており、両者への関わりは、乳児院、児童養護施設等のほかに保育所でも行われている。

3 現代社会の特徴と福祉ニーズ

　生活者である市民が社会生活を営むうえで必要があるにもかかわらず、個人の次元では充足できないため、**社会的に充足**する必要があると意識された「必要」のことを**福祉ニーズ**といいます。また、自覚されたニーズとは逆に、表に現れず潜在化しているニーズを「潜在的ニーズ」といいます。ニーズがあるにもかかわらず自覚されていないニーズと、自覚されていても何らかの理由により顕在化されていないニーズとに分けられます。

1 現代社会の主な特徴と、福祉ニーズの充足方法

①**家庭機能の外部化**：本来家族が担っていた家庭機能を外部に委託すること。**保育所**等がこれに該当します。以前から家庭機能の外部化の姿はありましたが、近年になるほどその傾向は顕著になってきています。

②**家庭機能の社会化**：病気や老齢等によるリスクを社会全体で共有すること。**年金**や**医療保険**の制度等がこれに該当します。

③**生活の私事化**：人間関係や組織に対して適度な距離を置きつつ、自分の私的な領域は確保したいという人々の欲求や生活態度を指します。子育てや介護を行う家族のための**レスパイト・ケア**◆の提供が該当します。

④ **QOL（生活の質）の追求**：現代社会では、物質面や身体面以外においても、市民が豊かさを追求しています。**生活の質**の向上や**ウェルビーイング**を保障するために、福祉サービスの**多様化**による質的充実が求められています。

⑤**家族や地域社会との関係への対応**：**児童虐待**、**ドメスティック・バイオレンス（DV）**等の人権侵害は、従来から存在していたものですが、その対応が新たな社会福祉ニーズになっています。

⑥**就労環境の改善**：就労環境の悪化は、ときとして、社会の活力の低下や少子化等を引き起こすことがあります。

◆レスパイト・ケア
子育てや介護をしている人に対して、一時的にそれを中断して息抜きができるようにするために提供する援助。

そのため、就労環境を改善し、**仕事と生活の調和**（ワーク・ライフ・バランス）を図るための様々な取り組みが官民をあげて進められています。

2 現代社会の実態

(1) 人口推計（確定値）：2023（令和5）年12月1日現在

わが国の総人口は1億2,429万9千人、「**15歳未満人口（年少人口）**」は1,441万6千人、「**15〜64歳人口（生産年齢人口）**」は7,395万8千人、「65歳以上人口（老齢人口）」は3,622万5千人です。老齢人口のうち、「75歳以上の後期高齢者」は2,018万7千人です。

(2) 人口動態統計月報年計（概数）：2023（令和5）年

出生数は72万7,277人、合計特殊出生率は1.20で、出生数、合計特殊出生率ともに過去最低の値でした。合計特殊出生率が最も高い都道府県は、「**沖縄県**」で1.60、最も低いのは「**東京都**」で0.99の値です。

死亡数を死因別にみると、「**悪性新生物**」の死亡数が38万2,492人（死亡総数に占める割合24.3%）で最も多く、「**心疾患**」、「**老衰**」と続きます。

(3) 国民生活基礎調査：2022（令和4）年

全国の世帯総数は5,431万世帯、世帯構造は「**単独世帯**」が1,785万2千世帯（全世帯の32.9%）で最も多く、次いで「**夫婦と未婚の子のみの世帯**」が1,402万2千世帯（同25.8%）、「**夫婦のみの世帯**」が1,333万世帯（同24.5%）となっています。

「平均世帯人員」は**2.25**人、「児童のいる世帯」は991万7千世帯で全世帯の**18.3**%です。児童のいる世帯の「平均児童数」は**1.66**人、児童のいる世帯のうち核家族は**84.4**%です。

世帯類型でみると、母子世帯56万5千世帯に対して、父子世帯は7万5千世帯です。また、全世帯に占める高齢者がいる世帯は、50.6%です。

check
「人口動態統計の概況」によると、日本の出産数は、1947（昭和22）年以降、2016（平成28）年に初めて100万人を割った。

⑷ 少子化と夫婦の生活環境

　2012（平成24）年の「少子化と夫婦の生活環境に関する意識調査」結果では、「子どもを育てていて負担に思うことや悩み」で最も回答の多かった項目は「**子育てで出費がかさむ**」（53.2％）です。以下、「自分の自由な時間が持てない」（44.1％）、「子育てによる身体の疲れが大きい」（28.9％）と続きます。

　また、「令和4年度雇用均等基本調査」（厚生労働省）によると、女性の育児休業取得率は80.2％（令和3年度は85.1％）、男性の取得率は17.13％（令和3年度は13.97％）です。男性の取得率は女性に比べ依然低い水準となっていますが、上昇傾向にあります。

3 社会福祉の動向と課題

　社会生活上の問題や福祉ニーズに対応することが社会福祉の役割と考えられてきましたが、将来的には、問題の発生を**予防**し、**持続可能**な社会福祉制度を構築することにより、豊かな社会を実現することが期待されています。また、保健・医療・福祉の**ネットワーク**を構築すること、地域福祉を推進することにより、**ノーマライゼーション**の理念を具体化することが目指されています。ノーマライゼーション理念の具体化には、施設で行事等を積極的に取り入れるなど、家庭に近い生活ができるようにすることや、能動的に生活を楽しめる工夫を凝らすこと等も含まれます。

ここで チャレンジ

問題 次の記述で正しいものに○、誤っているものに×をつけよ。

1. 社会的な孤立や排除などから守り、社会の構成員として包み合う考え方を
ソーシャルエクスクルージョンという。

2. ADL は「生活の質」と訳される。

3. 都道府県別にみると、合計特殊出生率が最も高いのは、沖縄県である。

4. 死亡数を死因別にみると、「悪性新生物」の割合が最も高い。

5. ノーマライゼーションとは、障害の有無を比較しない社会にしていくこと
である。

6. 適切かつ効果的な支援を行うためには、利用者の決定よりも支援者側の決
定によって行われることが望ましい。

7. 我が国では少子化が進行しているが、2023（令和 5）年の出生数は 100 万
人を超えている。

解答

1 × **2** × **3** ○ **4** ○ **5** × **6** × **7** ×

1 ソーシャルインクルージョン（社会的包括または社会的包摂）が正しい。ソーシャルエク
スクルージョンは「社会的排除」を意味する考え方である。

2 QOL が正しい。ADL（Activities of Daily Living）は「日常生活動作」のことである。

5 ノーマライゼーションの理念は、「障害の有無にかかわらず地域の中で共に生活する」
という考え方であり、「障害の有無を比較しない」という意味とは異なる。

6 対人支援の場面では、利用者の自己決定を尊重することが重要である。支援者には、
よりよい支援に繋げるために適切な形で側面的に関わる姿勢が求められる。

7 少子化が進んでいることは正しいが、同年の出生数は 72 万 7,277 人で過去最低の値
となっているなど、近年は 100 万人を割り込んでいる。

社会福祉の歴史

出題
point

- イギリスの社会福祉の歴史
- 日本の社会福祉の歴史と福祉に関する法律
- 日本の社会福祉施策の動向

1 イギリスにおける社会福祉の歴史

1 エリザベス救貧法の成立と改正

　1601 年、国家レベルでの救貧法である「エリザベス救貧法」が制定されました。この救貧法では貧民を①労働可能な貧民（有能貧民）、②労働不可能な貧民（無能貧民）、③要保護児童（子ども）の 3 種に分類、保護の対象として救済が行われました。財源は、担当区域から徴収した救貧税と寄附金により賄われました。

　しかし、こうした対策をとったにもかかわらず、貧民の増加は後を絶たず、救貧税は増額の一途をたどることとなります。教区民の不満は爆発し、1834 年に改正されました。

　これまでの救済のあり方が見直された改正救貧法では、院内救済の原則、救済の全国的統一、劣等処遇の原則等が採用されました。公的救済の対象をワークハウスの収容者に限定し、その内容を全国一律にするとともに労働者の最低生活レベルより低くするというものでした。

check
改正救貧法は、公的救済を制限することで自助意識の強化を図るものだった。

2 慈善組織協会とセツルメント活動

(1) 慈善組織協会（COS）

　救貧法の改正により公的救済が制限されているなか、民間の慈善団体による救済活動は活発に行われていました。しかし、同一人物に複数の慈善団体が救済を行う濫救、救

済から漏れてしまう漏救が発生していました。

　こうしたことが起きるのは、慈善団体間の連絡や調整が行われていないことが原因とされ、1869年に慈善団体間の活動を調整する組織としてCOS（Charity Organization Society，慈善組織協会）がロンドンに設立されました。しかし、援助の対象は自助努力をしている「救済に値する貧民」とする選別主義が採用されていました。

　このCOSの先駆的活動は、イギリスでトーマス・チャルマーズが行った隣友運動といわれています。アメリカへと渡ったこれらの活動は、リッチモンドによりソーシャル・ケースワーク（個別援助技術）へと体系化されました。

(2) セツルメント活動

　セツルメント活動は、貧困地域に住み込み、住民に教育活動等を提供して貧民が貧困から抜け出せるようにした活動です。この活動に世界で初めて取り組んだのはエドワード・デニソンです。

　1884年には、世界初のセツルメント・ハウスであるトインビーホールがバーネット夫妻により東ロンドンに設立されました。その後、1886年にはコイトによるネイバーフッド・ギルドがニューヨークに、1889年にはJ.アダムズによるハル・ハウスがシカゴに建てられました。

3 社会調査

　19世紀末から20世紀初頭にかけて、2つの貧困調査が行われました。

　一つは、C.ブースがロンドンで行った調査です。その結果は『ロンドン市民の生活と労働』にまとめられ、ロンドン市民の約3割が貧困線以下の生活状態にあり、原因は低賃金などの雇用問題であることが明らかにされました。

　もう一つは、ラウントリーがヨークで行った調査です。3回実施された調査のうち1899年の結果は、1901年に『貧困−都市生活の研究』で発表され、貧困線以下の生活状態を第1次貧困と第2次貧困に分けて考えました。

check
「ネイバーフッド・ギルド」は、アメリカで最初のセツルメント・ハウス。

check
この2つの調査により、それまで個人の責任とされていた貧困の原因は、社会・経済的要因によるものが多いことがわかった。

4 20世紀の社会福祉の流れ

(1) 救貧法委員会

1905年に「救貧法及び貧困救済に関する王立委員会」が設立され、1909年には「救貧法及び貧困救済に関する王立委員会報告」(**多数派報告**)と、「分離報告書」(**少数派報告**)の2つの報告書が提出されました。

(2) ベヴァリッジ報告

ベヴァリッジは、第二次世界大戦中の1942年に「社会保険及び関連サービス」(**ベヴァリッジ報告**)を公表し、福祉国家への先鞭をつけました。この報告書は、「**ゆりかごから墓場まで**」◆という考え方や貧困を生み出す**5つの巨人**に対する総合的社会保障システムを提案するものでした。1944年には、ベヴァリッジ報告に基づき国民保険省が創設され、その後様々な制度が法制化されました。

■ ベヴァリッジ報告に基づいて法制化された制度 ■

- ・1945年……家族手当法
- ・1946年……国民保険（産業災害）法、国民保険法、国民保健サービス法
- ・1948年……国民扶助法

●**ベヴァリッジ報告における社会保険の6原則**●
①均一給付　　②均一拠出　③行政責任の統一
④適正な給付額　⑤全国民を対象とする包括主義
⑥被保険者の分類

2 戦前の日本における社会福祉の歴史

1 近代社会以前の社会福祉

日本の社会福祉の歴史は、朝廷を中心とした救済制度に始まり、江戸時代には、都市部では救済制度が発展し、農村部でも様々な**相互扶助体制**が整備されました。

4
社会福祉

❷
社会福祉の歴史

用語

◆「ゆりかごから墓場まで」
第二次世界大戦後に掲げられた「生まれてから死ぬまで」を表現した社会福祉に関するスローガンのこと。

 check

ベヴァリッジ報告において、社会が克服すべき5つの巨人として、貧窮(Want)、疾病(Disease)、無知(Ignorance)、不潔(Squalor)、怠惰(Idleness)をあげている。社会保険、教育、雇用、公的扶助により対応することで、福祉国家確立の必要性を説いた。

593 年	聖徳太子が「四箇院」(悲田院、敬田院、施薬院、療病院)を設立。
718 年	「養老律令」が制定され、「戸令」により救済対象は「鰥、寡、孤、独、貧窮、老、疾」に限定。
1792 年	松平定信が「七分積金制度」を制定。

2 明治及び大正の社会福祉

　1874（明治7）年、日本初の貧困者に対する一般的救済法である「恤救規則」が制定されました。「**恤救規則**」は住民同士の人情交流（隣保相扶）を救済の基本としていました。また、この時代から社会改良的な情熱に燃えた慈善事業家が活動を始めています。

1874（明治7）年	日本初の救済法となる「恤救規則」制定。
1900（明治33）年	非行少年の更生を目的とした「感化法」制定。
1911（明治44）年	女子・年少者の保護を定めた「工場法」制定。
1917（大正6）年	岡山県知事の笠井信一と小河滋次郎らが「済世顧問制度」創設。
1918（大正7）年	富山県で「米騒動」の発端となる運動が発生。
1918（大正7）年	大阪で民生委員制度の前身となる「方面委員制度◆」創設。

■ 慈善事業等に貢献した人物 ■

石井十次：貧窮児童を対象とする岡山孤児院を設立（1887〔明治20〕年）。

石井亮一：知的障害児施設となる孤女学院（現・滝乃川学園）を設立（1891〔明治24〕年）。

留岡幸助：巣鴨に家庭学校を設立（1899〔明治32〕年）。北海道に家庭学校（現・北海道家庭学校）を設立（1914〔大正3〕年）。感化事業の父といわれる。

横山源之助：著書『日本の下層社会』で貧困層の実態を明らかにした（1899〔明治32〕年）。

野口幽香：同僚の森島峰（美根）とともに二葉幼稚園（現・二葉保育園）を設立（1900〔明治33〕年）。

糸賀一雄◆：知的障害児のための「近江学園」を設立（1946〔昭和21〕年）。障害者福祉の基礎づくりに尽力した。

3 **第二次世界大戦前の昭和の社会福祉**

　昭和に入るとすぐに日本経済も世界恐慌の影響を受けて悪化しました。その中で、人的資源の確保と健民健兵政策が強化され、軍事政策の一部に社会事業（厚生事業）が組み込まれていきました。

1929（昭和 4）年	「救護法」公布。
1937（昭和 12）年	「母子保護法」「軍事扶助法」制定。
1941（昭和 16）年	「医療保護法」制定。
1958（昭和 33）年	「国民健康保険法」制定。

3 戦後の日本における社会福祉の歴史

　第二次世界大戦後、あふれる戦災孤児や引揚者等を救済するため、新たな法律が整備されました。その後社会福祉の各分野で福祉ニーズに対応した法律が制定され、保育所は、1947（昭和 22）年制定の児童福祉法において規定されました。

　また、1949（昭和 24）年には身体障害者福祉法が制定され、戦後 4 年を経て福祉三法体制が成立しました。

　その後、知的障害者福祉法の前身である精神薄弱者福祉法、老人福祉法、母子福祉法を含めた福祉六法の体制が整ったのは 1964（昭和 39）年で、戦後 20 年近くが必要でした。

 覚えよう！ ●●●●●●●●●●●●●●●●●●

　福祉三法＝**生活保護法**、児童福祉法、**身体障害者福祉法**
　福祉六法＝福祉三法と精神薄弱者福祉法（現・知的障害者福祉
　　　　　　　法）、**老人福祉法**、母子福祉法（現・**母子及び父子**
　　　　　　　並びに寡婦福祉法）

| 1946（昭和 21）年 | GHQ が公的扶助に関し「社会救済に関する覚書」で「無差別平等」「国家責任」「公私分離」「最低生活保障」の原則を示した。「旧生活保護法」制定。 |
| 1947（昭和 22）年 | 「児童福祉法」制定（1948 年施行）。 |

1949（昭和24）年	「身体障害者福祉法」制定。
1950（昭和25）年	「旧生活保護法」が改正「生活保護法」に。
1951（昭和26）年	「社会福祉事業法」制定。
1959（昭和34）年	「国民年金法」制定。
1960（昭和35）年	「精神薄弱者福祉法」制定。
1963（昭和38）年	「老人福祉法」制定。
1964（昭和39）年	「母子福祉法」制定。福祉六法体制成立。
1970（昭和45）年	「心身障害者対策基本法」制定。
1973（昭和48）年	「老人福祉法」改正で老人医療費の無料化。
1981（昭和56）年	「母子福祉法」が改正「母子及び寡婦福祉法」に。
1982（昭和57）年	老人医療費を有料化する「老人保健法」制定。
1990（平成2）年	福祉関係八法改正。
1993（平成5）年	「心身障害者対策基本法」が改正「障害者基本法」に。
1997（平成9）年	「介護保険法」制定（2000年施行）。
1998（平成10）年	「精神薄弱者福祉法」が改正「知的障害者福祉法」に。
2000（平成12）年	「児童虐待防止法」制定。 「社会福祉事業法」が改正「社会福祉法」に。
2003（平成15）年	「次世代育成支援対策推進法」制定。
2005（平成17）年	「障害者自立支援法」制定。
2008（平成20）年	「老人保健法」が改正「高齢者の医療の確保に関する法律」に。
2012（平成24）年	「障害者自立支援法」が「障害者の日常生活及び社会生活を総合的に支援するための法律（障害者総合支援法）」に。 「子ども・子育て支援法」制定。
2013（平成25）年	「子どもの貧困対策の推進に関する法律」制定。 「障害を理由とする差別の解消の推進に関する法律（障害者差別解消法）」制定（2016年施行）。
2014（平成26）年	「母子及び寡婦福祉法」が改正「母子及び父子並びに寡婦福祉法」に。
2018（平成30）年	改正「障害者の雇用の促進に関する法律」施行。障害者雇用義務対象に精神障害者を追加。
2022（令和4）年	「こども基本法」制定。
2023（令和5）年	「こども大綱」閣議決定。

check

老人医療費支給制度に伴い社会保障費は急激な増加を生じさせると「福祉見直し」論が唱えられ始める。その後、1983（昭和58）年に老人保健法が施行されると同制度は廃止された。

check

次世代育成支援対策推進法では、市町村と都道府県の行動計画の策定について定めている。

アドバイス

障害者総合支援法は2013年（一部は2014年）施行、子ども・子育て支援法の本格施行は2015年。

check

「こども基本法」は、子ども施策を社会全体で総合的かつ強力に推進していくための包括的な基本法として、2022（令和4）年に成立、2023（令和5）年に施行された。

4 日本の社会福祉の施策

1 最近の高齢者施策とその実施計画

(1)「高齢者保健福祉推進十か年戦略」（ゴールドプラン）

　福祉関係三審議会合同企画分科会による「今後の社会福祉のあり方について」の意見具申が行われ、本格的な高齢社会の到来に備えて、1989（平成元）年に策定されました。

(2)「新・高齢者保健福祉推進十か年戦略」（新ゴールドプラン）

　予想以上の高齢化の進行により、ゴールドプランの抜本的な見直しが行われ、1994（平成6）年に策定されました。

(3)「今後5か年間の高齢者保健福祉施策の方向」（ゴールドプラン21）◆

　新ゴールドプランの終了に当たり、高齢者保健福祉施策の一層の充実を図るため、1999（平成11）年に策定されました。

2 最近の児童施策とその実施計画

(1)「今後の子育て支援のための施策の基本的方向について」（エンゼルプラン）

　高齢社会福祉ビジョン懇談会による「21世紀福祉ビジョン－少子・高齢社会にむけて」の提案を受けて、1994（平成6）年に策定されました。

(2)「重点的に推進すべき少子化対策の具体的実施計画について」（新エンゼルプラン）

　エンゼルプランをより一層補強した総合的な実施計画として、1999（平成11）年に策定されました。

(3)「少子化社会対策大綱に基づく重点施策の具体的実施計画について」（子ども・子育て応援プラン）

　少子化の流れが止まらないことを受けて、新エンゼルプランの後継版として2004（平成16）年に策定されました。

(4)「新たな少子化社会対策大綱」（子ども・子育てビジョン）

　従来の「少子化対策」から、「子ども・子育て支援」（チルドレン・ファースト）へと視点を変え、個人の希望する結婚・出産・子育てを実現する環境を整え、ライフサイク

用語
◆ゴールドプラン21
　基本目標は、
①活力ある高齢者像の構築
②高齢者の尊厳の確保と自立支援
③支え合う地域社会の形成
④利用者から信頼される介護サービスの確立

check
　エンゼルプラン実施のため、緊急に取り組むべき保育対策等として「当面の緊急保育対策等を推進するための基本的考え方」（緊急保育対策等5か年事業）が策定された。
エンゼルプラン
•••> p.120,198

ル全体を通じて社会全体で支えることを目指して、2010（平成 22）年に策定されました。

(5) 少子化社会対策大綱

少子化社会対策基本法に基づく総合的かつ長期的な少子化に対処するための施策の指針でしたが、「こども大綱」に統合されました。

(6) こども大綱

2023（令和 5）年 12 月 22 日、こども基本法に基づき、子ども施策を総合的に推進するため、政府全体の子ども施策の基本的な方針を定めるために「こども大綱」が閣議決定されました。こども家庭庁のリーダーシップのもと、政府全体の子ども施策が推進されていきます。

(7) 新子育て安心プラン

待機児童の解消を目指し、女性の就業率の上昇を踏まえた保育の受け皿の整備、地域の子育て資源の活用を進めることを目的にとりまとめられました。

同プランにおける支援のポイントとしては、①地域の特性に応じた支援（保育ニーズが増加している地域への支援、マッチングの促進が必要な地域への支援、人口減少地域の保育の在り方の検討）、②魅力向上を通じた保育士の確保、③地域のあらゆる子育て資源の活用が挙げられています。

(8) こども未来戦略

2023（令和 5）年 12 月「こども未来戦略」において、こども・子育て施策の強化として、「若い世代の所得を増やす」「社会全体の構造・意識を変える」「全てのこども・子育て世帯を切れ目なく支援する」という基本理念にたち、希望する誰もが結婚することやこどもを持つこと、安心して子育てができること、そして、こどもがいかなる環境や家庭状況にあっても分け隔てなく大切にされ、育まれ、笑顔で暮らす社会の実現のため、今後 3 年間の集中的な取り組みとして「加速化プラン」をスタートさせました。

③ 最近の障害者施策

(1)「障害者プラン－ノーマライゼーション7か年戦略」

福祉サービスの具体的数値目標が示された障害者プラン
で、1995（平成7）年に策定されました。

(2) 障害者基本計画

障害者基本法に基づき策定されたもので、2003（平成
15）年度に第1次計画がスタートしました。

現在は、共生社会の実現に向け、障害者の社会参加を制
約する社会的障壁を除去することを基本理念として、2023
（令和5）年度～2027（令和9）年度を計画期間とする第5
次計画が行われています。

(3)「重点施策実施5か年計画」（新障害者プラン）

障害者基本計画の前期5年間（2003〔平成15〕年度から
2007〔平成19〕年度）において重点的に実施する施策、そ
の達成目標、計画の推進方策を定めたものです。

(4) 新たな「重点施策実施5か年計画」

新障害者プランが終了することを踏まえて、障害者基本
計画の後期5年間（2008〔平成20〕年度～2012〔平成
24〕年度）に重点的に取り組むべき課題を定めました。自
立と共生を理念に2007（平成19）年に策定されました。

(5) 障害者差別解消法

2013（平成25）年に、すべての国民が、障害の有無によっ
て分け隔てられることなく、相互に人格と個性を尊重し合
いながら共生する社会の実現に向けて、障害を理由とする
差別の解消を推進することを目的として制定されました。

(6) ニッポン一億総活躍プラン

2016（平成28）年に閣議決定された計画で、分野を超え
た地域生活支援の方法として、地域包括ケアシステムの構築
を目指しています。一億総活躍社会を実現するため、住民に
よる参画のもとに行政との協働による共助の取組みを進める
ことなどが期待されました。

check
障害者プラン
は1996（平成8）～
2002（平成14）年度。

障害者基本法
••▶ p.251

4

社会福祉

❷

社会福祉の歴史

check
福祉ニーズの増
大や多様化に対応
するため、福祉サー
ビスの利用制度化、
サービスの質の向
上、社会福祉事業の
充実・活性化、地域
福祉の推進を目的と
して社会福祉の共通
基盤制度に関する見
直しを行った改革の
ことを社会福祉基礎
構造改革という。

問題 次の記述で正しいものに○、誤っているものに×をつけよ。

1. わが国の救貧のための法律の始まりは、1946（昭和 21）年公布の「旧生活保護法」であった。

2. 日本初の知的障害児施設である孤女学院（現・滝乃川学園）を設立したのは石井十次である。

3. 「エリザベス救貧法」は、国民の人権意識の高揚によって立法が行われた最初の救貧法ということができる。

4. トインビーホールを設立したのは、リッチモンドである。

5. イギリスでは、1942 年に「社会保険及び関連サービス」（ベヴァリッジ報告）が公表された。

6. 1999（平成 11）年に策定された「新エンゼルプラン」は、それまでの少子化対策中心の考えから「子ども・子育て支援」へと視点を変える画期的なものであった。

7. 19 世紀末から 20 世紀初頭にかけてのイギリスで行われた貧困調査は、貧困原因の認識を個人の責任から社会の責任に転換させる意義をもった。

8. 新子育て安心プランでは、女性の就業率の上昇を踏まえた保育の受け皿の整備が目指されている。

解答

1 × **2** × **3** × **4** × **5** ○ **6** × **7** ○ **8** ○

1 1874（明治 7）年制定の「恤救規則」である。

2 石井亮一である。「知的障害児教育の父」と呼ばれる。

3 国家が中心となって成立した世界初の救貧法といわれている。

4 トインビーホールの設立者はバーネット夫妻である。リッチモンドはソーシャル・ケースワークを体系化したことで知られ、「ケースワークの母」とも呼ばれている。

6 記述は、2010（平成 22）年策定の「子ども・子育てビジョン」に関するものである。子どもを主人公とする考え（チルドレン・ファースト）をベースに、子育てを個人的なものから社会全体で担っていくものとすることを目指した。

重要度

section 3 社会福祉の法制度

出題 point
- 社会福祉の法律の体系
- 社会福祉の法律の制定・変遷
- 社会福祉の法律の概要

1 社会福祉の法体系

　社会福祉の法体系は、福祉六法を中心に、社会福祉法を共通基盤とする次のような関係法から成り立っています。

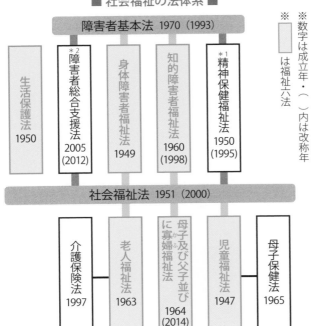

■ 社会福祉の法体系 ■

※ 数字は成立年・（　）内は改称年
※ □ は福祉六法

障害者基本法　1970（1993）

生活保護法 1950

*2 障害者総合支援法 2005（2012）

身体障害者福祉法 1949

知的障害者福祉法 1960（1998）

*1 精神保健福祉法 1950（1995）

社会福祉法　1951（2000）

介護保険法 1997

老人福祉法 1963

母子及び父子並びに寡婦福祉法 1964（2014）

児童福祉法 1947

母子保健法 1965

*1 精神保健及び精神障害者福祉に関する法律
*2 障害者の日常生活及び社会生活を総合的に支援するための法律

check
介護保険法の施行は 2000（平成 12）年である。

2 主な社会福祉に関する法律等

1 社会福祉法

社会福祉法は、2000（平成12）年に改正（旧社会福祉事業法より改称）されました。1条には、「社会福祉を目的とする事業の**全分野**における**共通的基本事項**を定め、社会福祉を目的とする他の法律と相まって、福祉サービスの利用者の**利益の保護**及び地域における社会福祉の推進を図る」ことが定められており、社会福祉事業の範囲や社会福祉の実施体制の組織、社会福祉法人、**社会福祉協議会**、**共同募金会**などについて規定しています。また、福祉計画として、**市町村地域福祉計画**と**都道府県地域福祉支援計画**を規定しているなど、同法は社会福祉の**共通基盤**を定めています。

都道府県地域福祉支援計画と市町村地域福祉計画の策定は、努力義務です。前者の計画では、後者の計画を支援する事項を定めています。

市町村の策定する市町村地域福祉計画と市町村子ども・子育て支援事業計画は調和が保たれています。また、地域福祉活動への住民参加の促進、要援護者の把握方法及び情報共有に関する事柄が定められています。

2 児童福祉法

児童福祉法は、2016（平成28）年の改正で、1条に、「全て児童は、**児童の権利に関する条約**の精神にのっとり、適切に**養育されること**」が定められました。すべての国民が児童の意見を尊重し、**児童の最善の利益**を優先して考慮し、心身ともに健やかに育成されるよう努めることが規定されているほか、児童を**満18歳未満の者**と定義しています。

また、2024（令和6）年の児童福祉法改正では、子育て支援や自立支援、障害児への支援などが強化されて、新たな相談機関が設置されることなどが定められました。

3 生活保護法

生活保護法は、日本国憲法25条に基づき、国が困窮する

check
社会福祉法4条では、地域福祉の推進についても定めており、社会、経済、文化等のあらゆる活動に参加する機会が与えられるよう努めなければならない。

アドバイス
都道府県及び市町村の障害児福祉計画については、児童福祉法に定められている。

児童等の定義
・・➤ p.176

生活保護制度
・・➤ p.276

国民に対し、困窮の程度に応じ、必要な保護を行い、**最低限度の生活を保障し、自立を助長**することを目的としています。

4 生活困窮者自立支援法

生活困窮者の**自立の促進**を図ることを目的として 2013（平成 25）年に制定されました。生活困窮者とは、経済的に困窮していて、最低限度の生活を維持することができなくなるおそれのある者をいいます。

生活保護に至る前段階での自立支援策強化を図るため、福祉事務所設置自治体に、①自立相談支援事業実施、②住居確保給付金支給が**必須事業**として課されています。就労準備支援事業や家計改善支援事業は努力義務、一時生活支援事業等は任意で行うことが認められています。

5 身体障害者福祉法

1条には、「身体障害者の**自立と社会経済活動への参加**を促進するため、身体障害者を援助し、及び必要に応じて保護し、もって身体障害者の福祉の増進を図ること」が定められています。身体障害者を、**18 歳以上**で都道府県知事から**身体障害者手帳**◆の交付を受けた者と定義しています。

6 知的障害者福祉法

知的障害者福祉法は、1960（昭和 35）年に制定された「精神薄弱者福祉法」が改正され、1998（平成 10）年に制定されました。知的障害者の自立と社会経済活動への参加を促進するため、知的障害者を援助し、必要に応じて保護し、知的障害者の福祉の増進を図ることを目的としていますが、知的障害者の定義は**規定されていません**。

7 老人福祉法

老人福祉法は、老人の福祉に関する原理を明らかにし、老人の心身の健康の保持及び生活の安定に必要な措置を講じ、老人の福祉を図ることを目的としています。4条には、「**国**及び**地方公共団体**は、老人の福祉を増進する責務を有する」ことが定められ、福祉の措置の対象を、原則として **65 歳以上の者**と定義しています。また、市町村に**市町村老人**

❸ 社会福祉の法制度

用 語

◆身体障害者手帳
　身体障害者福祉法に基づき、法の別表に掲げる障害等級に該当すると認定された者に対して交付される手帳のこと。なお、手帳の交付は都道府県知事が行う（身体障害者福祉法 4 条）。

福祉計画の策定を、都道府県に**都道府県老人福祉計画**の策定を義務付けています。

8 母子及び父子並びに寡婦福祉法

1条には、「**母子家庭等及び寡婦**◆に対し、その**生活の安定と向上**のために必要な措置を講じ、もつて母子家庭等及び寡婦の福祉を図ることを目的とする」と定め、母子家庭等及び寡婦の福祉に関する原理を明らかにしています。また、母子家庭等には、児童が、置かれている環境にかかわらず、心身ともに**健やかに育成**されるために必要な諸条件と、母子家庭の母もしくは父子家庭の父並びに寡婦には、**健康で文化的**な生活が保障されます。なお、この法律では、児童を **20** 歳に満たない者と定義しています。

2002（平成 14）年改正により、父子家庭も母子及び寡婦福祉法の措置の対象になりました。同法では、母子家庭等の母・父及び寡婦は、「自ら進んでその自立を図り、家庭生活及び職業生活の安定と向上に努め」ること、福祉事務所は、「相談に応じ、必要な調査及び指導を行う」こと等を規定しています。

9 母子保健法

母子保健法は、母性並びに乳児及び幼児の健康の保持及び増進を図るために、母子保健に関する原理を明らかにし、保健指導、健康診査、医務その他の措置を講じることによって国民保健の向上に寄与することを目的としています。乳児を **1** 歳に満たない者、幼児を満 **1** 歳から**小学校就学の始期**に達するまでの者と定義しています。

10 精神保健及び精神障害者福祉に関する法律

1条には、「その社会復帰の促進及びその自立と社会経済活動への参加の促進のために必要な援助を行い、並びにその発生の予防その他国民の精神的健康の保持及び増進に努めること」が定められています。都道府県知事から**精神障害者保健福祉手帳**が交付されています。

精神障害者を、統合失調症、精神作用物質による急性中

用語

◆寡婦
　配偶者のない女子であって、かつて配偶者のない女子として民法 877 条の規定により児童を扶養していたことのある者をいう。

check
　精神障害者保健福祉手帳には、1級から3級があり、有効期限は 2 年である。

毒またはその依存症、知的障害その他の精神疾患を有する者と定義しています。

11 障害者基本法

1970（昭和45）年に制定された「心身障害者対策基本法」が改正され、1993（平成5）年に制定されました。障害者の自立と社会参加の支援等のための施策の基本となる事項を定めること等により、障害者の自立及び社会参加の支援等のための施策を総合的かつ計画的に推進することを目的としています。市町村に**市町村障害者計画**の策定を、都道府県に**都道府県障害者計画**の策定を義務付けています。

障害者を、**身体**障害、**知的**障害、**精神**障害（発達障害を含む）、その他の心身の機能障害があるため、継続的に日常生活または社会生活に相当な制限を受ける者と定義しています。

12 民生委員法

民生委員は都道府県知事の推薦によって**厚生労働大臣**が委嘱する民間の奉仕者で、任期は**3**年です。民生委員は、児童福祉法の規定により**児童委員**を兼ねます。

13 介護保険法

介護保険法は、社会問題となっている高齢者の介護を、**社会全体**で支えることを目的に1997（平成9）年に制定、2000（平成12）年4月に施行されました。介護保険法の特徴は、措置による福祉から**契約**による福祉への変化と、**利用者主体**を原則としたことです。市町村に**市町村介護保険事業計画**の策定を、都道府県に**都道府県介護保険事業支援計画**の策定を義務付けています。

14 児童福祉施設の設備及び運営に関する基準

児童福祉法45条の規定に基づき、児童福祉施設の設備と運営に関する**最低基準**として定められたものです。この基準は、児童福祉施設に入所している者が、心身ともに健やかにして、社会に適応するように育成されることを保障することを目的に設けられています。そのため、児童福祉施

check
「障害者基本法」では、「障害者週間」を定めている。

check
市町村障害児福祉計画及び都道府県障害児福祉計画の策定については、児童福祉法に規定されている点に注意する。

民生委員（児童委員）
･･▶ p.195,264

介護保険制度の概要
･･▶ p.274

4

社会福祉

❸ 社会福祉の法制度

設には、最低基準を超えて、常に、その設備及び運営を**向上**させなければならない義務を課しています。

また、14条の3には、児童福祉施設における苦情対応の措置に関する規定が定められています。

15 障害者総合支援法

障害者総合支援法
･･･▶ p.180

全ての国民が、**障害の有無**によって分け隔てられることなく、相互に**人格**と**個性**を尊重し合いながら**共生する社会**を実現するために、「地域社会において他の人々と**共生する**ことを妨げられないこと並びに障害者及び障害児にとって日常生活又は社会生活を営む上で障壁となるような社会における事物、**制度**、**慣行**、**観念**その他一切のものの除去に資することを旨として、総合的かつ計画的」に行うことを規定しています。

この法律における障害者には、身体障害者、知的障害者、精神障害者（**発達障害者**を含む）に加え、**難病等による障害者**も含まれます。また、同法では市町村に**市町村障害福祉計画**、都道府県に**都道府県障害福祉計画**の策定を義務付けています。

覚えよう！

● **障害者総合支援法に基づいて障害児が利用できる福祉サービス** ●
居宅介護、同行援護、行動援護、短期入所、重度障害者等包括支援等
● **児童福祉法に基づいて障害児が利用できる福祉サービス** ●
障害児通所支援（児童発達支援、放課後等デイサービス、居宅訪問型児童発達支援及び保育所等訪問支援）、障害児通所支援事業等

発達障害者支援法
･･･▶ p.179

16 発達障害者支援法

check
5条には、「児童の発達障害の早期発見等」、6条には「早期の発達支援」が記される等、発達障害児も支援の対象である。

発達障害者支援法は、2004（平成16）年に制定され、その中で発達障害が定義されました。この法律では、発達障害を**早期に発見**し発達支援を行うことについての国や地方公共団体の責務を明記し、発達障害者への支援について定めることにより、発達障害者の**自立**及び**社会参加**に資する

よう生活全般にわたる支援を図り、発達障害者の福祉の増進に寄与することを目的としています。

なお、同法では発達障害者について「発達障害がある者であって発達障害及び社会的障壁により日常生活又は社会生活に制限を受けるものをいい、『発達障害児』とは、発達障害者のうち 18 歳未満のものをいう」と定義しています。

17 民法

国民の財産についての権利や義務、家族関係、相続の仕方等を定めた法律です。社会福祉分野では、児童養護や虐待問題への対応等を行うため、特に保護者の「親権」の内容について理解を深めておく必要があります。

2022（令和 4）年 4 月 1 日施行の民法改正により、民法の成年年齢は、従来の 20 歳から 18 歳に引き下げられました。民法の定める成年年齢は「単独で契約を締結することができる年齢」という意味と、「親権に服することがなくなる年齢」という意味を持つものです。

> 第 818 条　成年に達しない子は、父母の親権に服する。
>
> 第 819 条　父母が協議上の離婚をするときは、その協議で、その一方を親権者と定めなければならない。
>
> 第 820 条　親権を行う者は、子の利益のために子の監護及び教育をする権利を有し、義務を負う。
>
> 第 821 条　親権を行う者は、前条の規定による監護及び教育をするに当たっては、子の人格を尊重するとともに、その年齢及び発達の程度に配慮しなければならず、かつ、体罰その他の子の心身の健全な発達に有害な影響を及ぼす言動をしてはならない。
>
> 第 822 条　子は、親権を行う者が指定した場所に、その居所を定めなければならない。
>
> 第 823 条　子は、親権を行う者の許可を得なければ、職業を営むことができない。

18 日本国憲法

25 条 1 項には、すべての国民が健康で文化的な最低限度の生活を営む権利を有することが記されています。また、

check
原則として、知的障害の伴う発達障害には「療育手帳」、知的障害を伴わない場合は「精神障害者保健福祉手帳」が交付される。

check
2022（令和 4）年 4 月 1 日施行の民法改正では、女性の婚姻年齢を 18 歳に引き上げ、男女の婚姻開始年齢を統一した。

check
児童福祉施設の長は、入所中の児童等で、親権を行う者や未成年後見人のいない者に対して、都道府県知事の許可を得て、親権を行うことができると、児童福祉法に規定されている。

check
2022（令和 4）年 12 月 16 日施行の民法改正により、親権者による子どもへの懲戒権の規定は削除された。

check
2024（令和 6）年 4 月 1 日施行の民法改正により、嫡出推定の見直しが行われた。

同条 2 項では、社会福祉、社会保障、公衆衛生の向上及び
増進に関する国の責務について規定しています。

〔基本的人権〕
第 11 条　国民は、すべての基本的人権の享有を妨げられない。
この憲法が国民に保障する基本的人権は、侵すことのできな
い**永久の権利**として、現在及び将来の国民に与へられる。
〔個人の尊重と公共の福祉〕
第 13 条　すべて国民は、**個人**として尊重される。**生命、自由**及び
幸福追求に対する国民の権利については、**公共の福祉**に反し
ない限り、立法その他の国政の上で、最大の尊重を必要とする。

日本国憲法 12 条
には「この憲法が国
民に保障する自由及
び権利は、国民の不
断の努力によって、
これを保持しなけれ
ばならない。」こと
が示されている。

●**主な条約や宣言等**●

児童の権利に関するジュネーブ宣言（1924 年）
　各国の男女は、人類が子どもに対して**最善の努力**を尽くさ
ねばならない義務のあることを認めた。発達保障や児童救済
の優先などをうたっている。

児童憲章（1951 年）
　児童は、人として**尊ばれる**。児童は、**社会の一員**として重
んぜられる。児童は、よい環境のなかで育てられるという 3
綱領及び 12 条からなる。

児童権利宣言（1959 年）
　前文及び 10 条からなる。児童の**出生**権、**生存**権、**発達**権、
幸福追求権、教育権、レクリエーション権を国際連合が世界
に向かって宣言したもの。

児童の権利に関する条約（1989 年）
　前文及び 54 条からなる。**障害**による差別の禁止が初めて
記された。児童の**意見表明**権、結社及び集会の自由、表現の
自由、休息・遊びの権利等、幅広く詳細に記述している。また、
条約の内容は現行の児童福祉法の条文と合致する部分もある
など、国内法に大きな影響を与えている。
　○ **12 条 1 項**
　　締約国は、**自己の意見**を形成する**能力**のある児童がその
児童に影響を及ぼすすべての事項について自由に**自己の意
見を表明する権利**を確保する。この場合において、児童の
意見は、その**児童の年齢及び成熟度**に従って相応に考慮さ
れるものとする。

児童の権利に関する
ジュネーブ宣言
･･･▶ p.157

児童憲章
･･･▶ p.161
　　下 p.10,53

児童権利宣言
（児童の権利に関す
る宣言）
･･･▶ p.157

児童の権利に関する
条約
（子どもの権利条約）
･･･▶ p.83,158
　　下 p.10,53

ここで チャレンジ

問題 次の記述で正しいものに〇、誤っているものに×をつけよ。

1. 児童福祉法１条には、「児童の権利に関する条約の精神にのっとり、適切に養育されること」が定められている。

2. 「民法」では、子は、親権を行う者が指定した場所に、その居所を定めなければならないとされている。

3. 精神障害者保健福祉手帳の有効期限は５年である。

4. 母子保健法では、幼児を「満１歳から６歳に達する日以後の最初の３月31日までの者」と定義している。

5. 生活保護法（制度）は、「最低限度の生活の保障」と「自立の助長」を目的としている。

6. 民生委員とは、「社会福祉法」に基づき市町村の区域に置かれている無給で任期が５年とされる民間の奉仕者のことである。

7. 「障害者総合支援法」では、市町村に市町村障害福祉計画、都道府県に都道府県障害福祉計画の策定が義務付けられている。

8. 「社会福祉法」では、福祉サービスを必要とする地域住民のあらゆる分野への社会参加を推進している。

解答

1 〇 **2** 〇 **3** × **4** × **5** 〇 **6** × **7** 〇 **8** 〇

3 精神障害者保健福祉手帳の有効期限は２年である。

4 幼児は「満１歳から小学校就学の始期に達するまでの者」と定義している。

6 民生委員は「民生委員法」に基づく任期３年の民間の奉仕者である。児童委員も兼ねる。

社会福祉行財政の実施体制と福祉サービスの提供体制

出題
point
- 社会福祉の財政と費用負担
- 社会福祉行政の実施体制
- 社会福祉サービスの提供体制と従事者

1 社会保障費用統計

　日本では、ILO 基準の社会保障給付費と OECD 基準の社会支出の集計結果を合わせて社会保障費用統計として公表しています。この統計は、社会保障制度に係る 1 年間の支出等を取りまとめて、社会保障全体の規模や政策分野ごとの構成を明らかにしたもので、社会保障政策や財政等を検討するうえでの資料として使われています。

　社会保障給付費とは、ILO 基準の社会保障のために給付された費用のことで、2021（令和 3）年度の社会保障給付費の総額は、138 兆 7,433 億円（わが国の国内総生産の25.20%）でした。社会保障給付費を部門別に分類すると、「医療」は 47 兆 4,205 億円で総額に占める割合は 34.2%、「年金」は 55 兆 8,151 億円で 40.2%、「福祉その他」は 35 兆 5,076 億円で 25.6%でした。

■ 2021（令和 3）年度社会保障給付費（部門別）■

社会保障給付費	金　額	伸　率
医療	47,4205 億円	11.0%
年金	55,8151 億円	0.3%
福祉その他	35,5076 億円	4.9%
合　計	1,387,433 億円	4.9%

資料：「社会保障費用統計（令和 3 年度）」（国立社会保障・人口問題研究所）

2 社会福祉の費用負担

1 利用者負担の範囲と負担義務の範囲

　食費などの実費部分のみを利用者負担とする「**実費弁償**」の考え方と、食費等の利用者負担部分だけでなく、施設の運営管理費や訓練・介護などの経費も利用者負担とする「**費用負担**」の考え方の2つがあります。社会福祉施設の費用徴収制度は、原則として「**費用負担**」の考え方を採用しており、保育所や児童福祉施設では、保護者や祖父母など、**同一生計**の家族全体に費用負担義務を課しています。

2 利用者負担の考え方

　利用者負担の考え方には、受けたサービス量に比例して負担する「**応益負担**」の原則と、利用者や扶養義務者の負担能力に応じて負担する「**応能負担**」の原則の2つがあります。現在の社会福祉サービスは、**応益負担**の考え方を基本として、低所得者への減免措置が講じられています。

3 費用負担の方法

(1) 費用負担方式：サービス提供にかかる措置費を、措置権者が施設や事業者に支払い、利用者や扶養義務者が、措置権者の定めた**徴収金額**を**措置権者**に納入します。

(2) 支援費方式：利用者が市町村に支援費支給を請求し、市町村は支援費から利用者が負担すべき額を控除して支給し、利用者は施設や事業者に対して支給された**支援費**と利用者が**負担すべき額**の両方を支払います。

(3) 支払い命令方式：医療機関や業者から給付を受けた場合の利用者の負担額を市町村が決定し、その額を医療機関や業者に支払うことを本人に命じ、本人が医療機関や業者に**直接支払**います。

(4) 保育所等：市町村は保護者の負担能力に応じて立て替え分の支払いを求め支払いを受けますが、2019（令和元）年10月より、保育所等の3〜5歳児及び住民税非課税世帯の3歳未満児の保育費は**無償化**されています。

check

「実費弁償」には、施設での食費、移送の際の自動車の燃料代、学童保育でのおやつ代などがある。

アドバイス

「応益負担」の原則は介護保険などの社会保険方式で採用されている。

3 社会福祉行政の実施体制

社会福祉行政の実施体制は、国、都道府県、市町村からなる3層構造になっています。

1 国の社会福祉行政

(1) 厚生労働省・こども家庭庁

国の社会福祉行政の中核を担っているのは厚生労働省ですが、令和5年度から「**こども家庭庁**」が新設されたことに伴い、従来、厚生労働省子ども家庭局が担っていた事務（婦人保護事業を除く）、障害保健福祉部が所掌する障害児支援に関する事務などがこども家庭庁に移管されました。

(2) 審議会

こども家庭庁には、こども政策に関する重要事項等を審議する**こども家庭審議会**等が設置され、内閣府及び厚生労働省から関係審議会等の機能が移管されました。

同審議会では、内閣総理大臣又は長官の諮問に応じて、「子ども・子育て支援法の施行に関する重要事項」「こども、こどものある家庭及び妊産婦その他母性の福祉の増進に関する重要事項」「こども及び妊産婦その他母性の保健の向上に関する重要事項」「こどもの権利利益の擁護に関する重要事項」を調査審議します。

2 地方公共団体の社会福祉行政

都道府県・政令指定都市は、市町村への支援や連絡調整、社会福祉法人や社会福祉施設の認可など、福祉サービスの**基盤整備**を行っています。

市町村は、「老人福祉法」「身体障害者福祉法」「精神保健及び精神障害者福祉に関する法律」「知的障害者福祉法」「障害者総合支援法」に関する事務等を行っており、最も身近な福祉行政の主体です。

(1) 福祉事務所

福祉事務所は、**社会福祉法**の規定により、**都道府県・市・特別区**に設置が義務付けられており、**町村**は任意設置です。

check
子ども・子育て支援の政策担当は内閣府とこども家庭庁である。

福祉六法に定める援護、育成または更生の措置に関する事務を行う、第一線の社会福祉行政機関です。

福祉事務所には、福祉事務所の現業員として、社会福祉諸法に定める援護または更生の措置に関する事務等を行う**社会福祉主事**が配置されています。

都道府県福祉事務所は、福祉三法の現業事務と老人福祉法・身体障害者福祉法・知的障害者福祉法に関する広域的調整を担当しています。市町村・特別区福祉事務所は福祉六法の現業事務を行っています。

(2) 児童相談所

児童相談所は、**児童福祉法**の規定により、**都道府県・指定都市**に設置が義務付けられています。中核市と特別区は任意で設置が可能です。

児童に関する相談、調査、判定、一時保護等を行っている**児童福祉**の第一線機関で、**弁護士**の配置（これに準ずる措置）が義務付けられています。また、児童相談所には、相談支援の専門職として**児童福祉司**が配置されています。

(3) 身体障害者更生相談所

身体障害者更生相談所は、**身体障害者福祉法**の規定により、**都道府県**に設置が義務付けられており、指定都市は任意設置となっています。専門的知識や技術を必要とする相談・指導、身体障害者の医学的・心理学的・職能的判定、補装具の処方・適合判定等を行っています。

(4) 知的障害者更生相談所

知的障害者更生相談所は、**知的障害者福祉法**の規定により、**都道府県**に設置が義務付けられており、指定都市は任意設置となっています。専門的知識や技術を必要とする相談・指導、知的障害者の医学的・心理学的・職能的判定を行っています。

(5) 女性相談支援センター（婦人相談所）

女性相談支援センター（婦人相談所）は、**都道府県**に設置が義務付けられており、指定都市は任意設置となっています。女性に関する相談・調査・判定・指導・**一時保護**な

❹ 社会福祉行財政の実施体制と福祉サービスの提供体制

check
児童相談所が受ける相談の種類は、養護相談（養育困難児、児童虐待、養子縁組など）、保健相談（未熟児、虚弱児、内部機能障害など）、障害相談、非行相談、育成相談（性格行動、不登校、適性、育児、しつけなど）に大別される。

check
2022（令和4）年に新たに制定された「困難な問題を抱える女性への支援に関する法律」により、2024（令和6）年4月1日より婦人相談所は「女性相談支援センター」へと名称変更された。

どを行っています。また、**配偶者暴力相談支援センター**の機能も担っています。配偶者暴力相談支援センターは、DV防止法（配偶者からの暴力の防止及び被害者の保護等に関する法律）に定められた暴力被害女性等に対する相談機関です。

(6) 児童福祉審議会

児童福祉審議会は、**都道府県**と指定都市に設置が義務付けられており、市町村は任意設置となっています。児童・妊婦・知的障害者の福祉に関する事項の調査審議、諮問への答申、関係行政庁への意見具申等を行っています。ただし、地方社会福祉審議会に児童福祉に関する事項を調査審議させる都道府県は、この限りではありません。

(7) 基幹相談支援センター

基幹相談支援センターの設置主体は**市町村**ですが、委託が可能です（**任意設置**）。地域の相談支援の拠点として総合的な**相談業務（身体障害・知的障害・精神障害）**及び**成年後見制度利用支援事業**を実施し、地域の実情に応じ各種の業務を担います。

(8) 地域活動支援センター

障害者が地域において自立した生活を営むことができるよう、**創作的**活動や**生産**活動の機会を提供し、**社会との交流の促進**を図る通所施設です。日常生活についての相談や就労支援なども行われています。

(9) 地域包括支援センター

介護保険法に基づき、**市町村**が設置主体となり、**保健師・社会福祉士・主任介護支援専門員**等を配置して、チームアプローチにより、住民の健康の保持及び生活の安定のために必要な援助を行うことを目的とする機関です。権利擁護業務、包括的・継続的ケアマネジメント支援業務、介護予防支援等を担います。

(10) こども家庭センター

子育て世代包括支援センターと市区町村子ども家庭総合

check

児童福祉審議会の委員は、児童または知的障害者の福祉に関する事業に従事する者及び学識経験のある者のうちから選出され、知事（市町村長）から任命される。

■ 社会福祉の実施体制の概要 ■

国

民生委員・児童委員

社会保障審議会

身体障害者相談員

知的障害者相談員

都道府県
(指定都市、中核市)
- 社会福祉法人の認可、監督
- 社会福祉施設の設置認可、監督、設置
- 児童福祉施設(保育所除く)への入所事務
- 関係行政機関及び市町村への指導等

地方社会福祉審議会
都道府県児童福祉審議会
(指定都市児童福祉審議会)

身体障害者
更生相談所
- 身体障害者への相談、判定、指導等

知的障害者
更生相談所
- 知的障害者への相談、判定、指導等

児童相談所
- 児童福祉施設入所措置
- 児童相談、調査、判定、指導等
- 一時保護
- 里親委託

女性相談支援センター
(婦人相談所)
- 要保護女子及び暴力被害女性の相談、判定、調査、指導等
- 一時保護

都道府県福祉事務所
- 生活保護の実施等
- 助産施設、母子生活支援施設への入所事務等
- 母子家庭等の相談、調査、指導等
- 老人福祉サービスに関する広域的調整等

市
- 社会福祉法人の認可、監督
- 在宅福祉サービスの提供等
- 障害福祉サービスの利用等に関する事務

市福祉事務所
- 生活保護の実施等
- 特別養護老人ホームへの入所事務等
- 助産施設、母子生活支援施設及び保育所への入所事務等
- 母子家庭等の相談、調査、指導等

町村
- 在宅福祉サービスの提供等
- 障害福祉サービスの利用等に関する事務

町村福祉事務所
- 業務内容は市福祉事務所と同様

資料:「令和5年版厚生労働白書」(厚生労働省)

支援拠点の設立の意義や機能は維持したうえで組織を見直し、全ての**妊産婦**、**子育て世帯**、**子ども**へ一体的に相談支援を行う機能を有するソーシャルワークの中心的な役割を担うために、2024（令和6）年4月1日より設置されています。

(11) 発達障害者支援センター

発達障害児・者への相談支援等を総合的に行うことを目的とした専門的機関です。保健、医療、福祉、教育、労働などの関係機関と連携して、相談にかかわる事業等を担います。

check
法改正により、母子健康包括支援センターは、2024（令和6）年4月1日よりこども家庭センターへと移行された。

4 社会福祉サービスの提供体制

1 措置制度から利用契約制度へ

利用契約制度とは、利用者が事業者と対等な関係で、福祉サービスを自ら選択して利用することができる仕組みです。**1997（平成9）年**の児童福祉法改正では**保育所への入所**が、それまでの措置制度から行政との契約制度に改められました。現在、母子生活支援施設、助産施設が**利用契約の仕組み**（**利用契約制度**）で運用され、乳児院、児童養護施設、児童心理治療施設、児童自立支援施設等が**措置**の仕組みによって対応されています。

社会福祉サービス（社会福祉事業）の提供体制については、その内容や実施主体等に関しての**共通事項**が、**社会福祉法**に定められています。

2 社会福祉施設

社会福祉施設は、**社会福祉事業**を実施する施設の総称です。社会福祉事業には、**第一種社会福祉事業**と**第二種社会福祉事業**があり、第一種社会福祉事業は、原則として、**国**、**地方公共団体**、**社会福祉法人**だけが経営することができます（第二種社会福祉事業は、経営する主体に**制限はありません**）。

第一種社会福祉事業は、入所型事業など、**利用者の生活**に対する影響が大きく、事業の継続性や安定性の確保等の必要性が高いものが対象とされています。

アドバイス
行政が「行政処分によりサービス内容を決定する措置」の仕組みは、廃止されたわけではなく、要保護児童の施設入所等に対して存続している点に注意したい。

社会福祉事業
→ ⬇ p.68

第二種社会福祉事業は、社会福祉事業のうち第一種社会福祉事業でないものであり、通所型事業等、利用者の生活に対する影響が第一種社会福祉事業に比べてそれほど大きくないものが対象とされています。

 覚えよう！

●主な第一種社会福祉事業●
乳児院、児童養護施設、母子生活支援施設、障害者支援施設など

●主な第二種社会福祉事業●
保育所、助産施設、児童厚生施設、児童家庭支援センター、障害児通所支援事業など

3 社会福祉法人

　社会福祉法人は、社会福祉事業を行うことを目的として設立される法人であり、地域福祉への貢献を目的としています。経営する社会福祉事業に支障がない限り、公益事業や収益事業を行うことができます。ただし、事業から生じた収益は、すべて社会福祉事業や公益事業の経営に充てなければなりません。

　社会福祉法人は、社会福祉事業を行うのに必要な資産を備えなければならないほか、国または地方公共団体は、必要があると認めるときは、省令や条例で定める手続に従い、社会福祉法人に対して補助金を支出することができます。また、社会福祉法人に対しては、行政による規制・監督を受ける一方で、手厚い助成措置や税制の優遇措置が認められています。

　社会福祉法人には理事、監事が必置で、2017（平成29）年4月1日より、すべての社会福祉法人が評議員会を設置しています。

4 地域福祉の組織

(1) 社会福祉協議会

　社会福祉協議会は地域福祉の推進を図ることを目的とする民間団体であり、社会福祉法に位置付けられています。

check
　第二種社会福祉事業の対象は幅広く、「母子及び父子並びに寡婦福祉法」に基づいた、母子家庭等に対して各種の相談に応じる「母子・父子福祉センター」、母子家庭等に対してリクリエーションその他休養のための便宜を供与することを目的とする「母子・父子休養ホーム」なども含まれる。

check
　社会福祉の供給主体が民間へも拡大することが進められたのは、1998（平成10）年の「社会福祉基礎構造改革について（中間まとめ）」においてである。

アドバイス
　社会福祉協議会は、1951（昭和26）年に「社会福祉事業法」（現：社会福祉法）に基づいて創設された組織である。

市町村社会福祉協議会と地区社会福祉協議会は、その区域内の社会福祉を目的とする事業の企画・実施、住民参加のための援助、事業の健全な発達を図るための事業等を行っています。

都道府県社会福祉協議会は、広域的な見地から行うことが適切な事業を行っています。また、全国社会福祉協議会は、都道府県社会福祉協議会の全国的な連合となっています。

⑵ 共同募金会

共同募金会は、共同募金事業を目的として設置される第一種社会福祉事業の社会福祉法人です。社会福祉法に規定されています。毎年1回、都道府県を区域として寄附金の募集を行っています。共同募金会には、寄附金の公正な配分を行うため、配分委員会が設置されています。

⑶ 民生委員（児童委員）

民生委員は、民生委員法に基づき、福祉の増進を目的に市町村の区域に置かれている民間奉仕者であり、児童委員を兼ねています。任期は3年で給与は支給されません。住民の立場に立って相談に応じ、必要な援助を行います。そのため、常に人格識見の向上と、その職務を行う上に必要な知識及び技術の修得に努めなければなりません。

民生委員は、民生委員会を組織して、必要に応じて関係各行政庁に意見具申することができます。1994（平成6）年には主任児童委員制度が発足しており、児童福祉の機関と児童委員との連絡調整や、児童委員の活動への協力等を職務としています。

⑷ ボランティア

ボランティアは、社会福祉法において地域福祉の推進主体として位置付けられています。自発性（自主性）の活動であり、強制されるものではありません（ボランティア中の事故・補償に備えた保険もある）。近年、法人格を持つボランティア団体が増えていますが、その背景には、特定非営利活動促進法の存在があります。

check
2022（令和4）年度の共同募金の募金金額は、168億275万9,711円で、方法としては戸別募金が最も多く84億9,107万8,560円（50.5％）であった。

民生委員法
…▶ p.251

児童委員・
主任児童委員
…▶ p.195

check
このほかの地域福祉関連の取り組みとしては、日本赤十字社の災害救護活動、医療事業、血液事業、ボランティアの組織化、救急法等の講習等が挙げられる。

5 社会福祉従事者の資格

1 国家資格

　社会福祉従事者の国家資格には、次のような資格があります。これらの資格は、すべて**名称独占**の資格です。名称独占とは、資格取得者以外はその資格の名称を使用することができないようにする規制です。そのため、一般の人による相談援助や保育、介護などの行為を制限するものではありません。一方で、その資格を持つ者でなければ業務を行うことができないことを業務独占といいます。弁護士、医師、建築士などが該当します。

■ 社会福祉従事者の国家資格と主な業務 ■

社会福祉士	社会福祉士及び介護福祉士法
・心身の障害または環境上の理由で日常生活に支障がある者の福祉に関する相談、助言、指導。 ・福祉サービス提供者、医師、保健医療サービス提供者等と連携、調整等の援助。	

介護福祉士	社会福祉士及び介護福祉士法
・心身の障害により日常生活に支障がある者の心身の状態に応じた介護。 ・その者とその介護者に対する介護に関する指導。	

精神保健福祉士	精神保健福祉士法
・精神障害の医療を受けまたは社会復帰施設を利用している者の相談、助言、指導。 ・日常生活の適応に必要な訓練等の援助。	

保育士	児童福祉法
・児童の保育及び児童の保護者に対する保育に関する指導。	

公認心理師	公認心理師法
・心理に関する支援を要する者の心理状態の観察と分析。 ・その者及び関係者への相談、助言、指導。	

2 主な任用資格

　行政機関等における社会福祉に関する**任用資格**◆と配置される機関は次のとおりです。

check
　社会福祉従事者には秘密保持義務が課せられており、職務を退いた後にも同様の義務がある。

check
　保育士となる資格を有する者が保育士となるには、都道府県の保育士登録簿に、氏名、生年月日その他内閣府令で定める事項の登録を受けなければならない（ただし、登録にあたっての有効期限等はない）。

check
　保育士の行動規範については「全国保育士会倫理綱領」にも示されている。

用語
◆任用資格
　その業務を遂行する者として任用されるために必要となる資格のこと。

資格名	配置機関
社会福祉主事	福祉事務所等
児童福祉司	児童相談所
身体障害者福祉司	身体障害者更生相談所等
知的障害者福祉司	知的障害者更生相談所等
精神保健福祉相談員	精神保健福祉センター
児童指導員	児童養護施設等

(1) 社会福祉主事

　生活保護法、児童福祉法、母子及び父子並びに寡婦福祉法、老人福祉法、身体障害者福祉法及び知的障害者福祉法に定める援護・育成・更生等に関する事務を担っています。職務の範囲は、配属先によって異なります。

(2) 児童福祉司

　児童相談所長の命を受けて、児童の保護その他児童福祉に関する事項について、相談に応じ、専門的技術に基づいて必要な指導を行います。

(3) 身体障害者福祉司・知的障害者福祉司

　身体障害者更生相談所には身体障害者福祉司、知的障害者更生相談所には知的障害者福祉司が配置されています。相談所の長の命を受けて、障害者の福祉に関する専門的な知識及び技術を必要とする業務等を行います。

(4) 精神保健福祉相談員

　精神保健及び精神障害者の福祉に関する相談に応じ、精神障害者及びその家族を訪問して必要な指導を行います。都道府県及び市町村の**精神保健福祉センター**、**保健所**等の施設に配置されます。

(5) 児童指導員

　保護者のいない児童や虐待されている児童など、家庭環境上、養護を必要とする子どもが入所する施設において、子どもたちの育成、生活指導を行います。

3 その他の資格

(1) 母子・父子自立支援員

ひとり親家庭の相談や指導、職業能力の向上と求職活動に関する支援等の業務を行います。福祉事務所に配置されます。

(2) 女性相談支援員（婦人相談員）

女性相談支援センターに配置され、関係機関との連携を図り、要保護女子の発見に努めるとともに、寡婦等に対して相談に応じ、その自立に必要な情報提供及び指導を行う専門職です。

(3) 介護支援専門員

介護保険法に基づく相談援助の専門職であり、ケアプランの作成等の業務を担います。介護保険施設、地域包括支援センター、居住介護支援事業所に配置が義務付けられています。

(4) 家庭支援専門相談員（ファミリーソーシャルワーカー）

対象児童の早期家庭復帰のため、保護者等に対する相談援助業務、退所後の児童に対する継続的な相談援助、里親委託の推進のための業務等を担う専門職です。乳児院、児童養護施設、児童心理治療施設、児童自立支援施設に配置が義務付けられています。

業務の専門性の高さから、資格要件は、社会福祉士もしくは精神保健福祉士の有資格者、児童養護施設等において児童の養育に5年以上従事した者、児童福祉法13条3項各号のいずれかに該当する者となっています。

(5) スクールソーシャルワーカー

児童生徒が抱えるいじめ、不登校、暴力行為等の課題・問題の解決を図るため、学校等に配置が進んでいます。

(6) 子育て支援員

子ども・子育て支援新制度において実施される小規模保育、家庭的保育、ファミリーサポートセンター、一時預かり、放課後児童クラブ、地域子育て支援拠点等の事業・支援の担い手です。「基本研修」及び「専門研修」の修了が要件になります。

check
法改正により、2024（令和6）年4月1日より婦人相談員は「女性相談支援員」に名称変更された。

check
乳児院は、定員が10人未満・以上を問わず、家庭支援専門相談員の配置が義務付けられている。

4 社会福祉

❹ 社会福祉行財政の実施体制と福祉サービスの提供体制

ここで チャレンジ

問題 次の記述で正しいものに○、誤っているものに×をつけよ。

1. 地域包括支援センターは、障害者総合支援法に基づき設置される機関である。

2. 介護保険法では、利用者は介護給付を受けたときはその費用の一部を所得に応じて負担する応能負担である。

3. 発達障害者支援センターでは、障害児への相談支援も行っている。

4. 社会福祉法人は、特定非営利活動法人と同様、資産を備える必要はないと法律によって規定されている。

5. 女性相談支援センターは、市町村に設置が義務付けられている。

6. 社会福祉協議会は、地域福祉の推進機関として位置付けられた民間団体である。

7. 社会福祉士、介護福祉士、保育士は、いずれも名称独占の国家資格である。

8. 社会福祉法人は、規制・監督を受けることはない。

9. 社会福祉士及び介護福祉士は、その業務に関し知り得た人の秘密を資格を失った後も漏らしてはならない。

解答

1 × **2** × **3** ○ **4** × **5** × **6** ○ **7** ○ **8** × **9** ○

1 地域包括支援センターは、介護保険法に基づき、市町村が設置主体の機関である。

2 介護保険法の利用者負担は応益負担である。ただし、所得に応じた減免措置が講じられている。

4 社会福祉法人は、社会福祉事業を行うに必要な資産を備えなければならないと定められている（社会福祉法25条）。

5 都道府県に設置義務がある。配偶者暴力相談支援センターとしての機能も併せ持つ。

8 社会福祉法人は、社会福祉法によりそれぞれ所轄庁が定められており、そこからの規制・監督を受ける。

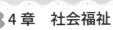

section 5　社会保障制度

出題
point
- 医療保険の種類とその概要
- 公的年金制度の概要
- 介護保険制度と生活保護制度

1　社会保障の機能と分野

　1950（昭和25）年に「**社会保障制度に関する勧告**」（通称「50年勧告」）が出されて以降、わが国の社会保険制度は大きく発展しました。社会保障には①生活安定・向上機能、②所得再分配機能（垂直的再分配、水平的再分配）、③経済安定機能（自動安定化装置）という3つの重要な機能があり、近年、その目的は、「生活の最低限度の保障」から「**広く国民に安定した生活を保障するもの**」に変化してきています。

■ **社会保障制度審議会の勧告（抜粋）**■

　社会保障制度とは、疾病、負傷、分娩、廃疾、死亡、老齢、失業、多子その他困窮の原因に対し、**保険的方法又は直接公の負担**において経済保障の途を講じ、生活困窮に陥った者に対しては、国家扶助によって**最低限度の生活を保障する**とともに、**公衆衛生及び社会福祉**の向上を図り、もってすべての国民が文化的社会の成員たるに値する生活を営むことができるようにすることをいうのである。このような生活保障の責任は**国家**にある。

2　医療保障

1　医療保険の種類

　医療保障の中心は医療保険です。医療保険は、**職域保険**

check

　労働者及びその被扶養者の業務災害以外の疾病、負傷若しくは死亡又は出産に関する医療保険給付等について定めた法律として、健康保険法がある。同法では、出産育児一時金や出産手当金の支給についても定めている。

check

　医療費（公的医療保険制度）の療養の給付時の負担金は、義務教育就学前の子どもは2割、それ以降〜70歳未満の者は3割、70〜74歳までの者は2割（現役並み所得者は3割）である。子ども期の医療費の無料化等の助成は、各自治体の独自の取り組み等によるものである。

と地域保険、後期高齢者医療制度に大きく分けられます。職域保険には、「組合管掌健康保険」「全国健康保険協会管掌健康保険」「船員保険」「各種共済組合保険」があります。地域保険には「国民健康保険」があります。

(1) 組合管掌健康保険

組合管掌健康保険は、主に大企業の従業員や事業者が健康保険組合をつくり、その組合が保険者となって制度の運営を行っています。

(2) 全国健康保険協会管掌健康保険（協会けんぽ）

全国健康保険協会が保険者となって制度の運営を行っています。財政運営は都道府県単位で、健康保険組合を持たない中小企業の多くが加入しています。

(3) 船員保険と共済組合保険

船員保険は、海上労働の特殊性を考えて設けられた保険で、政府が保険者となって制度の運営を行っています。共済組合保険は、国家公務員共済組合、地方公務員共済組合等の各種共済組合が保険者となり制度を運営しています。

(4) 国民健康保険

国民健康保険には、医師、弁護士等の同業者で保険組合をつくり、保険者となって制度の運営を行う「国民健康保険組合」と、都道府県が市区町村とともに制度の運営を行う「国民健康保険」があります。「国民健康保険」の対象は、他のいずれの医療保険にも加入することができない自営業者や農林水産業者とその家族です。

(5) 後期高齢者医療制度

75歳以上の国民を対象とした医療保険制度で、老人保健法が改正・改称されて成立した高齢者の医療の確保に関する法律により創設されました。保険料は原則として年金から天引きで徴収されます。医療を受けた場合の自己負担は原則として1割（現役並み所得者は3割、一定以上の所得者は2割）です。

check

健康保険法では、健康保険（日雇特例被保険者の保険を除く）の保険者を全国健康保険協会及び健康保険組合と定めている。

check

2018（平成30）年4月1日から、都道府県が当該都道府県内の市区町村とともに、国民健康保険制度の運営を担っている。都道府県が財政運営の責任主体となり、安定的な財政運営や効率的な事業運営の確保等をはじめとする運営の中心的な役割を果たしている。

2 医療保険の給付

医療保険の給付は、医療機関にかかった場合に必要な医療を現物で給付する**医療給付**と、その他の**現金給付**があります。

check
医療保険の給付
には一部自己負担が
ある。

■ 医療保険の主な給付 ■

> 医療給付：療養の給付、入院時食事療養費、入院時生活療養費、
> 　　　　　保険外併用療養費、療養費、訪問看護療養費、高額
> 　　　　　療養費、高額介護合算療養費
> 現金給付：移送費、傷病手当金、埋葬料、出産育児一時金、出
> 　　　　　産手当金

3 低所得者対策

医療保険は、加入者が納める保険料によって運営されていますが、国民健康保険では、低所得者世帯に対し保険料の**減免制度**が設けられています。また、生活保護受給世帯の場合は、医療保険に代わり**生活保護**により医療扶助が現物給付され、医療を受けることができます。

指定医療機関で医療扶助を受ける際は、福祉事務所の発行する**医療券**を提出することになっています。

3　所得保障

1 公的年金制度の概要

公的年金制度は、高齢、障害、死亡などにより、所得がなくなったり減額したりした場合に、生活を安定させるための仕組みであり、**社会保険方式**に基づいています。

すべての国民が国民年金に加入し、一定の年齢になると**基礎年金**を受けることができます。わが国では、**1961**（昭和36）年に**国民皆年金**の体制が整えられました。被保険者は「**20歳以上60歳未満**」の国民です。学生納付特例制度を利用することで、「**20歳以上で大学等への在学期間中**」の保険料納付を猶予することができます（追納可能）。

4

社会福祉

❺
社会保障制度

[被保険者]

①自営業者は、**第1号被保険者**といい、**国民年金のみに加入し**ます。希望すれば、国民年金基金や確定拠出年金に加入することができます。

②民間企業の被用者（サラリーマン）、公務員、私立学校教職員は、**第2号被保険者**といい、いずれも**国民年金と厚生年金**に加入しています。

③第2号被保険者の配偶者等の被扶養者は、**第3号被保険者**といいます。**国民年金**のみの加入で、配偶者が加入する年金制度が負担するため保険料は徴収されません。

2 年金の受給と給付の形態

(1) 年金の受給

　厚生年金あるいは共済年金に加入したことのない第1号被保険者と第3号被保険者（①）は、**基礎年金**のみを受給します。第2号被保険者と厚生年金あるいは共済年金に加入したことのある第1号被保険者と第3号被保険者（②）は、**基礎年金**と**厚生年金**を受給します。

■ 公的年金制度の体系 ■

(2) 給付の形態

①老齢年金（原則 **65** 歳から支給）

②障害年金（**障害**を事由に支給）

　障害年金の受給には、原則として、事前の保険料拠出が必要ですが、国民年金に加入する 20 歳前に障害を持った場合はこの限りではありません。

③遺族年金（被保険者等が死亡した際に**遺族**等に支給）

check
　産前産後休業期間中の健康保険・厚生年金保険料の納付は免除されている。

check
　老齢年金の受給要件は、保険料納付済期間と国民年金の保険料免除期間等の合算資格期間が原則 25 年以上必要だったが、2017（平成 29）年 8 月 1 日より、資格期間が 10 年以上あれば老齢年金を受け取ることができるようになった。

check
　国民年金の遺族年金は、子と子のある妻のみに支給される。遺族厚生年金は、配偶者または子、父母、孫、祖父母に支給され、遺族の範囲が広い。

4 労働保障

働いている間の事故で深刻な生活困難を引き起こすものには、失業と労働災害の2つがあります。この2つに対応するための労働保険には、雇用保険と労働者災害補償保険があります。

check
雇用保険と労災保険は、公務員は適用除外である。

1 雇用保険の概要

雇用保険は、労働者の生活の安定と雇用の安定を図るだけでなく、失業を少なくして雇用全体の安定を図ることを目的としています。保険者は**国**で、被保険者は、**適用事業に雇用される労働者**です。保険料は、原則として雇用者と被用者が**折半して負担**することになっています。

2 雇用保険の給付

雇用保険では次のような給付があります。

■ 雇用保険による給付 ■

・**失業等給付**
　①**求職者給付** ：失業者の生活を支える。
　②**就職促進給付**：再就職を促進する。
　③**教育訓練給付**：教育訓練を受講した費用を一部援助する。
　④**雇用継続給付**：労働者の職業生活の円滑な継続を援助する。
・**育児休業給付**：育児をする労働者の職業生活の円滑な継続を援助する。

check
雇用継続給付には、高年齢雇用継続給付と介護休業給付がある。

3 雇用保険による事業

雇用保険では、保険給付とは別に、2つの事業を行っています。失業の予防や雇用機会の増大等を行う「**雇用安定事業**」と、被保険者の能力を開発して、向上させることを促進する「**能力開発事業**」です。

育児休業給付金も雇用保険制度によるもので、一定の条件を満たした場合、再度申請することで育児休業期間を最長**2**歳まで延長することができます。また、それに合わせて、**育児休業給付の支給期間**も延長されます。

4 労働者災害補償保険（労災保険）

業務上の事故や通勤による労働者の負傷、疾病、傷害、死亡等に対して必要な医療等の給付を行い、**社会復帰の促進と家族の援護**を行うことを目的としています。

保険者は**国**で、被保険者は**公務員を除く被用者**（労働者）です。保険料は事業主が全額負担し、**被用者**の負担はありません。

5 その他の保障

1 介護保険制度の概要

介護保険制度は、**1997**（平成9）年に**成立した介護保険法**に基づき**2000**（平成12）年から**施行**されている制度です。介護サービスの利用により、可能な限り自宅で自立した日常生活を営めるようにすることが目的です。

介護保険の保険者は**市区町村**で、被保険者は、「**65歳以上のすべての人（第1号被保険者）**」と「**40歳以上65歳未満の医療保険の加入者（第2号被保険者）**」です。

2 介護保険の給付

介護保険制度では、要介護認定は市町村が行っています。**要介護1〜5**の認定者は、施設サービス、居宅サービス、地域密着型サービス、**要支援1・2**の認定者は介護予防サービス、地域密着型介護予防サービス、介護予防事業等を利用できます。利用者はサービスを提供する民間事業者と契約してサービスを利用する**契約方式**で、利用料の一部を負担する**応益負担**方式が採用されています。

介護保険の自己負担割合が変更され、2018（平成30）年8月から、原則1割負担に加えて、第1号被保険者である高齢者本人の**合計所得金額**◆が一定額以上ある場合は2割または3割負担の3段階のしくみになりました。

◆合計所得金額
収入から公的年金控除や給与所得控除、必要経費を控除した後で、基礎控除や人的控除等の控除をする前の所得金額。

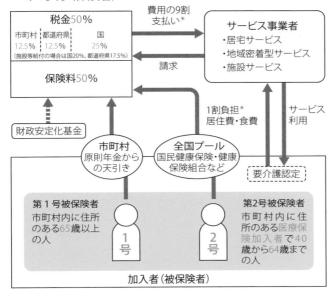

■ 介護保険制度の仕組み ■

市町村（保険者）

税金50%
| 市町村 | 都道府県 | 国 |
| 12.5% | 12.5% | 25% |
（施設等給付の場合は国20%、都道府県17.5%）

保険料50%

費用の9割
支払い*

サービス事業者
・居宅サービス
・地域密着型サービス
・施設サービス

請求

財政安定化基金

市町村
原則年金から
の天引き

全国プール
国民健康保険・健康
保険組合など

1割負担*
居住費・食費

サービス
利用

要介護認定

第1号被保険者
市町村内に住所
のある65歳以上
の人

1号

2号

第2号被保険者
市町村内に住
所のある医療保
険加入者で40
歳から64歳まで
の人

加入者（被保険者）

＊介護保険の被保険者の自己負担割合は原則1割であるが、2018（平成30）年8月より、一定所得者については合計所得金額に応じて2割または3割負担となった。

資料：「公的介護保険制度の現状と今後の役割（平成30年度）」（厚生労働省）

3 介護保険制度のケアマネジメント

　ケアマネジメントは、生活課題を抱えている人に対して、必要なサービスを効果的・継続的に組み合わせて援助していくことです。

●ケアマネジメントの過程●

インテーク	：初回面接。相談内容を確認し、利用者のニーズや課題を整理する。
アセスメント	：利用者の生活における課題を分析する。
ケアプラン作成	：利用者ごとのケアプランを作成する。
サービスを実施	：利用者に介護サービスを提供する。
モニタリング	：サービスが効果的であったかどうかを評価する。

4 生活保護制度

　生活保護は、生活に困窮するすべての国民に対し、その困窮の程度に応じて必要な保護を行い、その「**最低限度の生活を保障する**」とともに、その「自立を助長する」ことを目的としています。

　2023（令和5）年1月現在、生活保護受給者数は約202万人で、2015（平成27）年3月をピークに減少に転じています。生活保護受給世帯数は約165万世帯であり、保護率は1.62%です。高齢者世帯の被保護世帯数が増加している一方で、高齢者世帯以外の世帯は減少傾向が続いています。

　保護は、生活保護法に定める要件を満たす限り、困窮に陥った理由を問わず**無差別平等**に行われます。要保護者が急迫した状況にあるときは、申請がなくても必要な保護を実施することができます。申請者の資産や能力等をその最低限度の生活の維持のために活用することが前提となるため、申請者の状況を確認・判断するために**ミーンズテスト**と呼ばれる資力調査が行われます。

⋅⋅👑⋅ check ✦
　生活保護費の負担割合は、国が4分の3、地方自治体が4分の1である。

■ 生活保護費負担金（事業費ベース）実績額の推移 ■

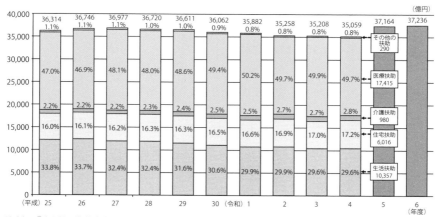

資料：「生活保護費負担金事業実績報告」
＊1 施設事務費を除く
＊2 令和4年度までは実績額（4年度は暫定値）、令和5年度は補正後予算、令和6年度は当初予算
＊3 国と地方における負担割合については、国3/4、地方1/4

276

その実際を生活保護費負担金（事業費ベース）の実績額でみると、医療扶助が全体の半数程度を占めています。

　また、生活保護法では、居宅での保護を原則としていますが、補完的な位置づけで保護を実施するための施設（保護施設）が設置されています。

■ 生活保護の原理 ■

①国家責任：日本国憲法25条の生存権を実現するため、国が責任をもって生活に困窮する国民の保護を行う。
②無差別平等：すべての国民は法に定める要件を満たす限り、理由や社会的身分等に関わらず無差別平等に保護を受給できる。
③最低生活：健康で文化的な最低限度の生活を維持できるものを保障する。
④保護の補足性：保護を受ける側に要する原理で、持てる能力や資産、あらゆるものを活用する最善の努力をしても生活が維持できない場合に生活保護制度を活用できる。

■ 生活保護の原則 ■

①申請保護の原則：要保護者、その扶養義務者その他の同居の親族の申請に基づいて行う。
②基準及び程度の原則：要保護者の金銭や物品で満たせない不足する分を保護によって補う。また、最低限度の生活の需要を満たすに十分で、かつこれを超えない程度とする。
③必要即応の原則：要保護者の年齢・性別・健康状態等、その個人や世帯の実際の必要の相違を考慮して、有効かつ適切に行う。
④世帯単位の原則：保護は原則として世帯を単位とする。ただし、世帯分離により個人を単位として定めることができる。

■ 生活保護制度の保護の種類 ■

①生活扶助：衣食住その他日常生活に必要なもの
②教育扶助：義務教育に伴って必要となるもの
③住宅扶助：家賃、住宅の維持のために必要となるもの
④医療扶助：診察、薬剤、治療材料の代金など
⑤介護扶助：介護保険のサービスに準じるもの
⑥出産扶助：分べんに関するもの
⑦生業扶助：生業に必要な資金、就労のために必要なもの
⑧葬祭扶助：葬祭のために必要なもの

♛check
小中学校の給食費は、教育扶助から給付される。

♛check
医療扶助と介護扶助においては、原則的に自己負担はない。

■ 保護施設の種類 ■

- **救護施設**：身体上又は精神上著しい障害があるために日常生活を営むことが困難な要保護者を入所させて、生活扶助を行うことを目的とする施設
- **更生施設**：身体上又は精神上の理由により養護及び生活指導を必要とする要保護者を入所させて、生活扶助を行うことを目的とする施設
- **医療保護施設**：医療を必要とする要保護者に対して、医療の給付を行うことを目的とする施設
- **授産施設**：身体上若しくは精神上の理由又は世帯の事情により就業能力の限られている要保護者に対して、就労又は技能の修得のために必要な機会及び便宜を与えて、その自立を助長することを目的とする施設
- **宿所提供施設**：住居のない要保護者の世帯に対して、住宅扶助を行うことを目的とする施設

生活保護法は 2013（平成 25）年に改正され（2014〔平成 26〕年施行）、就労自立給付金の創設のほか、福祉事務所の調査権限の拡大や不正受給に係る返還金の上乗せなど、不適切な受給に対する対策が強化されました。

5 社会手当

社会手当◆には、児童手当、児童扶養手当、特別児童扶養手当、障害児福祉手当、特別障害者手当などがあります。公費で賄われ、**公的扶助**としての役割も果たしています。いずれの手当も支給に**所得制限**があります。

なお、2024（令和 6）年 10 月 1 日施行の法改正により、児童手当の所得制限は撤廃される予定です。

■ 主な手当と支給対象 ■

手当の種類	支給対象
児童扶養手当	父母が離婚、父又は母が死亡・障害の状態にある・生死不明、父又は母が裁判所からの DV 保護命令を受けた子ども、婚姻によらないで生まれた児童等を監護、養育している父母等に支給
特別児童扶養手当	20 歳未満で精神又は身体に障害を有する児童を家庭で監護、養育している父母等に支給

用語

◆社会手当

公的扶助と社会保険との中間的制度で、公的扶助のように財源は公費だが、社会保険のように事前の加入や拠出を条件としていない。

児童手当
•••▶ p.178

check

児童扶養手当法における児童とは、18 歳に達する日以後の最初の 3 月 31 日までの間にある者又は 20 歳未満で一定の障害の状態にある者をいう。

障害児福祉手当	精神又は身体に重度の障害を有するため、日常生活において常時の介護を必要とする状態にある在宅の 20 歳未満の者に支給
特別障害者手当	精神又は身体に著しく重度の障害を有するため、日常生活において常時特別の介護を必要とする状態にある在宅の 20 歳以上の者に支給

6 生活困窮者対策

生活困窮者自立支援法

生活保護に至る前の段階の自立支援の強化を図るため、生活困窮者に対し、自立相談支援事業の実施、住居確保給付金の支給その他の生活困窮者に対する自立の支援に関する措置を講ずることにより、生活困窮者の自立の促進を図ることを目的としています。

7 その他

(1) 生活福祉資金貸付制度

生活福祉資金貸付制度は、低所得者世帯、障害者世帯、高齢者世帯に対し、経済的自立と生活の安定のため、そして在宅福祉と社会参加を促進するために、資金の貸付を行うものです。実施主体は都道府県社会福祉協議会です。

貸付の種類は、総合支援資金、福祉資金、教育支援資金、不動産担保型生活資金の 4 つです。

(2) 母子父子寡婦福祉資金貸付金制度

母子世帯、父子世帯、寡婦世帯を対象に、経済的自立と扶養している児童の福祉増進のために、資金の貸付を行うものです。生活福祉資金貸付制度とほぼ同様の内容の貸付制度ですが、実施主体は都道府県です。

(3) 公営住宅制度

公営住宅法に基づき、地方公共団体が建設、買い取りまたは借り上げた住宅を、低所得者に提供する制度です。

check
安定した住居の確保と就労自立を図ることを目的に「生活困窮者住居確保給付金制度」がある。

check
生活福祉資金貸付制度は、2009（平成 21）年 10 月に改正され、10 種類あった貸付種類が統合されて 4 種類になった。

check
父子福祉資金の貸付制度は、2014（平成 26）年 10 月 1 日より始まっている。

問題 次の記述で正しいものに○、誤っているものに×をつけよ。

1. 国民健康保険には、すべての国民が加入することになっている。

2. 育児休業給付及び介護休業給付は、雇用保険制度から支給される給付である。

3. 雇用保険は、公務員にも適用される。

4. 児童扶養手当は所得制限のない社会手当である。

5. 要介護認定は、都道府県が行う。

6. 生活保護法による保護施設の種類は、「救護施設」「更生施設」「医療保護施設」「授産施設」「宿所提供施設」の5つである。

7. 幼稚園の教育費は、生活保護法における教育扶助の対象となる。

8. 医療保険制度における自己負担割合は、0歳から義務教育就学前までは2割である。

9. 生活保護法は、生活困窮を事前に予防することを目的としている。

10. 生活保護は、個人を単位としてその要否や程度を決定することを原則としている。

解答

1 × **2** ○ **3** × **4** × **5** × **6** ○ **7** × **8** ○ **9** × **10** ×

1 企業の従業員や事業者は国民健康保険ではなく、組合管掌健康保険に加入する。また、公務員は共済組合保険に加入する。

3 公務員は、雇用保険の適用外である。

4 児童扶養手当には、所得制限がある。

5 要介護認定は、市町村が行う（介護保険法27条）。

7 教育扶助は義務教育の就学にかかる費用が対象とされる。

9 生活困窮者の最低限度の生活保障並びに自立を助長する救貧を目的としている。

10 保護は、原則として世帯を単位としてその要否や程度を定めるものとする。

社会福祉における相談援助

出題
point

- ソーシャルワークの理論
- 保育とソーシャルワーク
- 相談援助の原則と技術

1　相談援助の意義と原則

1　相談援助の意義

　相談援助とは、生活課題を抱える保護者等の相談に応じる専門的技術であり、その解決・緩和を図るものです。専門用語で**ソーシャルワーク**と呼ばれています。

　社会福祉の法律や制度などが整備されていても、それを活用することができなければ、安心して暮らせる社会として機能していきません。ソーシャルワークは、人的・物的・制度的な社会資源を活用する援助技術であり、安心して暮らせる社会づくりをめざすものです。

　ソーシャルワークには、**ケースワーク**と**グループワーク**があります。前者は個人の抱える課題の解決等を目指すのに対して、後者は集団の力を用いてメンバーの問題解決や成長を図る支援を行います。

　また、個人のレベルで考えれば、社会に暮らす人の人間関係の問題を解決することにより、福利（ウェルビーイング）が増進することをめざすものでなければなりません。そのためには、利用者中心の考え方に立ち人権意識を高く持ちながら、**QOL（生活の質）**の向上をめざして実践される必要があります。

check
　ケースワークの源流は、イギリスにおけるチャルマーズ（Chalmers ,T.）の隣友運動とロンドンの慈善組織協会（COS）の活動である。

check
　ソーシャルワークとカウンセリングを混同してはならないが両者の技術や視点等は、相談援助を行うに当たって活用が可能な内容が多い。
QOL
> p.232

2 ソーシャルワークのグローバル定義

　国際ソーシャルワーカー連盟（IFSW）が 2014 年に採択した「ソーシャルワークのグローバル定義」（日本語定義）によると、「ソーシャルワークは、社会変革と社会開発、社会的結束、および人々のエンパワメントと解放を促進する、実践に基づいた専門職であり学問である。社会正義、人権、集団的責任、および多様性尊重の諸原理は、ソーシャルワークの中核をなす」と定めています。これは、先の 2000 年に同連盟が定めた定義を改訂したものです。

3 相談援助の理論

　近年のソーシャルワークは、ジェネリックな視点で利用者の課題・問題を解決しようとする理論（ジェネラリスト・ソーシャルワークの理論）に基づいています。「ジェネリック」とは「**汎用性のある**」「**一般的な**」という意味で、ジェネリック・ソーシャルワークにおいては、生活課題の解決に当たり、利用者に固有の事象ではなく、問題の**全体像**をとらえるという点が特徴です。

　ジェネラリスト・ソーシャルワークの実践モデル（実践するための方法や理論）としては、**治療モデル**、**生活モデル**、**ストレングスモデル**がありますが、実際には、それぞれの視点を組み合わせて全体像をとらえながら活用し、実践していきます。各モデルの概要は以下の表のとおりです。

■ ソーシャルワークの実践モデルの概要 ■

治療モデル	リッチモンドが『社会診断』を著した。医師が治療する際の方法論を応用し、ソーシャルワークの過程を「調査→社会診断→処遇」と考えた方法である。
生活モデル	ライフモデルともいわれる。ピンカス、ミナハンらによって 1980 年代に提唱され、ジャーメインとギッターマンによって体系化された。生態学や一般システム理論を取り入れ、ソーシャルワークにおいて、人と環境の相互作用に焦点を当てることを特徴としている。社会資源の活用のほか、広く利用者を取り巻く環境への適応を高めていく支援も含まれる。エコロジカル（生態学）アプローチに含まれている考え方である。

check
ジェネラリスト・ソーシャルワークの対象レベルは、ミクロレベル（個人）、メゾレベル（家族、集団）、マクロレベル（地域、社会）の3段階に分かれる。

check
相談援助におけるモデルとは、申請者の抱える問題や悩みの原因をどこに求めるかの視点の一つでもある。

ストレング スモデル	1980年代後半からサリーベイやラップによって紹介 された。利用者の問題点ではなく、元に戻ろうとす る回復力に焦点を当てる方法である。

4 ソーシャルワークの原則

(1) バイステックの7原則

　バイステックは、援助を受ける社会的問題を抱えた利用者の要求を7つに集約し、それらに対応する援助者のとるべき態度を7原則として打ち立てました。相談援助の場面に限らず、保育士が子育て支援を行う際にも尊重すべき内容です。

覚えよう！

●**バイステックの7原則**●
①**個別化**…一人一人の利用者を個人として捉えること
②**意図的な感情表出**…利用者の自由な感情表現を促すこと
③**統制された情緒的関与**…利用者が表出した感情に対して支援者自身が自らの感情を自覚して理解すること
④**受容**…利用者をあるがままに受け入れること
⑤**非審判的態度**…利用者を一方的に非難しないこと
⑥**自己決定**…利用者の自己決定を促して尊重すること
⑦**秘密保持**…利用者の様々な情報を他者に漏らさないこと

(2) パールマンの4つのP

　パールマンは、個別援助技術を、「**個人**が社会に機能する際に出合う**問題**を、より効果的に処理できるよう援助するために、ある**人間関係機関**によって用いられる**過程**である」と定義しました。その構成要素は4つの"P"とされています。

覚えよう！

●**パールマンの4つの"P"**●
①**人（Person）**…生活上の課題を抱え、支援を必要とする人
②**問題（Problem）**…利用者が直面する生活上の課題や問題
③**場所（Place）**…利用者への支援が行われる場所
④**過程（Process）**…ラポール（信頼関係）を基に展開される支援過程

アドバイス
「共感」はバイステックの7原則にはないことに注意する。対人援助においてより良い関係を築いていくための行動規範である。

5 保育とソーシャルワーク

(1) 保護者への対応

　保育の現場では、これまでも保護者への対応が行われてきました。しかし、共働きの増加や核家族化の進行に伴う子どもや子育てに関する理解の不足、スマートフォン等の普及による情報の氾濫、人間関係が希薄化したことによる孤独な育児の発生等により、これまでには考えられなかった子育て上の悩みや不安に、保護者は直面しています。

　保育士は、子どもや保護者が抱える問題やニーズを代弁（アドボカシー）して、支援していくことが求められます。

(2) ソーシャルワークの進め方

　ソーシャルワークは後述の過程をたどりますが、実際には密室での面接に限らず、送迎時や連絡帳、電話等も用いて様々な形で展開していくことになります。このとき、相談を待つばかりでなく、ときには相談が必要な人のもとに出向いてニーズを受け止めるアウトリーチ（支援を必要とする人に支援者から支援につなげるための働きかけ）も効果的です。

　相談を受ける際には、カウンセリングの技術等も活用するなかで、利用者の自己決定を尊重し、ストレングス（強み・強さ）の視点を踏まえて関わることが求められます。個人のストレングスとしては、有する能力（知識や技術、自立度等を含む）や特技、頼れる人や機関、地域の中での支えあい等の支援・生活上の強みとなる視点があげられます。

(3) 専門職との連携

　地域で子どもを支えていくためには、他の保育士をはじめ、医療関係者、心理の専門職、リハビリテーションの専門職などとの連携が必要となります。こうした近接領域または、関連の専門家から専門的な助言や意見を受けることをコンサルテーションといいます。異なる専門性をもつ複数の専門職者が、特定の問題について検討し、よりよい援助のあり方について話し合う過程ともいえます。

check
　ソーシャルワーク実践とは、「対象者と社会資源の関係を調整する等して課題解決や自己実現等を支えていく過程」をいうが、対象者が主体的に活動することを側面的に支える活動であることを忘れてはならない。

check
　各種場面では、当事者自身が力を得て、自らの力で問題・課題を解決していけるような側面的な支援であるエンパワメントの考えも重要である。

2 相談援助の方法と技術

1 ソーシャルワークの展開過程（ケースワーク）

ケースワークは、次のような過程を経て展開されます。インテーク前の「ニーズキャッチ（ケース〔ニーズ〕の発見）」では、直接相談が持ち込まれる場合もあれば、**アウトリーチ**による場合もあります。早期発見や利用者との信頼関係の構築が大切ですが、場合によっては解決に時間を要したり、更なる課題を生じさせることもあります。接近困難なケースでは関係機関の協力を得ながら支援体制を構築することが大切です。

アドバイス

ケースの発見（相談が始まる契機）は、直接の来談、電話での受付、メールによる相談、訪問相談等、様々である。

check

地域の関係機関等と日頃から連携を深めることは、ケースの早期発見に重要である。

①インテーク
（受理面接）

利用者と支援者の最初の接点です。利用者の主訴を把握しながらラポール（信頼関係）の構築を目指します。
インテークでは、利用者のニーズを多面的に把握します。そして所属機関のサービスを説明し、所属機関で対応できない場合には、必要に応じて他の機関を紹介します。

②アセスメント
（事前評価）

生活課題、利用者の状況、家庭の状況（ストレングスの評価を含む）、活用可能な社会資源、今後必要とされる社会資源を明らかにします。
アセスメントの段階では、利用者の問題解決に向けての状況を理解するために、必要な情報を収集する中で整理・分析していきます。

③プランニング
（援助計画）

アセスメント結果に基づき、短・中・長期目標を設定するなど、利用者の問題解決に向けて具体的な支援内容を計画します。

④インターベンション（介入）

利用者自身に直接働きかけたり、社会資源を活用して環境等に働きかけたりします。立案した支援計画を実践する段階です。
インターベンションでは、多様なニーズを抱えているケースの場合、ソーシャルワーカーが中心となって関係機関に働きかけてチームアプローチを行うこともあります。

⑤モニタリング
（中間評価）

経過観察の段階といわれ、介入実施した内容が妥当であるかを検討します。事後評価を行う上での経過観察の段階です。

| ⑥エバリュエーション
（事後評価） | 目標が達成できたか、利用者の自己決定による納得のできる支援の内容であったかを判断します。 |

| ⑦ターミネーション
（終結） | 援助を終結し、その後の経過を見守る段階です。 |

2 ソーシャルワークの展開過程（グループワーク）

グループワークは、次のような過程を経て展開されます。グループワークでは、グループダイナミクスの視点を生かして関わっていくことが大きな特徴です。

| ① 準備期 | グループの目的を明確にし、具体的な援助計画を立て、その支援ができる環境を整える時期。 |

| ② 開始期 | 利用者がグループに溶け込むために利用者同士の接触、交流をうながす働きかけをし、相互作用を活性化していく時期。 |

| ③ 作業期 | グループの主体的な展開を重視し、利用者と少し距離を保ちながら側面的に援助していく時期。 |

| ④ 終結期 | 利用者自身、自らが自己の目標を評価し、同時に支援者の行う援助を振り返って評価する時期。 |

3 面接場面での相談援助の技術

面接場面における相談援助の技術としての、**傾聴**、**共感**、**受容**等により、利用者（クライエント）とのラポール（信頼関係）を築くことが重要です。相手の話の「傾聴」、相手への「共感」と「受容」が信頼関係構築へとつながっていきます。

■ 面接場面での 3 つの技術 ■

①傾聴	相手が話しやすいように、その人の思いや背景等を感じとれるように、熱心に相手の話を聴くこと。
②共感	利用者の思いや考えに寄り添い、理解しようとする姿勢のこと。
③受容	ありのままの利用者の姿を受け入れる態度のこと。

 覚えよう！

●**相談援助に関わる語句とその他の技術**●

アウトリーチ
　支援の必要な状況であることを認識していない人等に対して、支援者側から援助につなげるための働きかけを行うこと。

スーパービジョン
　支援者が自己について省みるため、専門職や管理者などの指導者から意見を聞くこと。指導者をスーパーバイザーという。スーパービジョンの形には、グループスーパービジョン、セルフスーパービジョンもある。

ケアマネジメント
　利用者が支援計画に基づいて公的な社会資源や民間サービス等を統合的に利用できるように調整したりする働きかけのこと。

ソーシャルアクション
　地域や当事者のニーズに対して、制度や各種サービスの改善等を目指して行われる働きかけのこと。

自己覚知
　支援者が、自己の考えや価値観の偏りを理解すること。

ネットワーキング
　利用者の支援に必要となる公的・私的な社会資源の分野・業種等の横断的な協働関係（ネットワーク）を形成すること。

ワーカビリティ
　利用者が自ら問題解決に取り組んでいこうとする意欲、能力のこと。

アカウンタビリティ
　援助者が利用者に対して援助に関する説明責任を果たすこと。また、一定の結果を出すまでの責任をもつこと。

check
　スーパービジョンの主な機能には、「教育的機能」「支持的機能」「管理的機能」がある。

4 相談援助のアプローチ

　利用者のニーズは多様であり、そのニーズに適したものを活用する必要があります。

機能的アプローチ	タフトとロビンソン、スモーリーらによって提唱されたもので、利用者の潜在的な可能性を基盤に社会的機能を高めることで課題・問題解決を図るアプローチ。
問題解決アプローチ	パールマンによって提唱されたもので、利用者がコンピテンス（対処能力）を獲得していくととらえるアプローチ。
課題中心アプローチ	「いま」「ここ」に焦点を当て、短期的に目的を達成するアプローチ。
危機介入アプローチ	利用者の心理的危機へ介入することによって、社会的機能の回復を目指すアプローチ。
ナラティブアプローチ	利用者の語りによって、出来事がもつ語り手にとっての意味や行動を検討するアプローチ。
行動変容アプローチ	トマスらによって提唱され、オペラント条件づけを基礎理論にしたアプローチ。
エンパワメントアプローチ	社会的にまたは経済的に抑圧や差別されてきた利用者に対し、その潜在能力に気付かせ、対処することで問題解決することを目的としたアプローチ。

5 相談援助の計画・記録

(1) 相談援助の計画

　利用者の課題・問題解決のためには、状況を分析し「計画」を立てて援助を進める必要があります。計画は、目前の実現しなければならない短期目標の解決のための「**短期計画**」、少し先の中期目標の解決のための「**中期計画**」、そして将来を見すえた長期目標の解決のための「**長期計画**」の3つの段階に分けて立てていきます。計画は、支援者のみで立案するのではなく、利用者と**共同**で作成するのが原則です。

　支援に関する情報を共有し、組織的な支援計画を作成するための会議として、定期的にケアカンファレンスが行われます。

(2) 相談援助の記録

　記録は、利用者の課題・問題解決の過程がわかるものであり、次の計画を立てる場合の参考になります。また、利用者に関係する様々な機関や援助者が**情報を共有**するため

の道具として重要です。したがって、記録は、簡潔で読みやすく、理解しやすいものでなければなりません。

　記録を理解しやすいものとするために有効なものとして、申請者から得られた情報を視覚的に見やすくするためのマッピング技法（**ジェノグラム**、**エコマップ**）があります。

　ジェノグラム（家族関係図）は、3世代以上にわたる家族の関係を記号を用いて図示したもの、**エコマップ**（社会関係図）はクライエントとその人を取り巻く環境との関係を円や関係線を使って図式化したものです。

■ ジェノグラムの例 ■

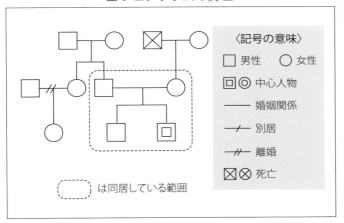

■ エコマップの例 ■

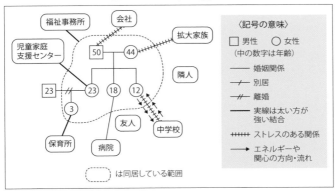

check
　エコマップとは、クライエントとその家族を中心とする社会資源とのつながりを図式化したものである。例では、「隣人」が線によりつながっていない状態であるが、これは、今後に活用が見込まれる（期待される）ことを示している。

ここで チャレンジ

問題 次の記述で正しいものに○、誤っているものに×をつけよ。

1. ネットワーキングは、異なる専門職が連携して支援することを意味しており、ボランティアがネットワークに入り込むことはない。

2. 利用者の言動がたとえ逸脱していると思われた際にも、支援者として相手に同調して許容していかなければならない。

3. 相談援助におけるアウトリーチとは、援助者が利用者本人ではなく、その周囲の人に対して働きかけることによって利用者を支援する方法である。

4. 危機介入アプローチとは、利用者の心理的危機への介入により、社会的機能の回復、あるいは、心理的危機からの回復を行うことを目的とするアプローチである。

5. 利用者を取り巻く家族や地域社会内の社会資源との間にみられる相互関係を「ジェノグラム」という図式に落とし込むことにより、全体像の理解と膨大な社会資源間の関係の理解ができる。

6. 個別面談の際、ある保護者が話しづらそうにしてなかなか語り出さないので、保育士は感じ取ったままに「話しづらいですか」と声をかけた。

7. コンサルテーションとは、課題・問題解決に当たり、関連の専門家等から専門的なアドバイスや助言を受けることをいう。

解答

1 × **2** × **3** × **4** ○ **5** × **6** ○ **7** ○

1 ネットワーキングとは、フォーマル、インフォーマルを問わず、あらゆる社会資源を活用して支援のネットワークを構築していく関連援助技術の一つである。

2 受容とは、どのような場合にも同調して許容するのではなく、本人のありのままの姿を受け入れ、相手の思考を理解していこうとする態度である。

3 アウトリーチとは、支援が必要であるにもかかわらず、支援を申し出ない利用者に対して、支援者の側から働きかけて支援していくことである。

5 利用者を取り巻く家族や地域社会内の社会資源との相互関係を図式化する場合に適しているのは「エコマップ」である。「ジェノグラム」は拡大家族を図式化するのに適している。

4章　社会福祉

重要度 🍓🍓🍓

社会福祉における利用者保護の仕組み

出題 point
- 福祉サービスの情報提供と第三者評価の仕組み
- 福祉サービス利用者の権利擁護の制度
- 福祉サービスに関する苦情解決の仕組み

1 社会福祉サービスの情報提供と第三者評価事業

1 情報提供とアカウンタビリティ

　福祉サービスは措置として提供されるものから、選択して利用するものへと考え方が変わりました。それに伴い、選択する場合の判断の材料となる福祉サービスの情報が適切に提供されることが必要となりました。

　また、情報を提供する側である、サービス提供者、国や地方公共団体には、「利用者に対して十分に説明をしたうえで理解してもらわなければならない」というアカウンタビリティ（説明責任）が求められており、社会福祉法では社会福祉事業の経営者は、その提供する福祉サービスの利用を希望する者からの申込みがあった場合には、その者に対し、契約の内容などを説明するよう努めなければならないと規定されています。

■ 情報提供と説明責任（社会福祉法）■

第75条2項　国及び地方公共団体は、福祉サービスを利用しようとする者が必要な情報を容易に得られるように、必要な措置を講ずるよう努めなければならない。

第77条　社会福祉事業の経営者は、福祉サービスを利用するための契約（厚生労働省令で定めるものを除く。）が成立し

たときは、その利用者に対し、遅滞なく、次に掲げる事項を記載した書面を交付しなければならない。

二　当該社会福祉事業の経営者が提供する福祉サービスの内容

2 情報提供に関わる法整備

福祉サービスの情報提供は、**サービス提供者**が行うものと、**国**、**地方公共団体**が行うものがあり、それぞれ法制度が整備されています。

まず、1994（平成6）年に改正された老人福祉法において、福祉の措置の実施者である**市町村**に対しては、福祉サービスの情報提供を義務付ける規定が設けられました。続いて1997（平成9）年には児童福祉法が改正され、**保育所**の設備運営等に関する情報提供が義務付けられました。

保育所に対しては、「児童福祉法」では、地域住民に向けて保育内容に関する情報を提供するよう努力義務を課しています。また「保育所保育指針」では、保育に支障がない限りにおいて、地域の保護者等に対し、保育所保育の専門性を生かした子育て支援を積極的に行うよう努めることとされています。

2000（平成12）年の社会福祉法の改正で、すべての**社会福祉事業の経営者**に、福祉サービスの利用者等が適切かつ円滑に利用できるように情報提供の**努力義務**が規定されました。この規定を受け、身体障害者福祉法、知的障害者福祉法、児童福祉法の各法では、**市町村**に情報提供を義務付けました。同時に、「適正な運営の確保」を行うようサービス提供側に**資質の向上**を求めています。

現在、国や地方公共団体は、利用者が福祉サービスに関する情報を容易に得ることができるようにするために、独立行政法人福祉医療機構が運営する福祉保健医療情報システム（**WAM NET**）と連携して情報提供に努めています。

3 福祉サービス第三者評価事業

第三者評価事業は、管理者及び職員が施設の**サービス**に関する内容や**体制の整備**等の向上にむけて自主的に取り組

✦check✦
社会福祉法には、利用者に誤った情報を提供してはならないとする「誇大広告の禁止」の規定が盛り込まれている。

✦check✦
児童福祉施設には、児童の保護者及び地域社会に対して、その運営の内容を適切に説明する努力義務が課せられている。

✦check✦
国が策定したガイドラインに基づき、都道府県推進組織が第三者評価基準を策定している。

み、サービスの質を高めることを目的とした仕組みです。評価結果は、利用者がサービス提供者を判断する際の判断材料としても用いられます。第三者評価事業を行う目的は社会福祉法に定められており、社会福祉事業の経営者は、自らその提供するサービスの質の評価を行い、その結果を公表して利用者に情報を提供するよう努めなければなりません。

しかし、福祉サービスの提供主体による評価では比較検討が困難なことから、第三者評価のシステムが設けられました。全国社会福祉協議会に設置された評価基準等委員会においては、専門家や有識者が評価者となり、評価基準等に沿って調査し、福祉サービスの質を評価しています。そして、第三者評価事業の普及促進は国の責務として位置づけられています。

第三者評価事業評価基準は、共通評価基準項目、保育所版、

check
　保育所は、定期的に第三者評価を受審するように努めなければならない（努力義務）。公表された自己評価や第三者評価受審の結果は、利用者がサービス選択を行う際の情報として活用される。

4
社会福祉

❼ 社会福祉における利用者保護の仕組み

■ 福祉サービス第三者評価事業の推進体制 ■

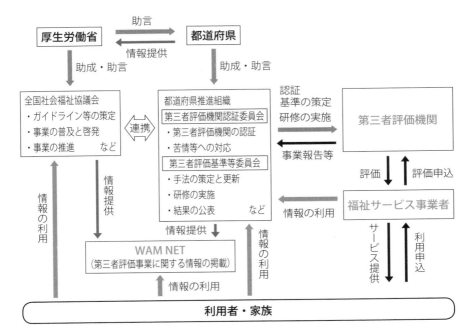

293

障害児・者施設版、児童館版、婦人保護施設版など、施設の種類ごとに設定されており、第三者評価の結果は、「公表に対する事業者の同意」等の確認を経て都道府県推進組織が公表します。

児童福祉施設のうち、乳児院や児童養護施設などの社会的養護関係施設には3年に1回以上の第三者評価の受審が義務付けられています（毎年度の自己評価の実施も義務）。

社会的養護関係施設の受審義務化の背景には、子どもが施設を選べないことや、施設長の親権代行の規定等があること、被虐待入所児の増加等を受けて、質の確保等が求められた経緯があります。

保育所は第三者評価の受審義務はない。

 2 利用者の権利擁護と苦情解決の仕組み

1 利用者の権利擁護

福祉サービスの利用者の中には、子ども、認知症高齢者、知的障害のある人など、福祉サービスの利用に当たり、どのサービスを利用したいのかということを自分で決めることが困難な人がいます。そうした人々が適切にサービスを利用することができるように支援し、サービスを受ける権利を守る制度があります。

その一つは、社会福祉法に規定される日常生活自立支援事業◆です。もう一つは、民法に規定される成年後見制度です。児童の場合は、同様の規定として未成年後見制度があります。

(1) 福祉サービス利用援助事業（日常生活自立支援事業）

日常生活自立支援事業とは、都道府県・指定都市社会福祉協議会が実施主体となって（窓口業務等は市区町村の社会福祉協議会等で実施）、地域において自立した生活が送れるよう、利用者との契約に基づき、福祉サービスや苦情解決制度の利用援助、住宅改造、居住家屋の貸借、日常生活上の消費契約及び住民票の届出等の行政手続に関する援助

権利擁護と同じ意味で、アドボカシーという用語も使われる。

用語
◆日常生活自立支援事業
福祉サービス利用援助事業とも呼ばれる。

等を行うものです。福祉サービス利用援助事業の対象は、判断能力が不十分な者であり、かつ本事業の契約の内容について判断し得る能力を有していると認められる者です。

利用を希望する者が、実施主体に対して申請することが原則で、実施主体は利用者の生活状況や援助内容の確認を行うとともに、本事業の契約の内容に関する判断能力の判定を行います（原則、利用料を自己負担）。

実施主体は、事業の実施状況を運営適正化委員会に定期的に報告しています。また、適正な実施のために「契約締結審査会」と「運営適正化委員会」が置かれています。

(2) 成年後見制度

判断能力が不十分な成人が行う契約や財産管理などの法律行為を代理人が行うことにより日常生活を支援する制度であり、法務省が所管しています。

後見制度には、すでに判断能力（意思決定能力）が不十分な状態にある人に対して、家庭裁判所が選任した代理人が支援する法定後見制度（後見・保佐・補助の制度）と、将来、判断能力が不十分な状態になった場合に備えて、あらかじめ代理人を本人の意思で選任しておき、支援を受ける任意後見制度があります。

2 苦情解決

社会福祉事業の経営者は、提供するサービスについて、利用者等からの苦情の適切な解決に努めるため、事業所の苦情受付担当者（窓口）や苦情解決責任者に加え、第三者委員を設置しています。

〔苦情解決責任者〕
　苦情解決の責任主体としての役割を担うことから、施設長、理事等が担う。

〔苦情受付担当者〕
　サービス利用者が苦情の申し出をしやすい環境を整えるため、職員の中から任命される。

---

check
2019年度現在において、事業開始以降、実利用者は、漸次増加傾向にある（全社協調べ）。

check
判断能力の程度に応じて成年後見人、保佐人、補助人の別がある。
成年後見人は、個人に限らず、法人もなることができる。裁判所が法人後見人として選任した例には、社団法人、社会福祉協議会、福祉公社等がある。

4
社会福祉

❼
社会福祉における利用者保護の仕組み

〔第三者委員〕

経営者の責任において選任される。候補としては、評議員（理事は除く）、監事または監査役、社会福祉士、大学教授、弁護士等があげられる。

　また、苦情を第三者的な立場から適正に解決するため、**都道府県社会福祉協議会**には、**運営適正化委員会**を設置することが**社会福祉法**によって義務付けられています。この運営適正化委員会は、人格が高潔で、社会福祉に関する識見があり、社会福祉、法律または医療に関する学識経験のある者により構成されます（社会福祉法83条）。利用者等からの苦情に対して、相談や助言、事情調査等を行い、法令違反等の不当行為が行われている恐れのあるときは、その旨を都道府県知事に通知する義務があります。また、運営適正化委員会は、福祉サービス利用援助事業（日常生活自立支援事業）を行う者に対して必要な助言等を行うことができます。

3 児童福祉施設での苦情解決

　児童福祉施設においては、苦情を受け付けるための窓口を設置すること等の措置を講じることが**児童福祉施設の設備及び運営に関する基準**において義務付けられています。その場合、サービス利用者が児童であることに配慮して、申出者には、**入所している者の保護者**等も含まれています。また、保育所保育指針では、「保育所の社会的責任」として、保護者からの苦情解決に**努めなければならない**と明記されています。なお、**児童**も申出者として認められています。

4 権利擁護の仕組み

(1) 児童の権利擁護

　児童福祉法において、里親（その同居人を含む）、乳児院、児童養護施設、障害児入所施設、児童心理治療施設、児童自立支援施設等の職員による入所児童に対する虐待の防止を「**被措置児童等虐待の防止等**」として規定しています。

🗨アドバイス

　「社会福祉法」において、「社会福祉事業の経営者は、常に、その提供する福祉サービスについて、利用者等からの苦情の適切な解決に努めなければならない」ことが規定されている。ここでいう利用者等には、保護者だけでなく児童も含まれる。

保育所の社会的責任
•••▶ p.141

施設入所児童が虐待（被措置児童等虐待）を受けた場合は、運営適正化委員会に申し立てを行うことができます。また、その旨を児童相談所、都道府県の行政機関または都道府県児童福祉審議会に届け出ることができます。

また、子どもを学校に通わせない等、教育を受ける権利を侵害する場合に対しては、**学校教育法**において児童の権利を擁護する規定が設けられています。

(2) 配偶者の権利擁護

婦人相談所（2024〔令和6〕年度より**女性相談支援センター**に改称）は、元々は「売春防止法」に基づき、売春を行う恐れのある女子の相談・指導・一時保護等を行う施設でした。しかし、近年では、「配偶者からの暴力の防止及び被害者の保護等に関する法律（DV防止法）」により、**配偶者暴力相談支援センター**の機能を担う施設として位置付けられ、配偶者間の暴力に関する相談・保護の最前線の機関としてDV被害者の支援機能を果たしています。

(3) 障害者の権利擁護

障害者権利条約では、障害者の人権や基本的自由の享有を確保し、障害者の固有の尊厳の尊重を促進するために、障害者の権利を実現するための措置等を規定しています。条約では、障害に基づくあらゆる差別（**合理的配慮の否定**を含む）を禁止しているほか、完全かつ効果的な**社会参加**を一般原則の一つに掲げています。なお、同条約では、成人に限らず、障害のある**児童**も対象としています。

(4) 貧困への対策（生存権等の保障）

「子どもの貧困対策の推進に関する法律」では、子どもの将来がその**生まれ育った**環境に左右されることのないよう、貧困の状況にある子どもが健やかに育成される環境を整備するとともに、**教育の機会均等**を図るために、子どもの貧困対策に関する基本理念を定めています。

check

「被措置児童等虐待届出等制度」は、施設長や職員等から虐待（被措置児童等虐待）を受けた場合に通告・調査・対応を行う仕組みである（保育所や認定こども園は被措置児童等虐待に該当しないため、対象ではない）。

check

女性相談支援センターは各都道府県に必置の機関である。

DV防止法
⋯▶ p.212

アドバイス

障害者の権利擁護の一翼を担う市町村障害者虐待防止センターは、「障害者虐待の防止、障害者の養護者に対する支援等に関する法律」に規定されている。

アドバイス

「子どもの意見の尊重」については、「児童福祉法」や「子ども・若者育成支援推進法」「こども基本法」等にその内容が規定されている。

問題 次の記述で正しいものに○、誤っているものに×をつけよ。

1. 「社会福祉法」では、社会福祉事業経営者に対して、児童福祉施設を利用した場合のみ、利用契約成立時の書面（重要事項説明書）の交付をしなければならないと定められている。

2. WAM NET（ワムネット）とは、福祉・保健・医療の総合情報サイトのことで、サービス提供者のサービスやその第三者評価が公表されている。

3. 福祉事務所は、配偶者暴力相談支援センターとしての機能を担う施設として位置づけられている。

4. 「社会福祉法」には、社会福祉事業の経営者だけでなく、国や都道府県、市町村にも利用者等からの苦情の適切な解決に努めなければならないと定められている。

5. 社会的養護関係施設には、3年に1回以上の第三者評価の受審が義務付けられている。

6. 児童福祉法では、施設の「誇大広告の禁止」を規定している。

7. 日常生活自立支援事業の支援内容に、書類の管理は含まれているが、預金通帳から金銭を引き出すことは含まれていない。

8. 成年後見人、保佐人、補助人は、家庭裁判所が選任する。

解答

1 × **2** ○ **3** × **4** × **5** ○ **6** × **7** × **8** ○

1 利用の契約が成立した時点で交付することが義務付けられている。なお、当該利用者の承諾を得ていれば、電磁的方法による提供も認められている（ただし政令で定めるものによる）（社会福祉法77条2項）。

3 同センターの役割を果たすのは、婦人相談所（2024〔令和6〕年度より女性相談支援センターに改称）である。

4 社会福祉事業の経営者に対する努力義務が課されているのみであり、国や都道府県、市町村等に関しては明文化されていない。

6 社会福祉施設の「誇大広告の禁止」を規定しているのは、社会福祉法である。

7 日常的な金銭管理も日常生活自立支援事業の支援内容に含まれている。

巻末資料

総合児童福祉年表

西暦	和暦	事項
1601		英 「エリザベス救貧法」制定
1798		英 マルサスが『人口論』発表
1802		英 「工場法」制定
1834		英 「新救貧法」制定
1869		英 慈善組織協会（COS）設立
1871	明治 4	棄児養育米給与方制定・施行
1872	明治 5	「学制」の発布
1874	明治 7	「恤救規則」制定・公布
1876	明治 9	東京女子師範学校附属幼稚園　（現：お茶の水女子大学附属幼稚園）設立
1879	明治 12	「教育令」制定・公布
1884	明治 17	英 トインビーホール設立（バーネット夫妻）
1886	明治 19	「小学校令」制定
1887	明治 20	岡山孤児院設立（石井十次）
1889	明治 22	米 ハル・ハウス設立（ジェーン・アダムズ）
1890	明治 23	新潟静修学校附設託児所設立（赤沢鍾美）
1891	明治 24	滝乃川学園設立（石井亮一）
1897	明治 30	キングスレー館設立（片山潜）

西暦	和暦	事項
1899	明治 32	「幼稚園保育及設備規程」制定 巣鴨家庭学校設立（留岡幸助）
1900	明治 33	二葉幼稚園設立（野口幽香・森島峰〔美根〕） 「感化法」公布
1903	明治 36	楽石社設立（吃音矯正事業）
1908	明治 41	中央慈善協会設立
1909	明治 42	白川学園設立（脇田良吉）
1911	明治 44	英 国民保険法制定
1917	大正 6	「済世顧問制度」創設（笠井信一）
1918	大正 7	「方面委員制度」創設（小河滋次郎・林市蔵）
1921	大正 10	柏学園設立（柏倉松蔵）
1924	大正 13	国連 「児童の権利に関するジュネーブ宣言」採択
1926	大正 15	「幼稚園令」「幼稚園令施行規則」制定・公布
1929	昭和 4	「救護法」制定（財政難のため施行は 1932〔昭和 7〕年）
1937	昭和 12	「母子保護法」制定（翌年から施行）
1938	昭和 13	厚生省（現：厚生労働省）設置
1942	昭和 17	英 ベヴァリッジ報告提出 整肢療護園設立（高木憲次）
1946	昭和 21	「日本国憲法」公布（翌年から施行） 「(旧) 生活保護法」制定（1950〔昭和 25〕年に改正） 近江学園設立（糸賀一雄）
1947	昭和 22	「児童福祉法」制定（翌年から施行） 「労働者災害補償保険法」制定 「学校教育法」制定 「(旧) 教育基本法」制定

西暦	和暦	事項
1948	昭和 23	「保育要領－幼児教育の手引き－」発行 国連「世界人権宣言」採択 「児童福祉施設最低基準」公布
1949	昭和 24	「身体障害者福祉法」制定 「社会教育法」制定
1950	昭和 25	「（新）生活保護法」制定
1951	昭和 26	「児童憲章」宣言 「社会福祉事業法」制定（現：社会福祉法）
1954	昭和 29	「厚生年金保険法」制定
1956	昭和 31	「幼稚園教育要領」発表
1958	昭和 33	「国民健康保険法」制定
1959	昭和 34	国連「児童権利宣言」採択 「国民年金法」制定
1960	昭和 35	「精神薄弱者福祉法」制定　（現：知的障害者福祉法）
1961	昭和 36	「児童扶養手当法」制定 国民皆保険皆年金体制の確立
1963	昭和 38	「老人福祉法」制定 びわこ学園設立（糸賀一雄）
1964	昭和 39	「母子福祉法」制定（現：母子及び父子並びに寡婦福祉法） 「特別児童扶養手当等の支給に関する法律」制定 「幼稚園教育要領」改訂
1965	昭和 40	「保育所保育指針」作成及び通達 「母子保健法」制定
1970	昭和 45	「心身障害者対策基本法」制定　（現：障害者基本法） 高齢化率 7.1 パーセントとなり日本は高齢化社会となる
1971	昭和 46	「児童手当法」制定
1979	昭和 54	国連 国際児童年
1980	昭和 55	WHO（世界保健機関）による国際障害分類（ICIDH）の発表

西暦	和暦	事項
1981	昭和 56	国連 国際障害者年 「母子福祉法」が改正・改称され「母子及び寡婦福祉法」へ
1982	昭和 57	「老人保健法」制定（現：高齢者医療確保法）
1985	昭和 60	「男女雇用機会均等法」制定
1987	昭和 62	「社会福祉士及び介護福祉士法」制定 「精神衛生法」が改正・改称され「精神保健法」へ
1989	平成元	「幼稚園教育要領」改訂 「児童の権利に関する条約」採択（子どもの権利条約） ゴールドプラン策定（高齢者保健福祉推進十か年戦略）
1990	平成 2	1.57 ショック（1989 年の合計特殊出生率が過去最低） 「老人福祉法等の一部を改正する法律」制定 社会福祉関係八法改正 「保育所保育指針」改定 米 「障害を持つアメリカ人法」制定
1991	平成 3	「育児休業法」制定（現：育児・介護休業法）
1993	平成 5	「心身障害者対策基本法」が改正・改称され「障害者基本法」へ
1994	平成 6	「エンゼルプラン」策定 「新ゴールドプラン」策定 21 世紀福祉ビジョンの発表 緊急保育対策等 5 か年事業策定 「児童の権利に関する条約」批准 高齢化率 14.0％を超え、日本は高齢社会となる
1995	平成 7	「障害者プラン〜ノーマライゼーション 7 か年戦略」策定 「高齢社会対策基本法」制定 「育児休業法」が改正・改称され「育児・介護休業法」へ 英 「障害者差別禁止法」制定
1996	平成 8	「高齢社会対策大綱」決定
1997	平成 9	「介護保険法」「精神保健福祉士法」制定 「児童福祉法」改正（保育制度改正） わが国の老年人口が年少人口を上回る

西暦	和暦	事項
1998	平成 10	「精神薄弱者福祉法」が改正され「知的障害者福祉法」へ 「幼稚園教育要領」改訂 「感染症の予防及び感染症の患者に対する医療に関する法律」（感染症法）制定
1999	平成 11	「新エンゼルプラン」策定 　（重点的に推進すべき少子化対策の具体的実施計画について） 「ゴールドプラン 21」策定 　（今後 5 か年間の高齢者保健福祉施策の方向） 「少子化対策推進基本方針」策定 「児童買春、児童ポルノに係る行為等の処罰及び児童の保護等に関する法律」（児童買春・児童ポルノ禁止法）制定（現：児童買春、児童ポルノに係る行為等の規制及び処罰並びに児童の保護等に関する法律） 「保育所保育指針」改定
2000	平成 12	「社会福祉の増進のための社会福祉事業法等の一部を改正する等の法律」制定及び施行 「社会福祉事業法」が改正され「社会福祉法」へ 「児童虐待防止法」（児童虐待の防止等に関する法律）制定 「健やか親子 21」策定 「児童福祉施設最低基準」改正（現：児童福祉施設の設備及び運営に関する基準） 介護保険制度施行 新成年後見制度施行
2001	平成 13	「DV 防止法」（配偶者からの暴力の防止及び被害者の保護に関する法律）制定及び施行（現：配偶者からの暴力の防止及び被害者の保護等に関する法律） 仕事と子育ての両立支援等の方針 　（待機児童ゼロ作戦等〔2001 ～ 2002 年度〕）
2002	平成 14	「少子化対策プラスワン」厚労省まとめ 「新障害者基本計画」策定（2003 ～ 2012 年度） 「新障害者プラン」策定（重点施策実施 5 か年計画） 「母子及び寡婦福祉法」改正
2003	平成 15	「少子化社会対策基本法」制定 「次世代育成支援対策推進法」制定 「個人情報の保護に関する法律」制定
2004	平成 16	「少子化社会対策大綱」策定 「発達障害者支援法」制定 「子ども・子育て応援プラン」策定
2005	平成 17	「障害者自立支援法」制定（現：障害者総合支援法） 「食育基本法」制定

西暦	和暦	事項
2006	平成18	「バリアフリー新法」制定（ハートビル法廃止） 「認定こども園法」施行 　（就学前の子どもに関する教育、保育等の総合的な提供の推進に関する法律） 「教育基本法」改正
2007	平成19	「仕事と生活の調和（ワーク・ライフ・バランス）憲章」策定 盲・聾・養護学校が特別支援学校となる
2008	平成20	「幼稚園教育要領」改訂 「保育所保育指針」改定 「老人保健法」が改正され「高齢者医療確保法」へ 後期高齢者医療制度開始
2010	平成22	「子ども・子育てビジョン」策定 待機児童解消「先取り」プロジェクト
2011	平成23	「障害者虐待防止法」制定
2012	平成24	「障害者自立支援法」が改正され「障害者総合支援法」 　（障害者の日常生活及び社会生活を総合的に支援するための法律）へ 「子ども・子育て支援法」制定 「児童福祉施設最低基準」が改正され「児童福祉施設の設備及び運営に関する基準」へ 「児童手当法」改正 「学校保健安全法施行規則」改正 「保育所における感染症対策ガイドライン」改訂
2013	平成25	「予防接種法」改正・施行 「高年齢者等の雇用の安定等に関する法律の一部を改正する法律」施行 「DV防止法」が改正され「配偶者からの暴力の防止及び被害者の保護等に関する法律」へ 「生活保護法」改正 「生活困窮者自立支援法」制定・一部施行 「精神保健及び精神障害者福祉に関する法律」改正 「子どもの貧困対策の推進に関する法律」制定 「障害者差別解消法」制定 「障害者雇用促進法」改正
2014	平成26	改正「雇用保険法」一部施行 ・育児休業給付について、休業開始後6月につき、給付割合を67％に引き上げ 「母子及び寡婦福祉法」が改正され「母子及び父子並びに寡婦福祉法」へ 「家庭的保育事業等の設備及び運営に関する基準」制定 改正「生活保護法」施行 「児童買春・児童ポルノ禁止法」が改正され「児童買春、児童ポルノに係る行為等の規制及び処罰並びに児童の保護等に関する法律」へ

西暦	和暦	事項
2015	平成 27	改正「障害者雇用促進法」一部施行 ・常用雇用労働者が 100 人を超え 200 人以下の事業主にも障害者雇用納付金制度の対象が拡大 改正「短時間労働者の雇用管理の改善等に関する法律（パートタイム労働法）」施行 「子ども・子育て支援法」施行 少子化社会対策大綱（平成 27 年 3 月 20 日閣議決定）
2016	平成 28	改正「児童福祉法」一部施行 ・児童の福祉を保障するための原理の明確化、家庭と同様の環境における養育の推進、国・地方公共団体の役割と責務の明確化等 「育児・介護休業法」改正（段階的に施行） 「障害者差別解消法」施行 改正「社会福祉法」成立・公布（介護人材確保に向けた取組の拡大等）
2017	平成 29	「保育所保育指針」改定 「幼稚園教育要領」改訂 改正「児童福祉法」一部施行 ・市区町村の体制強化、児童相談所の体制及び権限強化等、里親委託等の推進、18 歳以上の者に対する支援の継続等 改正「社会福祉法」施行（一部は平成 28 年に施行） 改正「雇用保険法」施行 ・妊娠、出産、育児休業・介護休業等の取得等を理由とする上司・同僚等による就業環境を害する行為を防止するため、事業主に雇用管理上必要な措置を義務づける等
2018	平成 30	改正「児童福祉法」施行 ・居宅訪問型児童発達支援の創設、保育所等訪問支援の対象拡大 改正「介護保険法」施行 ・自己負担 2 割負担者のうち、特に所得の高い層の負担割合を 3 割へ ・共生型サービスを位置付ける 改正「障害者の雇用の促進等に関する法律」施行 ・障害者雇用義務の対象として、これまでの身体障害者、知的障害者に精神障害者が加わり、法定雇用率を変更 改正「国民健康保険法」施行 ・都道府県及び当該都道府県内の市町村・特別区が共同して保険者へ
2019	平成 31 令和元	改正「子ども・子育て支援法」施行 ・幼児教育・保育の無償化 　対象は、幼稚園、保育所、認定こども園等を利用する 3 〜 5 までのすべての子どもと、住民税非課税世帯の 0 〜 2 歳児
2020	令和 2	改正「児童福祉法」一部施行 ・児童相談所の体制強化 改正「児童虐待防止法」施行 ・しつけとしての体罰の禁止
2023	令和 5	・こども家庭庁の設置 ・「こども基本法」の施行 ・「こども大綱」の閣議決定

試験にでる人名リスト

保育・教育

赤沢 鍾美	新潟静修学校に幼児を預かる託児施設を併設した。これが保育所の始まりといわれている。
アリエス	1960 年に『子供の誕生』を著し、近代以前には「子ども期」というカテゴリーは存在しなかったと説いた。
エレン・ケイ	スウェーデンの女性思想家で、1900 年に『児童の世紀』を著した。児童中心主義運動や「子どもの権利」論の発端の一つを作った。
オーズベル	新しい学習内容を学習者がすでに持っている知識と関連付けて学習する方法「有意味受容学習」を提唱した。
オーベルラン	公的補助を受けて運営される先駆けとして「幼児学校（幼児保護所）」を開設。「編み物学校」とも呼ばれた。
貝原 益軒	わが国初のまとまった教育書といわれる『和俗童子訓』を著し、発達段階に即した随年教法を示した。
城戸 幡太郎	1936（昭和 11）年に現場の保育者と保育問題研究会を結成し、その会長を務めた。子どもを社会との関わりから捉える社会中心主義を提唱した。
キルパトリック	子どもが目的→計画→遂行→判断・評価という 4 段階を経て自主的に問題に取り組む学習の方法であるプロジェクト・メソッドを提唱した。
倉橋 惣三	誘導保育を実践し、東京女子高等師範学校附属幼稚園の主事を務めた。著書に『幼稚園雑草』『育ての心』『幼稚園真諦』がある。
コメニウス	あらゆる人にあらゆる物事を教授するための技法を説いた『大教授学』や、世界初の絵入りの教科書といわれている『世界図絵』を著した。
澤柳 政太郎	1917（大正 6）年に成城小学校を設立し、大正自由主義教育運動の中心的な役割を担った。
鈴木 三重吉	小説家、児童文学者。1918（大正 7）年「赤い鳥」を創刊。日本の児童文化運動の父とされる。
関 信三	日本初の幼稚園である東京女子師範学校附属幼稚園の初代監事（園長）に就任した。翻訳『幼稚園記』（1876 年）がある。
デューイ	シカゴ大学附属小学校（実験学校）を開設し、作業活動を中心とする教育活動を行った。『学校と社会』『民主主義と教育』を著した。
中江藤樹	江戸時代初期の儒学者。陽明学の始祖と言われており、「近江聖人」と称えられている。「知行合一説」を唱え、『翁問答』を著した。
橋詰 良一	1922（大正 11）年、自然の中で子ども達を遊ばせるために、園舎を持たない「家なき幼稚園」を創設した。
ブルーナー	子どもが、科学的概念を思考活動のなかで自ら発見していく発見学習を提唱。著書に『教育の過程』がある。
ブルーム	診断的評価、形成的評価、総括的評価による完全習得学習を提唱した。
フレーベル	恩物と呼ばれる遊具の製作・普及に努めた。また、1840 年に世界初の幼稚園である「キンダーガルテン」を創設した。
ペスタロッチ	「数・形・語」を基礎とする教授法を考案。『隠者の夕暮』や『白鳥の歌』など多くの著作を残した。

ヘルバルト	著書『一般教育学』において、「明瞭・連合・系統・方法」という4段階教授説を論じた。
本居 宣長	江戸時代の国学者で、「もののあはれを知る」心の涵養を重んじた。伊勢国松坂の書斎は鈴屋と呼ばれていた。
森 有礼	1885（明治18）年に初代文部大臣に就任し、翌年には「小学校令」「中学校令」等を公布した。
モンテッソーリ	子どもが手を使って作業をするためのモンテッソーリ教具を考案。「子どもの家」での教育実践は、モンテッソーリ・メソッドと呼ばれる。
ラングラン	「生涯にわたる教育の必要性」と「学校教育と社会教育の統合」を主張し、「生涯教育」を世界中に広めた。
ルソー	著書『エミール』で子どもの発達段階に応じた教育について論じ、「子どもの発見者」と呼ばれている。
ロック	人間は本来「白紙（タブラ・ラサ）」であると説いた。『教育に関する考察』の中の「健全な身体に宿る健全な精神」は有名な言葉である。

福祉

池上 雪枝	わが国初の感化院（現在の児童自立支援施設）である池上感化院を設立。「青少年更生事業の母」「少年感化の母」と呼ばれる。
石井 十次	無制限収容、小舎方式を採用した、わが国初の孤児院である岡山孤児院を創設。岡山孤児院12則を定めて孤児教育の実践にあたった。
石井 亮一	わが国初の知的障害児施設である滝乃川学園を創設。知的障害児支援を科学的知見に基づいて実践した。「知的障害児教育の父」と呼ばれる。
糸賀 一雄	戦後、知的障害児兼養護児童のための施設である近江学園を創設。また、重症心身障害児施設のびわこ学園など、多くの施設を設立した。
オーエン	「よい性格は、よい環境の下で形成される」という環境決定論を主張。自社工場内に保育兼教育施設である性格形成（新）学院を設立した。
笠井 信一	当時の岡山県知事であった笠井は、防貧を目的に1917（大正6）年に済世顧問制度を創設した。
柏倉 松蔵	わが国初の肢体不自由児施設となる柏学園を設立した。
小橋 勝之助	現在の児童養護施設にあたる博愛社を創設。多くの事業を展開したが、孤児院の設立は基幹事業となった。
コルチャック	ポーランドの小児科医で児童文学作家。「子どもの権利」と「完全な平等」のために活動した。
高瀬 真卿	私立予備感化院（後の東京感化院で、現在の児童自立支援施設）を東京の湯島に創設した。
留岡 幸助	感化教育事業の開拓者で、巣鴨家庭学校、北海道家庭学校を創設。非行問題を抱えた少年には、よい環境と教育を与えることが必要だと説いた。
ニィリエ	バンク＝ミケルセンの理論を基に、ノーマルな生活や自己決定、経済水準の確保等からなる8つの原則を唱えた。
野口 幽香	東京の麹町に、主に貧困児童を対象とした二葉幼稚園（後の二葉保育園）を創設。その後、母の家（母子寮）も附設した。
バーネット夫妻	イギリスの東ロンドンにトインビーホールを設立した。セツルメント運動の先駆的な施設として知られ、スラム街の貧困者支援を行った。
林 市蔵	当時の大阪府知事であった林らは、エルバーフェルト制度を参考に1918（大正7）年に民生委員制度の前身とされる方面委員制度を創設した。
バンク＝ミケルセン	ノーマライゼーションの理論（考え）を提唱したことで知られる。この理論を基に、ニィリエらがより具体化させていった。

マルサス	『人口論』を著したことで知られ、労働者の貧困原因を労働者自身の責任とした。新救貧法における「劣等処遇の原則」に反映されたといわれる。
森島峰（美根）	野口幽香とともに二葉幼稚園の創設に尽力した。
リッチモンド	ケースワークの体系化に寄与したことから、ケースワークの母と呼ばれる。主な著書に『社会診断』『ソーシャル・ケース・ワークとは何か』など。

心理

アイゼンバーグ	向社会的な道徳判断の発達段階を提唱し、特に向社会的傾向における社会化経験の影響を重視した。
ヴィゴツキー	幼児の言語発達が外言から自己中心語を経て内言に進むことから、発達の最近接領域など、発達における社会的相互作用の重要性を強調した。
エインズワース	ボウルビィのアタッチメント理論に基づき、乳児期の母子間の愛着の質を調査するための実験法、ストレンジ・シチュエーション法を開発した。
エリクソン	フロイトの精神分析に基づき、アイデンティティの概念を中核とした発達段階論である心理－社会的発達理論を提唱した。
エレノア・J・ギブソン	視覚的断崖の実験で知られる知覚心理学者であり、夫のジェームズ・J・ギブソンの提唱したアフォーダンス理論の構築にも貢献した。
キャンポス	乳児の気質的特徴をとらえるために、心拍数の変化を指標とする心拍テストを用いて様々な研究を行った。
ケーラー	チンパンジーがバナナを手に入れる実験を通して、洞察力により問題を解決するという洞察学習を提唱した。
ゲゼル	成熟説の立場から、学習が可能になる心身の準備状態である「レディネス（準備性）」の概念を提唱した。
コールバーグ	モラルジレンマを用いた検証によって、正義と公正さから3水準、6段階を経て進む道徳性の発達段階を提唱した。
コンドン／サンダー	新生児の同調行動について研究し、新生児であっても、大人の発声のリズムに合わせてからだを動かし反応することを示した。
サーストン	心理測定の分野に大きく貢献し、知能の因子分析的研究によって、数、空間、言語、知覚、記憶、帰納、語の流暢さの7つの因子を抽出した。
サラパテク	眼球運動に着目した視覚の発達について研究し、生後1か月の乳児では、視線が図形のある特徴に集中し、発達につれて変化することを示した。
ジェンセン	人が遺伝的にもっている特性は、環境要因から受けた影響が、ある一定の水準（閾値）に達したときに発現するという環境閾値説を提唱した。
シュテルン	発達は遺伝的要因と環境的要因が加算的に作用し、その和で決まるとする輻輳説を提唱した。
スキナー	ワトソンの行動主義を継承し、スキナー箱を用いたオペラント行動の研究を基礎に、応用行動分析を創始した。
セルマン／バイルン	道徳的判断の基礎として、「他者の立場に立ち、相手の気持ちを推測し理解する能力」を役割取得（社会的視点取得）能力と呼び、5段階に分類した。
ソーンダイク	猫の問題箱の実験で、学習は試行の積み重ねによって問題が解決するといった試行錯誤学習を提唱した。
トールマン	試行錯誤と洞察学習を統合した「認知地図説」を提唱した。
トマス／チェス	ニューヨーク在住の乳児を対象とした縦断研究を行い、子どもの行動にみられる生得的な気質的特徴を9つのレベルに分類した。
トレヴァーセン	生後3か月頃の情動的な一体関係が成り立つ一次的間主観性と、生後6か月頃からの相手の意図を把握する二次的間主観性を区別した。

パーテン	幼児の社会的相互交渉の表れとして、遊びを「何もしていない行動」から「協同遊び」に至る6つの発達段階に分類した。
ハーロー	アカゲザルの実験から、幼児にとっての母親が安全基地として機能することを示し、ボウルビィの愛着理論に大きな影響を与えた。
バウアー	乳児の有能さや能動性を強調し、従来は生後4～5か月頃にみられる「リーチング」が、生後まもなくの新生児にもみられることを示した。
パブロフ	「パブロフの犬」として知られる実験を行い、行動主義に大きな影響を与えた。この実験で示されている学習は、古典的条件づけ（レスポンデント条件づけ）と呼ばれる。
バルテス	生涯発達を、獲得と喪失が相互に関連しながら生涯にわたって進む過程であると考え、特に高齢者の「知恵」を重視した。
バンデューラ	他者の行動やその結果をモデルとして観察することで学習が成立する現象を「モデリング」と呼び、そこから社会的学習理論を提唱した。
ピアジェ	認知発達を、「同化」と「調節」による認知構造の変化と考え、様々な実験や研究法の考案によって現代の発達心理学に大きな影響を与えた。
ブラゼルトン	乳幼児と環境との関わりから、個々人の行動特徴を明らかにし、その発達を支援する「ブラゼルトン新生児行動評価」を開発した。
フロイト	精神的発達をリビドーの概念から説明する精神－性的発達の概念を提唱し、これを元に神経症の発生と治療に関する精神分析理論を創始した。
ブロンフェンブレンナー	子どもと環境要因との相互作用を、子どもを同心円状に取り巻いているシステムから説明した。
ボウルビィ	フロイトの精神分析に影響を受け、幼児期の母子関係について科学的に研究することを通してアタッチメント（愛着）理論を提唱した。
ポルトマン	スイスの動物学者で人間の特殊性として、「生理的早産」の概念を示した。著書に『人間はどこまで動物か』。
マーシア	エリクソンのアイデンティティの概念を拡張し、達成型、拡散型、早期完了型、モラトリアム型の4つの自我同一性地位に分類した。
メルツォフ	おしゃぶりを用いた実験から、生後1か月の乳児であっても、視覚と触覚を関連付けて把握できることを示した。
ルイス／ブルックスガン	鏡像を用いた実験により、幼児が2歳頃までに発達させる自己意識について、実存的自己とカテゴリー的自己とを区別した。
レイヴ／ウェンガー	学習は「状況に埋め込まれているもの」であるとする状況的学習論を提唱した。また、これを正統的周辺参加という考え方で説明した。
レビンソン	人生における4つの転換期（過渡期）の存在を示した。この転換期には、それまで適応的だった生活構造が変更を迫られることになる。
ローレンツ	生後まもなく見たものを親と思い込む「インプリンティング（刻印付け）」など、動物の本能的行動の成り立ちを研究する比較行動学を提唱した。
ワトソン	パブロフの条件反射の実験に影響を受け、人間の行動を、「刺激」に対する「反応」の学習という視点から研究する行動主義を提唱した。

音楽

オルフ	ドイツの作曲家・音楽教育家。持ち方や打ち方にこだわらなくても良い音が出せる丈夫なオルフ楽器を考案した。
北原 白秋	詩人、童謡作家、歌人。鈴木三重吉の『赤い鳥』の童謡面を担当し、日本の創作童謡に新分野を開拓。代表作『からたちの花』（童謡集）など。
草川 信	『赤い鳥』に参加し、童謡の作曲を手がける。「ゆりかごの唄（北原白秋・詞）」「夕焼け小焼け（中村雨紅・詞）」など。
コダーイ	ハンガリーの作曲家・音楽教育家。歌を使った音楽教育法「コダーイ・システム」を提唱した。
ダルクローズ	スイスの作曲家・音楽教育家。身体表現による音楽教育法（リトミック）の草案者。
團 伊玖磨	作曲家、エッセイスト。クラシック音楽、童謡、映画音楽などを幅広く手がけた。童謡「ぞうさん」「やぎさんゆうびん」「おつかいありさん」などを作曲。
中田 喜直	「ちいさい秋みつけた」「めだかの学校」「夏の思い出」など多くの名歌曲を創作した作曲家。
成田 為三	作曲家。大正期の『赤い鳥』運動に参加。「浜辺の歌」「かなりや」「赤い鳥小鳥」など歌曲や童謡を作曲した。
まど・みちお	詩人。童謡「ぞうさん」「やぎさんゆうびん」「ふしぎなポケット」を作詞。
野口 雨情	作曲家。北原白秋、西條八十とともに童謡の三大詩人と呼ばれた。代表作は「七つの子（本居長世・曲）」「シャボン玉（中山晋平・曲）」。
山田 耕筰	作曲家、指揮者。「待ちぼうけ（北原白秋・詞）」「ペチカ（北原白秋・詞）」「赤とんぼ（三木露風・詞）」など日本語の抑揚を活かしたメロディで多くの作品を残した。

造形

安西 水丸	イラストレーター、漫画家、作家。主な作品に『がたん　ごとん　がたん　ごとん』がある。
エリック・カール	模様を描いた紙や布切れなどを組み合わせて、貼り付ける技法であるコラージュで『はらぺこあおむし』を作製した。
佐野 洋子	主な作品に『100万回生きたねこ』『おじさんのかさ』がある。
ジョルジュ・スーラ	フランスの画家。代表作に《グランド・ジャット島の日曜日の午後》など点描の作品で知られる。
バージニア・リー・バートン	主な作品に『ちいさいおうち』『名馬キャリコ』がある。
古田 足日	主な作品に『おしいれのぼうけん』『ダンプえんちょうやっつけた』がある。
まつい のりこ	絵本・紙芝居作家。主な作品に『じゃあじゃあびりびり』『とけいのほん』がある。
松谷 みよ子	主な作品に、赤い鳥文学賞を受賞した『モモちゃんとアカネちゃん』、伝承あそびを絵本にした『いないいないばあ』がある。
レオ・レオニ	主な作品に『あおくんときいろちゃん』『スイミー』『フレデリック』がある。
レオナルド・ダ・ヴィンチ	代表作に《最後の晩餐》やルーブル美術館に収蔵される《モナ・リザ》などがある。

保育所保育指針（全文）

色字は
要注意！

（平成 29 年 3 月 31 日・厚生労働省告示第 117 号）

第 1 章　総則

　この指針は、児童福祉施設の設備及び運営に関する基準（昭和 23 年厚生省令第 63 号。以下「設備運営基準」という。）第 35 条の規定に基づき、保育所における保育の内容に関する事項及びこれに関連する運営に関する事項を定めるものである。各保育所は、この指針において規定される保育の内容に係る基本原則に関する事項等を踏まえ、各保育所の実情に応じて創意工夫を図り、保育所の機能及び質の向上に努めなければならない。

1　保育所保育に関する基本原則

（1）保育所の役割

ア　保育所は、児童福祉法（昭和 22 年法律第 164 号）第 39 条の規定に基づき、保育を必要とする子どもの保育を行い、その健全な心身の発達を図ることを目的とする児童福祉施設であり、入所する子どもの最善の利益を考慮し、その福祉を積極的に増進することに最もふさわしい生活の場でなければならない。

イ　保育所は、その目的を達成するために、保育に関する専門性を有する職員が、家庭との緊密な連携の下に、子どもの状況や発達過程を踏まえ、保育所における環境を通して、養護及び教育を一体的に行うことを特性としている。

ウ　保育所は、入所する子どもを保育するとともに、家庭や地域の様々な社会資源との連携を図りながら、入所する子どもの保護者に対する支援及び地域の子育て家庭に対する支援等を行う役割を担うものである。

エ　保育所における保育士は、児童福祉法第 18 条の 4 の規定を踏まえ、保育所の役割及び機能が適切に発揮されるように、倫理観に裏付けられた専門的知識、技術及び判断をもって、子どもを保育するとともに、子どもの保護者に対する保育に関する指導を行うものであり、その職責を遂行するための専門性の向上に絶えず努めなければならない。

（2）保育の目標

ア　保育所は、子どもが生涯にわたる人間形成にとって極めて重要な時期に、その生活時間の大半を過ごす場である。このため、保育所の保育は、子どもが現在を最も良く生き、望ましい未来をつくり出す力の基礎を培うために、次の目標を目指して行わなければならない。

（ア）十分に養護の行き届いた環境の下に、くつろいだ雰囲気の中で子どもの様々な欲求を満たし、生命の保持及び情緒の安定を図ること。

（イ）健康、安全など生活に必要な基本的な習慣や態度を養い、心身の健康の基礎を培うこと。

（ウ）人との関わりの中で、人に対する愛情と信頼感、そして人権を大切にする心を育てるとともに、自主、自立及び協調の態度を養い、道徳性の芽生えを培うこと。

（エ）生命、自然及び社会の事象についての
　　　興味や関心を育て、それらに対する豊かな
　　　心情や思考力の芽生えを培うこと。
（オ）生活の中で、言葉への興味や関心を育
　　　て、話したり、聞いたり、相手の話を理解
　　　しようとするなど、言葉の豊かさを養うこと。
（カ）様々な体験を通して、豊かな感性や表
　　　現力を育み、創造性の芽生えを培うこと。
イ　保育所は、入所する子どもの保護者に対
　　し、その意向を受け止め、子どもと保護者
　　の安定した関係に配慮し、保育所の特性
　　や保育士等の専門性を生かして、その援助
　　に当たらなければならない。

（3）保育の方法

　　　保育の目標を達成するために、保育士
　　等は、次の事項に留意して保育しなければ
　　ならない。
ア　一人一人の子どもの状況や家庭及び地域
　　社会での生活の実態を把握するとともに、
　　子どもが安心感と信頼感をもって活動でき
　　るよう、子どもの主体としての思いや願い
　　を受け止めること。
イ　子どもの生活のリズムを大切にし、健
　　康、安全で情緒の安定した生活ができる
　　環境や、自己を十分に発揮できる環境を整
　　えること。
ウ　子どもの発達について理解し、一人一人
　　の発達過程に応じて保育すること。その際、
　　子どもの個人差に十分配慮すること。
エ　子ども相互の関係づくりや互いに尊重す
　　る心を大切にし、集団における活動を効果
　　あるものにするよう援助すること。
オ　子どもが自発的・意欲的に関われるよう
　　な環境を構成し、子どもの主体的な活動や
　　子ども相互の関わりを大切にすること。特
　　に、乳幼児期にふさわしい体験が得られる
　　ように、生活や遊びを通して総合的に保育

すること。
カ　一人一人の保護者の状況やその意向を理
　　解、受容し、それぞれの親子関係や家庭
　　生活等に配慮しながら、様々な機会をとら
　　え、適切に援助すること。

（4）保育の環境

　　　保育の環境には、保育士等や子どもなど
　　の人的環境、施設や遊具などの物的環境、
　　更には自然や社会の事象などがある。保育
　　所は、こうした人、物、場などの環境が相
　　互に関連し合い、子どもの生活が豊かなも
　　のとなるよう、次の事項に留意しつつ、計
　　画的に環境を構成し、工夫して保育しなけ
　　ればならない。
ア　子ども自らが環境に関わり、自発的に活
　　動し、様々な経験を積んでいくことができ
　　るよう配慮すること。
イ　子どもの活動が豊かに展開されるよう、
　　保育所の設備や環境を整え、保育所の保
　　健的環境や安全の確保などに努めること。
ウ　保育室は、温かな親しみとくつろぎの場
　　となるとともに、生き生きと活動できる場
　　となるように配慮すること。
エ　子どもが人と関わる力を育てていくため、
　　子ども自らが周囲の子どもや大人と関わっ
　　ていくことができる環境を整えること。

（5）保育所の社会的責任

ア　保育所は、子どもの人権に十分配慮する
　　とともに、子ども一人一人の人格を尊重して
　　保育を行わなければならない。
イ　保育所は、地域社会との交流や連携を図
　　り、保護者や地域社会に、当該保育所が
　　行う保育の内容を適切に説明するよう努め
　　なければならない。
ウ　保育所は、入所する子ども等の個人情報
　　を適切に取り扱うとともに、保護者の苦情
　　などに対し、その解決を図るよう努めなけ

ればならない。

2 養護に関する基本的事項

（1）養護の理念

保育における養護とは、子どもの生命の保持及び情緒の安定を図るために保育士等が行う援助や関わりであり、保育所における保育は、養護及び教育を一体的に行うことをその特性とするものである。保育所における保育全体を通じて、養護に関するねらい及び内容を踏まえた保育が展開されなければならない。

（2）養護に関わるねらい及び内容

ア 生命の保持

（ア）ねらい

①一人一人の子どもが、快適に生活できるようにする。

②一人一人の子どもが、健康で安全に過ごせるようにする。

③一人一人の子どもの生理的欲求が、十分に満たされるようにする。

④一人一人の子どもの健康増進が、積極的に図られるようにする。

（イ）内容

①一人一人の子どもの平常の健康状態や発育及び発達状態を的確に把握し、異常を感じる場合は、速やかに適切に対応する。

②家庭との連携を密にし、嘱託医等との連携を図りながら、子どもの疾病や事故防止に関する認識を深め、保健的で安全な保育環境の維持及び向上に努める。

③清潔で安全な環境を整え、適切な援助や応答的な関わりを通して子どもの生理的欲求を満たしていく。また、家庭と協力しながら、子どもの発達過程等に応じた適切な生活のリズムがつくられていくようにする。

④子どもの発達過程等に応じて、適度な運動

と休息を取ることができるようにする。また、食事、排泄、衣類の着脱、身の回りを清潔にすることなどについて、子どもが意欲的に生活できるよう適切に援助する。

イ 情緒の安定

（ア）ねらい

①一人一人の子どもが、安定感をもって過ごせるようにする。

②一人一人の子どもが、自分の気持ちを安心して表すことができるようにする。

③一人一人の子どもが、周囲から主体として受け止められ、主体として育ち、自分を肯定する気持ちが育まれていくようにする。

④一人一人の子どもがくつろいで共に過ごし、心身の疲れが癒されるようにする。

（イ）内容

①一人一人の子どもの置かれている状態や発達過程などを的確に把握し、子どもの欲求を適切に満たしながら、応答的な触れ合いや言葉がけを行う。

②一人一人の子どもの気持ちを受容し、共感しながら、子どもとの継続的な信頼関係を築いていく。

③保育士等との信頼関係を基盤に、一人一人の子どもが主体的に活動し、自発性や探索意欲などを高めるとともに、自分への自信をもつことができるよう成長の過程を見守り、適切に働きかける。

④一人一人の子どもの生活のリズム、発達過程、保育時間などに応じて、活動内容のバランスや調和を図りながら、適切な食事や休息が取れるようにする。

3 保育の計画及び評価

（1）全体的な計画の作成

ア 保育所は、1の（2）に示した保育の目標を達成するために、各保育所の保育の

方針や目標に基づき、子どもの発達過程を踏まえて、保育の内容が組織的・計画的に構成され、保育所の生活の全体を通して、総合的に展開されるよう、全体的な計画を作成しなければならない。

イ　全体的な計画は、子どもや家庭の状況、地域の実態、保育時間などを考慮し、子どもの育ちに関する長期的見通しをもって適切に作成されなければならない。

ウ　全体的な計画は、保育所保育の全体像を包括的に示すものとし、これに基づく指導計画、保健計画、食育計画等を通じて、各保育所が創意工夫して保育できるよう、作成されなければならない。

(2) 指導計画の作成

ア　保育所は、全体的な計画に基づき、具体的な保育が適切に展開されるよう、子どもの生活や発達を見通した長期的な指導計画と、それに関連しながら、より具体的な子どもの日々の生活に即した短期的な指導計画を作成しなければならない。

イ　指導計画の作成に当たっては、第2章及びその他の関連する章に示された事項のほか、子ども一人一人の発達過程や状況を十分に踏まえるとともに、次の事項に留意しなければならない。

(ア) 3歳未満児については、一人一人の子どもの生育歴、心身の発達、活動の実態等に即して、個別的な計画を作成すること。

(イ) 3歳以上児については、個の成長と、子ども相互の関係や協同的な活動が促されるよう配慮すること。

(ウ) 異年齢で構成される組やグループでの保育においては、一人一人の子どもの生活や経験、発達過程などを把握し、適切な援助や環境構成ができるよう配慮すること。

ウ　指導計画においては、保育所の生活に

おける子どもの発達過程を見通し、生活の連続性、季節の変化などを考慮し、子どもの実態に即した具体的なねらい及び内容を設定すること。また、具体的なねらいが達成されるよう、子どもの生活する姿や発想を大切にして適切な環境を構成し、子どもが主体的に活動できるようにすること。

エ　一日の生活のリズムや在園時間が異なる子どもが共に過ごすことを踏まえ、活動と休息、緊張感と解放感等の調和を図るよう配慮すること。

オ　午睡は生活のリズムを構成する重要な要素であり、安心して眠ることのできる安全な睡眠環境を確保するとともに、在園時間が異なることや、睡眠時間は子どもの発達の状況や個人によって差があることから、一律とならないよう配慮すること。

カ　長時間にわたる保育については、子どもの発達過程、生活のリズム及び心身の状態に十分配慮して、保育の内容や方法、職員の協力体制、家庭との連携などを指導計画に位置付けること。

キ　障害のある子どもの保育については、一人一人の子どもの発達過程や障害の状態を把握し、適切な環境の下で、障害のある子どもが他の子どもとの生活を通して共に成長できるよう、指導計画の中に位置付けること。また、子どもの状況に応じた保育を実施する観点から、家庭や関係機関と連携した支援のための計画を個別に作成するなど適切な対応を図ること。

(3) 指導計画の展開

指導計画に基づく保育の実施に当たっては、次の事項に留意しなければならない。

ア　施設長、保育士など、全職員による適切な役割分担と協力体制を整えること。

イ　子どもが行う具体的な活動は、生活の中

315

で様々に変化することに留意して、子ども
が望ましい方向に向かって自ら活動を展開
できるよう必要な援助を行うこと。

ウ　子どもの主体的な活動を促すためには、
保育士等が多様な関わりをもつことが重要
であることを踏まえ、子どもの情緒の安定
や発達に必要な豊かな体験が得られるよ
う援助すること。

エ　保育士等は、子どもの実態や子どもを取
り巻く状況の変化などに即して保育の過程
を記録するとともに、これらを踏まえ、指
導計画に基づく保育の内容の見直しを行
い、改善を図ること。

（4）保育内容等の評価

ア　保育士等の自己評価

（ア）保育士等は、保育の計画や保育の記録
を通して、自らの保育実践を振り返り、自
己評価することを通して、その専門性の向
上や保育実践の改善に努めなければならな
ない。

（イ）保育士等による自己評価に当たっては、
子どもの活動内容やその結果だけでなく、
子どもの心の育ちや意欲、取り組む過程な
どにも十分配慮するよう留意すること。

（ウ）保育士等は、自己評価における自らの
保育実践の振り返りや職員相互の話し合い
等を通じて、専門性の向上及び保育の質の
向上のための課題を明確にするとともに、
保育所全体の保育の内容に関する認識を
深めること。

イ　保育所の自己評価

（ア）保育所は、保育の質の向上を図るため、
保育の計画の展開や保育士等の自己評価
を踏まえ、当該保育所の保育の内容等に
ついて、自ら評価を行い、その結果を公表
するよう努めなければならない。

（イ）保育所が自己評価を行うに当たっては、

地域の実情や保育所の実態に即して、適
切に評価の観点や項目等を設定し、全職
員による共通理解をもって取り組むよう留
意すること。

（ウ）設備運営基準第 36 条の趣旨を踏まえ、
保育の内容等の評価に関し、保護者及び
地域住民等の意見を聴くことが望ましいこ
と。

（5）評価を踏まえた計画の改善

ア　保育所は、評価の結果を踏まえ、当該
保育所の保育の内容等の改善を図ること。

イ　保育の計画に基づく保育、保育の内容の
評価及びこれに基づく改善という一連の取
組により、保育の質の向上が図られるよう、
全職員が共通理解をもって取り組むことに
留意すること。

4　幼児教育を行う施設として共有すべき事項

（1）育みたい資質・能力

ア　保育所においては、生涯にわたる生きる
力の基礎を培うため、1の（2）に示す保
育の目標を踏まえ、次に掲げる資質・能力
を一体的に育むよう努めるものとする。

（ア）豊かな体験を通じて、感じたり、気付
いたり、分かったり、できるようになったり
する「知識及び技能の基礎」

（イ）気付いたことや、できるようになったこ
となどを使い、考えたり、試したり、工夫
したり、表現したりする「思考力、判断力、
表現力等の基礎」

（ウ）心情、意欲、態度が育つ中で、よりよ
い生活を営もうとする「学びに向かう力、
人間性等」

イ　アに示す資質・能力は、第2章に示すね
らい及び内容に基づく保育活動全体によっ
て育むものである。

(2) 幼児期の終わりまでに育ってほしい姿

次に示す「幼児期の終わりまでに育ってほしい姿」は、第2章に示すねらい及び内容に基づく保育活動全体を通して資質・能力が育まれている子どもの小学校就学時の具体的な姿であり、保育士等が指導を行う際に考慮するものである。

ア　健康な心と体

保育所の生活の中で、充実感をもって自分のやりたいことに向かって心と体を十分に働かせ、見通しをもって行動し、自ら健康で安全な生活をつくり出すようになる。

イ　自立心

身近な環境に主体的に関わり様々な活動を楽しむ中で、しなければならないことを自覚し、自分の力で行うために考えたり、工夫したりしながら、諦めずにやり遂げることで達成感を味わい、自信をもって行動するようになる。

ウ　協同性

友達と関わる中で、互いの思いや考えなどを共有し、共通の目的の実現に向けて、考えたり、工夫したり、協力したり、充実感をもってやり遂げるようになる。

エ　道徳性・規範意識の芽生え

友達と様々な体験を重ねる中で、してよいことや悪いことが分かり、自分の行動を振り返ったり、友達の気持ちに共感したりし、相手の立場に立って行動するようになる。また、きまりを守る必要性が分かり、自分の気持ちを調整し、友達と折り合いを付けながら、きまりをつくったり、守ったりするようになる。

オ　社会生活との関わり

家族を大切にしようとする気持ちをもつとともに、地域の身近な人と触れ合う中で、人との様々な関わり方に気付き、相手の気持ちを考えて関わり、自分が役に立つ喜びを感じ、地域に親しみをもつようになる。また、保育所内外の様々な環境に関わる中で、遊びや生活に必要な情報を取り入れ、情報に基づき判断したり、情報を伝え合ったり、活用したりするなど、情報を役立てながら活動するようになるとともに、公共の施設を大切に利用するなどして、社会とのつながりなどを意識するようになる。

カ　思考力の芽生え

身近な事象に積極的に関わる中で、物の性質や仕組みなどを感じ取ったり、気付いたりし、考えたり、予想したり、工夫したりするなど、多様な関わりを楽しむようになる。また、友達の様々な考えに触れる中で、自分と異なる考えがあることに気付き、自ら判断したり、考え直したりするなど、新しい考えを生み出す喜びを味わいながら、自分の考えをよりよいものにするようになる。

キ　自然との関わり・生命尊重

自然に触れて感動する体験を通して、自然の変化などを感じ取り、好奇心や探究心をもって考え言葉などで表現しながら、身近な事象への関心が高まるとともに、自然への愛情や畏敬の念をもつようになる。また、身近な動植物に心を動かされる中で、生命の不思議さや尊さに気付き、身近な動植物への接し方を考え、命あるものとしていたわり、大切にする気持ちをもって関わるようになる。

ク　数量や図形、標識や文字などへの関心・感覚

遊びや生活の中で、数量や図形、標識や文字などに親しむ体験を重ねたり、標識や文字の役割に気付いたりし、自らの必要感に基づきこれらを活用し、興味や関心、

感覚をもつようになる。

ケ　言葉による伝え合い

　保育士等や友達と心を通わせる中で、絵本や物語などに親しみながら、豊かな言葉や表現を身に付け、経験したことや考えたことなどを言葉で伝えたり、相手の話を注意して聞いたりし、言葉による伝え合いを楽しむようになる。

コ　豊かな感性と表現

　心を動かす出来事などに触れ感性を働かせる中で、様々な素材の特徴や表現の仕方などに気付き、感じたことや考えたことを自分で表現したり、友達同士で表現する過程を楽しんだりし、表現する喜びを味わい、意欲をもつようになる。

第2章　保育の内容

　この章に示す「ねらい」は、第1章の1の（2）に示された保育の目標をより具体化したものであり、子どもが保育所において、安定した生活を送り、充実した活動ができるように、保育を通じて育みたい資質・能力を、子どもの生活する姿から捉えたものである。また、「内容」は、「ねらい」を達成するために、子どもの生活やその状況に応じて保育士等が適切に行う事項と、保育士等が援助して子どもが環境に関わって経験する事項を示したものである。

　保育における「養護」とは、子どもの生命の保持及び情緒の安定を図るために保育士等が行う援助や関わりであり、「教育」とは、子どもが健やかに成長し、その活動がより豊かに展開されるための発達の援助である。本章では、保育士等が、「ねらい」及び「内容」を具体的に把握するため、主に教育に関わる側面からの視点を示してい

るが、実際の保育においては、養護と教育が一体となって展開されることに留意する必要がある。

1　乳児保育に関わるねらい及び内容

（1）基本的事項

ア　乳児期の発達については、視覚、聴覚などの感覚や、座る、はう、歩くなどの運動機能が著しく発達し、特定の大人との応答的な関わりを通じて、情緒的な絆（きずな）が形成されるといった特徴がある。これらの発達の特徴を踏まえて、乳児保育は、愛情豊かに、応答的に行われることが特に必要である。

イ　本項においては、この時期の発達の特徴を踏まえ、乳児保育の「ねらい」及び「内容」については、身体的発達に関する視点「健やかに伸び伸びと育つ」、社会的発達に関する視点「身近な人と気持ちが通じ合う」及び精神的発達に関する視点「身近なものと関わり感性が育つ」としてまとめ、示している。

ウ　本項の各視点において示す保育の内容は、第1章の2に示された養護における「生命の保持」及び「情緒の安定」に関わる保育の内容と、一体となって展開されるものであることに留意が必要である。

（2）ねらい及び内容

ア　健やかに伸び伸びと育つ

　健康な心と体を育て、自ら健康で安全な生活をつくり出す力の基盤を培う。

（ア）ねらい

①身体感覚が育ち、快適な環境に心地よさを感じる。

②伸び伸びと体を動かし、はう、歩くなどの運動をしようとする。

③食事、睡眠等の生活のリズムの感覚が芽

生える。

（イ）内容

①保育士等の愛情豊かな受容の下で、生理的・心理的欲求を満たし、心地よく生活をする。

②一人一人の発育に応じて、はう、立つ、歩くなど、十分に体を動かす。

③個人差に応じて授乳を行い、離乳を進めていく中で、様々な食品に少しずつ慣れ、食べることを楽しむ。

④一人一人の生活のリズムに応じて、安全な環境の下で十分に午睡をする。

⑤おむつ交換や衣服の着脱などを通じて、清潔になることの心地よさを感じる。

（ウ）内容の取扱い

上記の取扱いに当たっては、次の事項に留意する必要がある。

①心と体の健康は、相互に密接な関連があるものであることを踏まえ、温かい触れ合いの中で、心と体の発達を促すこと。特に、寝返り、お座り、はいはい、つかまり立ち、伝い歩きなど、発育に応じて、遊びの中で体を動かす機会を十分に確保し、自ら体を動かそうとする意欲が育つようにすること。

②健康な心と体を育てるためには望ましい食習慣の形成が重要であることを踏まえ、離乳食が完了期へと徐々に移行する中で、様々な食品に慣れるようにするとともに、和やかな雰囲気の中で食べる喜びや楽しさを味わい、進んで食べようとする気持ちが育つようにすること。なお、食物アレルギーのある子どもへの対応については、嘱託医等の指示や協力の下に適切に対応すること。

イ　身近な人と気持ちが通じ合う

受容的・応答的な関わりの下で、何かを伝えようとする意欲や身近な大人との信頼関係を育て、人と関わる力の基盤を培う。

（ア）ねらい

①安心できる関係の下で、身近な人と共に過ごす喜びを感じる。

②体の動きや表情、発声等により、保育士等と気持ちを通わせようとする。

③身近な人と親しみ、関わりを深め、愛情や信頼感が芽生える。

（イ）内容

①子どもからの働きかけを踏まえた、応答的な触れ合いや言葉がけによって、欲求が満たされ、安定感をもって過ごす。

②体の動きや表情、発声や喃語等を優しく受け止めてもらい、保育士等とのやり取りを楽しむ。

③生活や遊びの中で、自分の身近な人の存在に気付き、親しみの気持ちを表す。

④保育士等による語りかけや歌いかけ、発声や喃語等への応答を通じて、言葉の理解や発語の意欲が育つ。

⑤温かく、受容的な関わりを通じて、自分を肯定する気持ちが芽生える。

（ウ）内容の取扱い

上記の取扱いに当たっては、次の事項に留意する必要がある。

①保育士等との信頼関係に支えられて生活を確立していくことが人と関わる基盤となることを考慮して、子どもの多様な感情を受け止め、温かく受容的・応答的に関わり、一人一人に応じた適切な援助を行うようにすること。

②身近な人に親しみをもって接し、自分の感情などを表し、それに相手が応答する言葉を聞くことを通して、次第に言葉が獲得されていくことを考慮して、楽しい雰囲気の中での保育士等との関わり合いを大切に

し、ゆっくりと優しく話しかけるなど、積極的に言葉のやり取りを楽しむことができるようにすること。

ウ　身近なものと関わり感性が育つ

身近な環境に興味や好奇心をもって関わり、感じたことや考えたことを表現する力の基盤を培う。

（ア）ねらい

①身の回りのものに親しみ、様々なものに興味や関心をもつ。

②見る、触れる、探索するなど、身近な環境に自分から関わろうとする。

③身体の諸感覚による認識が豊かになり、表情や手足、体の動き等で表現する。

（イ）内容

①身近な生活用具、玩具や絵本などが用意された中で、身の回りのものに対する興味や好奇心をもつ。

②生活や遊びの中で様々なものに触れ、音、形、色、手触りなどに気付き、感覚の働きを豊かにする。

③保育士等と一緒に様々な色彩や形のものや絵本などを見る。

④玩具や身の回りのものを、つまむ、つかむ、たたく、引っ張るなど、手や指を使って遊ぶ。

⑤保育士等のあやし遊びに機嫌よく応じたり、歌やリズムに合わせて手足や体を動かして楽しんだりする。

（ウ）内容の取扱い

上記の取扱いに当たっては、次の事項に留意する必要がある。

①玩具などは、音質、形、色、大きさなど子ども発達状態に応じて適切なものを選び、その時々の子どもの興味や関心を踏まえるなど、遊びを通して感覚の発達が促されるものとなるように工夫すること。なお、安全な環境の下で、子どもが探索意欲を満たして自由に遊べるよう、身の回りのものについては、常に十分な点検を行うこと。

②乳児期においては、表情、発声、体の動きなどで、感情を表現することが多いことから、これらの表現しようとする意欲を積極的に受け止めて、子どもが様々な活動を楽しむことを通して表現が豊かになるようにすること。

（3）保育の実施に関わる配慮事項

ア　乳児は疾病への抵抗力が弱く、心身の機能の未熟さに伴う疾病の発生が多いことから、一人一人の発育及び発達状態や健康状態についての適切な判断に基づく保健的な対応を行うこと。

イ　一人一人の子どもの生育歴の違いに留意しつつ、欲求を適切に満たし、特定の保育士が応答的に関わるように努めること。

ウ　乳児保育に関わる職員間の連携や嘱託医との連携を図り、第3章に示す事項を踏まえ、適切に対応すること。栄養士及び看護師等が配置されている場合は、その専門性を生かした対応を図ること。

エ　保護者との信頼関係を築きながら保育を進めるとともに、保護者からの相談に応じ、保護者への支援に努めていくこと。

オ　担当の保育士が替わる場合には、子どものそれまでの生育歴や発達過程に留意し、職員間で協力して対応すること。

2　1歳以上3歳未満児の保育に関わるねらい及び内容

（1）基本的事項

ア　この時期においては、歩き始めから、歩く、走る、跳ぶなどへと、基本的な運動機能が次第に発達し、排泄の自立のための身体的機能も整うようになる。つまむ、めくるなどの指先の機能も発達し、食事、衣類

の着脱なども、保育士等の援助の下で自分で行うようになる。発声も明瞭になり、語彙も増加し、自分の意思や欲求を言葉で表出できるようになる。このように自分でできることが増えてくる時期であることから、保育士等は、子どもの生活の安定を図りながら、自分でしようとする気持ちを尊重し、温かく見守るとともに、愛情豊かに、応答的に関わることが必要である。

イ　本項においては、この時期の発達の特徴を踏まえ、保育の「ねらい」及び「内容」について、心身の健康に関する領域「健康」、人との関わりに関する領域「人間関係」、身近な環境との関わりに関する領域「環境」、言葉の獲得に関する領域「言葉」及び感性と表現に関する領域「表現」としてまとめ、示している。

ウ　本項の各領域において示す保育の内容は、第1章の2に示された養護における「生命の保持」及び「情緒の安定」に関わる保育の内容と、一体となって展開されるものであることに留意が必要である。

(2) ねらい及び内容

ア　健康

　　健康な心と体を育て、自ら健康で安全な生活をつくり出す力を養う。

（ア）ねらい

①明るく伸び伸びと生活し、自分から体を動かすことを楽しむ。

②自分の体を十分に動かし、様々な動きをしようとする。

③健康、安全な生活に必要な習慣に気付き、自分でしてみようとする気持ちが育つ。

（イ）内容

①保育士等の愛情豊かな受容の下で、安定感をもって生活をする。

②食事や午睡、遊びと休息など、保育所における生活のリズムが形成される。

③走る、跳ぶ、登る、押す、引っ張るなど全身を使う遊びを楽しむ。

④様々な食品や調理形態に慣れ、ゆったりとした雰囲気の中で食事や間食を楽しむ。

⑤身の回りを清潔に保つ心地よさを感じ、その習慣が少しずつ身に付く。

⑥保育士等の助けを借りながら、衣類の着脱を自分でしようとする。

⑦便器での排泄に慣れ、自分で排泄ができるようになる。

（ウ）内容の取扱い

　　上記の取扱いに当たっては、次の事項に留意する必要がある。

①心と体の健康は、相互に密接な関連があるものであることを踏まえ、子どもの気持ちに配慮した温かい触れ合いの中で、心と体の発達を促すこと。特に、一人一人の発育に応じて、体を動かす機会を十分に確保し、自ら体を動かそうとする意欲が育つようにすること。

②健康な心と体を育てるためには望ましい食習慣の形成が重要であることを踏まえ、ゆったりとした雰囲気の中で食べる喜びや楽しさを味わい、進んで食べようとする気持ちが育つようにすること。なお、食物アレルギーのある子どもへの対応については、嘱託医等の指示や協力の下に適切に対応すること。

③排泄の習慣については、一人一人の排尿間隔等を踏まえ、おむつが汚れていないときに便器に座らせるなどにより、少しずつ慣れさせるようにすること。

④食事、排泄、睡眠、衣類の着脱、身の回りを清潔にすることなど、生活に必要な基本的な習慣については、一人一人の状態に応じ、落ち着いた雰囲気の中で行うように

し、子どもが自分でしようとする気持ちを尊重すること。また、基本的な生活習慣の形成に当たっては、家庭での生活経験に配慮し、家庭との適切な連携の下で行うようにすること。

イ　人間関係

他の人々と親しみ、支え合って生活するために、自立心を育て、人と関わる力を養う。

（ア）ねらい

①保育所での生活を楽しみ、身近な人と関わる心地よさを感じる。

②周囲の子ども等への興味や関心が高まり、関わりをもとうとする。

③保育所の生活の仕方に慣れ、きまりの大切さに気付く。

（イ）内容

①保育士等や周囲の子ども等との安定した関係の中で、共に過ごす心地よさを感じる。

②保育士等の受容的・応答的な関わりの中で、欲求を適切に満たし、安定感をもって過ごす。

③身の回りに様々な人がいることに気付き、徐々に他の子どもと関わりをもって遊ぶ。

④保育士等の仲立ちにより、他の子どもとの関わり方を少しずつ身につける。

⑤保育所の生活の仕方に慣れ、きまりがあることや、その大切さに気付く。

⑥生活や遊びの中で、年長児や保育士等の真似をしたり、ごっこ遊びを楽しんだりする。

（ウ）内容の取扱い

上記の取扱いに当たっては、次の事項に留意する必要がある。

①保育士等との信頼関係に支えられて生活を確立するとともに、自分で何かをしようとする気持ちが旺盛になる時期であることに鑑み、そのような子どもの気持ちを尊重し、温かく見守るとともに、愛情豊かに、応答的に関わり、適切な援助を行うようにすること。

②思い通りにいかない場合等の子どもの不安定な感情の表出については、保育士等が受容的に受け止めるとともに、そうした気持ちから立ち直る経験や感情をコントロールすることへの気付き等につなげていけるように援助すること。

③この時期は自己と他者との違いの認識がまだ十分ではないことから、子どもの自我の育ちを見守るとともに、保育士等が仲立ちとなって、自分の気持ちを相手に伝えることや相手の気持ちに気付くことの大切さなど、友達の気持ちや友達との関わり方を丁寧に伝えていくこと。

ウ　環境

周囲の様々な環境に好奇心や探究心をもって関わり、それらを生活に取り入れていこうとする力を養う。

（ア）ねらい

①身近な環境に親しみ、触れ合う中で、様々なものに興味や関心をもつ。

②様々なものに関わる中で、発見を楽しんだり、考えたりしようとする。

③見る、聞く、触るなどの経験を通して、感覚の働きを豊かにする。

（イ）内容

①安全で活動しやすい環境での探索活動等を通して、見る、聞く、触れる、嗅ぐ、味わうなどの感覚の働きを豊かにする。

②玩具、絵本、遊具などに興味をもち、それらを使った遊びを楽しむ。

③身の回りの物に触れる中で、形、色、大きさ、量などの物の性質や仕組みに気付く。

④自分の物と人の物の区別や、場所的感覚な

ど、環境を捉える感覚が育つ。

⑤身近な生き物に気付き、親しみをもつ。

⑥近隣の生活や季節の行事などに興味や関心をもつ。

（ウ）内容の取扱い

上記の取扱いに当たっては、次の事項に留意する必要がある。

①玩具などは、音質、形、色、大きさなど子どもの発達状態に応じて適切なものを選び、遊びを通して感覚の発達が促されるように工夫すること。

②身近な生き物との関わりについては、子どもが命を感じ、生命の尊さに気付く経験へとつながるものであることから、そうした気付きを促すような関わりとなるようにすること。

③地域の生活や季節の行事などに触れる際には、社会とのつながりや地域社会の文化への気付きにつながるものとなることが望ましいこと。その際、保育所内外の行事や地域の人々との触れ合いなどを通して行うこと等も考慮すること。

エ　言葉

経験したことや考えたことなどを自分なりの言葉で表現し、相手の話す言葉を聞こうとする意欲や態度を育て、言葉に対する感覚や言葉で表現する力を養う。

（ア）ねらい

①言葉遊びや言葉で表現する楽しさを感じる。

②人の言葉や話などを聞き、自分でも思ったことを伝えようとする。

③絵本や物語等に親しむとともに、言葉のやり取りを通じて身近な人と気持ちを通わせる。

（イ）内容

①保育士等の応答的な関わりや話しかけによ

り、自ら言葉を使おうとする。

②生活に必要な簡単な言葉に気付き、聞き分ける。

③親しみをもって日常の挨拶に応じる。

④絵本や紙芝居を楽しみ、簡単な言葉を繰り返したり、模倣をしたりして遊ぶ。

⑤保育士等とごっこ遊びをする中で、言葉のやり取りを楽しむ。

⑥保育士等を仲立ちとして、生活や遊びの中で友達との言葉のやり取りを楽しむ。

⑦保育士等や友達の言葉や話に興味や関心をもって、聞いたり、話したりする。

（ウ）内容の取扱い

上記の取扱いに当たっては、次の事項に留意する必要がある。

①身近な人に親しみをもって接し、自分の感情などを伝え、それに相手が応答し、その言葉を聞くことを通して、次第に言葉が獲得されていくものであることを考慮して、楽しい雰囲気の中で保育士等との言葉のやり取りができるようにすること。

②子どもが自分の思いを言葉で伝えるとともに、他の子どもの話などを聞くことを通して、次第に話を理解し、言葉による伝え合いができるようになるよう、気持ちや経験等の言語化を行うことを援助するなど、子ども同士の関わりの仲立ちを行うようにすること。

③この時期は、片言から、二語文、ごっこ遊びでのやり取りができる程度へと、大きく言葉の習得が進む時期であることから、それぞれの子どもの発達の状況に応じて、遊びや関わりの工夫など、保育の内容を適切に展開することが必要であること。

オ　表現

感じたことや考えたことを自分なりに表現することを通して、豊かな感性や表現す

る力を養い、創造性を豊かにする。

（ア）ねらい

①身体の諸感覚の経験を豊かにし、様々な感覚を味わう。

②感じたことや考えたことなどを自分なりに表現しようとする。

③生活や遊びの様々な体験を通して、イメージや感性が豊かになる。

（イ）内容

①水、砂、土、紙、粘土など様々な素材に触れて楽しむ。

②音楽、リズムやそれに合わせた体の動きを楽しむ。

③生活の中で様々な音、形、色、手触り、動き、味、香りなどに気付いたり、感じたりして楽しむ。

④歌を歌ったり、簡単な手遊びや全身を使う遊びを楽しんだりする。

⑤保育士等からの話や、生活や遊びの中での出来事を通して、イメージを豊かにする。

⑥生活や遊びの中で、興味のあることや経験したことなどを自分なりに表現する。

（ウ）内容の取扱い

上記の取扱いに当たっては、次の事項に留意する必要がある。

①子どもの表現は、遊びや生活の様々な場面で表出されているものであることから、それらを積極的に受け止め、様々な表現の仕方や感性を豊かにする経験となるようにすること。

②子どもが試行錯誤しながら様々な表現を楽しむことや、自分の力でやり遂げる充実感などに気付くよう、温かく見守るとともに、適切に援助を行うようにすること。

③様々な感情の表現等を通じて、子どもが自分の感情や気持ちに気付くようになる時期であることに鑑み、受容的な関わりの中で

自信をもって表現をすることや、諦めずに続けた後の達成感等を感じられるような経験が蓄積されるようにすること。

④身近な自然や身の回りの事物に関わる中で、発見や心が動く経験が得られるよう、諸感覚を働かせることを楽しむ遊びや素材を用意するなど保育の環境を整えること。

（3）保育の実施に関わる配慮事項

ア　特に感染症にかかりやすい時期であるので、体の状態、機嫌、食欲などの日常の状態の観察を十分に行うとともに、適切な判断に基づく保健的な対応を心がけること。

イ　探索活動が十分できるように、事故防止に努めながら活動しやすい環境を整え、全身を使う遊びなど様々な遊びを取り入れること。

ウ　自我が形成され、子どもが自分の感情や気持ちに気付くようになる重要な時期であることに鑑み、情緒の安定を図りながら、子どもの自発的な活動を尊重するとともに、促していくこと。

エ　担当の保育士が替わる場合には、子どものそれまでの経験や発達過程に留意し、職員間で協力して対応すること。

3　3歳以上児の保育に関するねらい及び内容

（1）基本的事項

ア　この時期においては、運動機能の発達により、基本的な動作が一通りできるようになるとともに、基本的な生活習慣もほぼ自立できるようになる。理解する語彙数が急激に増加し、知的興味や関心も高まってくる。仲間と遊び、仲間の中の一人という自覚が生じ、集団的な遊びや協同的な活動も見られるようになる。これらの発達の特

徴を踏まえて、この時期の保育においては、個の成長と集団としての活動の充実が図られるようにしなければならない。

イ　本項においては、この時期の発達の特徴を踏まえ、保育の「ねらい」及び「内容」について、心身の健康に関する領域「健康」、人との関わりに関する領域「人間関係」、身近な環境との関わりに関する領域「環境」、言葉の獲得に関する領域「言葉」及び感性と表現に関する領域「表現」としてまとめ、示している。

ウ　本項の各領域において示す保育の内容は、第1章の2に示された養護における「生命の保持」及び「情緒の安定」に関わる保育の内容と、一体となって展開されるものであることに留意が必要である。

(2) ねらい及び内容

ア　健康

　健康な心と体を育て、自ら健康で安全な生活をつくり出す力を養う。

（ア）ねらい

①明るく伸び伸びと行動し、充実感を味わう。

②自分の体を十分に動かし、進んで運動しようとする。

③健康、安全な生活に必要な習慣や態度を身に付け、見通しをもって行動する。

（イ）内容

①保育士等や友達と触れ合い、安定感をもって行動する。

②いろいろな遊びの中で十分に体を動かす。

③進んで戸外で遊ぶ。

④様々な活動に親しみ、楽しんで取り組む。

⑤保育士等や友達と食べることを楽しみ、食べ物への興味や関心をもつ。

⑥健康な生活のリズムを身に付ける。

⑦身の回りを清潔にし、衣服の着脱、食事、排泄などの生活に必要な活動を自分です

る。

⑧保育所における生活の仕方を知り、自分たちで生活の場を整えながら見通しをもって行動する。

⑨自分の健康に関心をもち、病気の予防などに必要な活動を進んで行う。

⑩危険な場所、危険な遊び方、災害時などの行動の仕方が分かり、安全に気を付けて行動する。

（ウ）内容の取扱い

　上記の取扱いに当たっては、次の事項に留意する必要がある。

①心と体の健康は、相互に密接な関連があるものであることを踏まえ、子どもが保育士等や他の子どもとの温かい触れ合いの中で自己の存在感や充実感を味わうことなどを基盤として、しなやかな心と体の発達を促すこと。特に、十分に体を動かす気持ちよさを体験し、自ら体を動かそうとする意欲が育つようにすること。

②様々な遊びの中で、子どもが興味や関心、能力に応じて全身を使って活動することにより、体を動かす楽しさを味わい、自分の体を大切にしようとする気持ちが育つようにすること。その際、多様な動きを経験する中で、体の動きを調整するようにすること。

③自然の中で伸び伸びと体を動かして遊ぶことにより、体の諸機能の発達が促されることに留意し、子どもの興味や関心が戸外にも向くようにすること。その際、子どもの動線に配慮した園庭や遊具の配置などを工夫すること。

④健康な心と体を育てるためには食育を通じた望ましい食習慣の形成が大切であることを踏まえ、子どもの食生活の実情に配慮し、和やかな雰囲気の中で保育士等や他の子

どもと食べる喜びや楽しさを味わったり、様々な食べ物への興味や関心をもったりするなどし、食の大切さに気付き、進んで食べようとする気持ちが育つようにすること。

⑤基本的な生活習慣の形成に当たっては、家庭での生活経験に配慮し、子どもの自立心を育て、子どもが他の子どもと関わりながら主体的な活動を展開する中で、生活に必要な習慣を身に付け、次第に見通しをもって行動できるようにすること。

⑥安全に関する指導に当たっては、情緒の安定を図り、遊びを通して安全についての構えを身に付け、危険な場所や事物などが分かり、安全についての理解を深めるようにすること。また、交通安全の習慣を身に付けるようにするとともに、避難訓練などを通して、災害などの緊急時に適切な行動がとれるようにすること。

イ　人間関係

　他の人々と親しみ、支え合って生活するために、自立心を育て、人と関わる力を養う。

（ア）ねらい

①保育所の生活を楽しみ、自分の力で行動することの充実感を味わう。

②身近な人と親しみ、関わりを深め、工夫したり、協力したりして一緒に活動する楽しさを味わい、愛情や信頼感をもつ。

③社会生活における望ましい習慣や態度を身に付ける。

（イ）内容

①保育士等や友達と共に過ごすことの喜びを味わう。

②自分で考え、自分で行動する。

③自分でできることは自分でする。

④いろいろな遊びを楽しみながら物事をやり遂げようとする気持ちをもつ。

⑤友達と積極的に関わりながら喜びや悲しみ

を共感し合う。

⑥自分の思ったことを相手に伝え、相手の思っていることに気付く。

⑦友達のよさに気付き、一緒に活動する楽しさを味わう。

⑧友達と楽しく活動する中で、共通の目的を見いだし、工夫したり、協力したりなどする。

⑨よいことや悪いことがあることに気付き、考えながら行動する。

⑩友達との関わりを深め、思いやりをもつ。

⑪友達と楽しく生活する中できまりの大切さに気付き、守ろうとする。

⑫共同の遊具や用具を大切にし、皆で使う。

⑬高齢者をはじめ地域の人々などの自分の生活に関係の深いいろいろな人に親しみをもつ。

（ウ）内容の取扱い

　上記の取扱いに当たっては、次の事項に留意する必要がある。

①保育士等との信頼関係に支えられて自分自身の生活を確立していくことが人と関わる基盤となることを考慮し、子どもが自ら周囲に働き掛けることにより多様な感情を体験し、試行錯誤しながら諦めずにやり遂げることの達成感や、前向きな見通しをもって自分の力で行うことの充実感を味わうことができるよう、子どもの行動を見守りながら適切な援助を行うようにすること。

②一人一人を生かした集団を形成しながら人と関わる力を育てていくようにすること。その際、集団の生活の中で、子どもが自己を発揮し、保育士等や他の子どもに認められる体験をし、自分のよさや特徴に気付き、自信をもって行動できるようにすること。

③子どもが互いに関わりを深め、協同して遊ぶようになるため、自ら行動する力を育てるとともに、他の子どもと試行錯誤しなが

ら活動を展開する楽しさや共通の目的が実現する喜びを味わうことができるようにすること。

④道徳性の芽生えを培うに当たっては、基本的な生活習慣の形成を図るとともに、子どもが他の子どもとの関わりの中で他人の存在に気付き、相手を尊重する気持ちをもって行動できるようにし、また、自然や身近な動植物に親しむことなどを通して豊かな心情が育つようにすること。特に、人に対する信頼感や思いやりの気持ちは、葛藤やつまずきをも体験し、それらを乗り越えることにより次第に芽生えてくることに配慮すること。

⑤集団の生活を通して、子どもが人との関わりを深め、規範意識の芽生えが培われることを考慮し、子どもが保育士等との信頼関係に支えられて自己を発揮する中で、互いに思いを主張し、折り合いを付ける体験をし、きまりの必要性などに気付き、自分の気持ちを調整する力が育つようにすること。

⑥高齢者をはじめ地域の人々などの自分の生活に関係の深いいろいろな人と触れ合い、自分の感情や意志を表現しながら共に楽しみ、共感し合う体験を通して、これらの人々などに親しみをもち、人と関わることの楽しさや人の役に立つ喜びを味わうことができるようにすること。また、生活を通して親や祖父母などの家族の愛情に気付き、家族を大切にしようとする気持ちが育つようにすること。

ウ　環境

　周囲の様々な環境に好奇心や探究心をもって関わり、それらを生活に取り入れていこうとする力を養う。

（ア）ねらい

①身近な環境に親しみ、自然と触れ合う中で

様々な事象に興味や関心をもつ。

②身近な環境に自分から関わり、発見を楽しんだり、考えたりし、それを生活に取り入れようとする。

③身近な事象を見たり、考えたり、扱ったりする中で、物の性質や数量、文字などに対する感覚を豊かにする。

（イ）内容

①自然に触れて生活し、その大きさ、美しさ、不思議さなどに気付く。

②生活の中で、様々な物に触れ、その性質や仕組みに興味や関心をもつ。

③季節により自然や人間の生活に変化のあることに気付く。

④自然などの身近な事象に関心をもち、取り入れて遊ぶ。

⑤身近な動植物に親しみをもって接し、生命の尊さに気付き、いたわったり、大切にしたりする。

⑥日常生活の中で、我が国や地域社会における様々な文化や伝統に親しむ。

⑦身近な物を大切にする。

⑧身近な物や遊具に興味をもって関わり、自分なりに比べたり、関連付けたりしながら考えたり、試したりして工夫して遊ぶ。

⑨日常生活の中で数量や図形などに関心をもつ。

⑩日常生活の中で簡単な標識や文字などに関心をもつ。

⑪生活に関係の深い情報や施設などに興味や関心をもつ。

⑫保育所内外の行事において国旗に親しむ。

（ウ）内容の取扱い

　上記の取扱いに当たっては、次の事項に留意する必要がある。

①子どもが、遊びの中で周囲の環境と関わり、次第に周囲の世界に好奇心を抱き、そ

の意味や操作の仕方に関心をもち、物事の法則性に気付き、自分なりに考えることができるようになる過程を大切にすること。また、他の子どもの考えなどに触れて新しい考えを生み出す喜びや楽しさを味わい、自分の考えをよりよいものにしようとする気持ちが育つようにすること。

②幼児期において自然のもつ意味は大きく、自然の大きさ、美しさ、不思議さなどに直接触れる体験を通して、子どもの心が安らぎ、豊かな感情、好奇心、思考力、表現力の基礎が培われることを踏まえ、子どもが自然との関わりを深めることができるよう工夫すること。

③身近な事象や動植物に対する感動を伝え合い、共感し合うことなどを通して自分から関わろうとする意欲を育てるとともに、様々な関わり方を通してそれらに対する親しみや畏敬の念、生命を大切にする気持ち、公共心、探究心などが養われるようにすること。

④文化や伝統に親しむ際には、正月や節句など我が国の伝統的な行事、国歌、唱歌、わらべうたや我が国の伝統的な遊びに親しんだり、異なる文化に触れる活動に親しんだりすることを通じて、社会とのつながりの意識や国際理解の意識の芽生えなどが養われるようにすること。

⑤数量や文字などに関しては、日常生活の中で子ども自身の必要感に基づく体験を大切にし、数量や文字などに関する興味や関心、感覚が養われるようにすること。

エ　言葉

　　経験したことや考えたことなどを自分なりの言葉で表現し、相手の話す言葉を聞こうとする意欲や態度を育て、言葉に対する感覚や言葉で表現する力を養う。

（ア）ねらい

①自分の気持ちを言葉で表現する楽しさを味わう。

②人の言葉や話などをよく聞き、自分の経験したことや考えたことを話し、伝え合う喜びを味わう。

③日常生活に必要な言葉が分かるようになるとともに、絵本や物語などに親しみ、言葉に対する感覚を豊かにし、保育士等や友達と心を通わせる。

（イ）内容

①保育士等や友達の言葉や話に興味や関心をもち、親しみをもって聞いたり、話したりする。

②したり、見たり、聞いたり、感じたり、考えたりなどしたことを自分なりに言葉で表現する。

③したいこと、してほしいことを言葉で表現したり、分からないことを尋ねたりする。

④人の話を注意して聞き、相手に分かるように話す。

⑤生活の中で必要な言葉が分かり、使う。

⑥親しみをもって日常の挨拶をする。

⑦生活の中で言葉の楽しさや美しさに気付く。

⑧いろいろな体験を通じてイメージや言葉を豊かにする。

⑨絵本や物語などに親しみ、興味をもって聞き、想像をする楽しさを味わう。

⑩日常生活の中で、文字などで伝える楽しさを味わう。

（ウ）内容の取扱い

　　　　上記の取扱いに当たっては、次の事項に留意する必要がある。

①言葉は、身近な人に親しみをもって接し、自分の感情や意志などを伝え、それに相手が応答し、その言葉を聞くことを通して

次第に獲得されていくものであることを考慮して、子どもが保育士等や他の子どもと関わることにより心を動かされるような体験をし、言葉を交わす喜びを味わえるようにすること。

② 子どもが自分の思いを言葉で伝えるとともに、保育士等や他の子どもなどの話を興味をもって注意して聞くことを通して次第に話を理解するようになっていき、言葉による伝え合いができるようにすること。

③ 絵本や物語などで、その内容と自分の経験とを結び付けたり、想像を巡らせたりするなど、楽しみを十分に味わうことによって、次第に豊かなイメージをもち、言葉に対する感覚が養われるようにすること。

④ 子どもが生活の中で、言葉の響きやリズム、新しい言葉や表現などに触れ、これらを使う楽しさを味わえるようにすること。その際、絵本や物語に親しんだり、言葉遊びなどをしたりすることを通して、言葉が豊かになるようにすること。

⑤ 子どもが日常生活の中で、文字などを使いながら思ったことや考えたことを伝える喜びや楽しさを味わい、文字に対する興味や関心をもつようにすること。

オ　表現

感じたことや考えたことを自分なりに表現することを通して、豊かな感性や表現する力を養い、創造性を豊かにする。

（ア）ねらい

① いろいろなものの美しさなどに対する豊かな感性をもつ。

② 感じたことや考えたことを自分なりに表現して楽しむ。

③ 生活の中でイメージを豊かにし、様々な表現を楽しむ。

（イ）内容

① 生活の中で様々な音、形、色、手触り、動きなどに気付いたり、感じたりするなどして楽しむ。

② 生活の中で美しいものや心を動かす出来事に触れ、イメージを豊かにする。

③ 様々な出来事の中で、感動したことを伝え合う楽しさを味わう。

④ 感じたこと、考えたことなどを音や動きなどで表現したり、自由にかいたり、つくったりなどする。

⑤ いろいろな素材に親しみ、工夫して遊ぶ。

⑥ 音楽に親しみ、歌を歌ったり、簡単なリズム楽器を使ったりなどする楽しさを味わう。

⑦ かいたり、つくったりすることを楽しみ、遊びに使ったり、飾ったりなどする。

⑧ 自分のイメージを動きや言葉などで表現したり、演じて遊んだりするなどの楽しさを味わう。

（ウ）内容の取扱い

上記の取扱いに当たっては、次の事項に留意する必要がある。

① 豊かな感性は、身近な環境と十分に関わる中で美しいもの、優れたもの、心を動かす出来事などに出会い、そこから得た感動を他の子どもや保育士等と共有し、様々に表現することなどを通して養われるようにすること。その際、風の音や雨の音、身近にある草や花の形や色など自然の中にある音、形、色などに気付くようにすること。

② 子どもの自己表現は素朴な形で行われることが多いので、保育士等はそのような表現を受容し、子ども自身の表現しようとする意欲を受け止めて、子どもが生活の中で子どもらしい様々な表現を楽しむことができるようにすること。

③ 生活経験や発達に応じ、自ら様々な表現を楽しみ、表現する意欲を十分に発揮させ

ることができるように、遊具や用具などを整えたり、様々な素材や表現の仕方に親しんだり、他の子どもの表現に触れられるよう配慮したりし、表現する過程を大切にして自己表現を楽しめるように工夫すること。

（3）保育の実施に関わる配慮事項

ア　第1章の4の（2）に示す「幼児期の終わりまでに育ってほしい姿」が、ねらい及び内容に基づく活動全体を通して資質・能力が育まれている子どもの小学校就学時の具体的な姿であることを踏まえ、指導を行う際には適宜考慮すること。

イ　子どもの発達や成長の援助をねらいとした活動の時間については、意識的に保育の計画等において位置付けて、実施することが重要であること。なお、そのような活動の時間については、保護者の就労状況等に応じて子どもが保育所で過ごす時間がそれぞれ異なることに留意して設定すること。

ウ　特に必要な場合には、各領域に示すねらいの趣旨に基づいて、具体的な内容を工夫し、それを加えても差し支えないが、その場合には、それが第1章の1に示す保育所保育に関する基本原則を逸脱しないよう慎重に配慮する必要があること。

4　保育の実施に関して留意すべき事項

（1）保育全般に関わる配慮事項

ア　子どもの心身の発達及び活動の実態などの個人差を踏まえるとともに、一人一人の子どもの気持ちを受け止め、援助すること。

イ　子どもの健康は、生理的・身体的な育ちとともに、自主性や社会性、豊かな感性の育ちとがあいまってもたらされることに留意すること。

ウ　子どもが自ら周囲に働きかけ、試行錯誤

しつつ自分の力で行う活動を見守りながら、適切に援助すること。

エ　子どもの入所時の保育に当たっては、できるだけ個別的に対応し、子どもが安定感を得て、次第に保育所の生活になじんでいくようにするとともに、既に入所している子どもに不安や動揺を与えないようにすること。

オ　子どもの国籍や文化の違いを認め、互いに尊重する心を育てるようにすること。

カ　子どもの性差や個人差にも留意しつつ、性別などによる固定的な意識を植え付けることがないようにすること。

（2）小学校との連携

ア　保育所においては、保育所保育が、小学校以降の生活や学習の基盤の育成につながることに配慮し、幼児期にふさわしい生活を通じて、創造的な思考や主体的な生活態度などの基礎を培うようにすること。

イ　保育所保育において育まれた資質・能力を踏まえ、小学校教育が円滑に行われるよう、小学校教師との意見交換や合同の研究の機会などを設け、第1章の4の（2）に示す「幼児期の終わりまでに育って欲しい姿」を共有するなど連携を図り、保育所保育と小学校教育との円滑な接続を図るよう努めること。

ウ　子どもに関する情報共有に関して、保育所に入所している子どもの就学に際し、市町村の支援の下に、子どもの育ちを支えるための資料が保育所から小学校へ送付されるようにすること。

（3）家庭及び地域社会との連携

子どもの生活の連続性を踏まえ、家庭及び地域社会と連携して保育が展開されるよう配慮すること。その際、家庭や地域の機関及び団体の協力を得て、地域の自然、高

齢者や異年齢の子ども等を含む人材、行事、施設等の地域の資源を積極的に活用し、豊かな生活体験をはじめ保育内容の充実が図られるよう配慮すること。

第3章 健康及び安全

保育所保育において、子どもの健康及び安全の確保は、子どもの生命の保持と健やかな生活の基本であり、一人一人の子どもの健康の保持及び増進並びに安全の確保とともに、保育所全体における健康及び安全の確保に努めることが重要となる。

また、子どもが、自らの体や健康に関心をもち、心身の機能を高めていくことが大切である。

このため、第1章及び第2章等の関連する事項に留意し、次に示す事項を踏まえ、保育を行うこととする。

1 子どもの健康支援
（1）子どもの健康状態並びに発育及び発達状態の把握

ア 子どもの心身の状態に応じて保育するために、子どもの健康状態並びに発育及び発達状態について、定期的・継続的に、また、必要に応じて随時、把握すること。

イ 保護者からの情報とともに、登所時及び保育中を通じて子どもの状態を観察し、何らかの疾病が疑われる状態や傷害が認められた場合には、保護者に連絡するとともに、嘱託医と相談するなど適切な対応を図ること。看護師等が配置されている場合には、その専門性を生かした対応を図ること。

ウ 子どもの心身の状態等を観察し、不適切な養育の兆候が見られる場合には、市町村や関係機関と連携し、児童福祉法第25

条に基づき、適切な対応を図ること。また、虐待が疑われる場合には、速やかに市町村又は児童相談所に通告し、適切な対応を図ること。

（2）健康増進

ア 子どもの健康に関する保健計画を全体的な計画に基づいて作成し、全職員がそのねらいや内容を踏まえ、一人一人の子どもの健康の保持及び増進に努めていくこと。

イ 子どもの心身の健康状態や疾病等の把握のために、嘱託医等により定期的に健康診断を行い、その結果を記録し、保育に活用するとともに、保護者が子どもの状態を理解し、日常生活に活用できるようにすること。

（3）疾病等への対応

ア 保育中に体調不良や傷害が発生した場合には、その子どもの状態等に応じて、保護者に連絡するとともに、適宜、嘱託医や子どものかかりつけ医等と相談し、適切な処置を行うこと。看護師等が配置されている場合には、その専門性を生かした対応を図ること。

イ 感染症やその他の疾病の発生予防に努め、その発生や疑いがある場合には、必要に応じて嘱託医、市町村、保健所等に連絡し、その指示に従うとともに、保護者や全職員に連絡し、予防等について協力を求めること。また、感染症に関する保育所の対応方法等について、あらかじめ関係機関の協力を得ておくこと。看護師等が配置されている場合には、その専門性を生かした対応を図ること。

ウ アレルギー疾患を有する子どもの保育については、保護者と連携し、医師の診断及び指示に基づき、適切な対応を行うこと。また、食物アレルギーに関して、関係機関

と連携して、当該保育所の体制構築など、安全な環境の整備を行うこと。看護師や栄養士等が配置されている場合には、その専門性を生かした対応を図ること。

エ　子どもの疾病等の事態に備え、医務室等の環境を整え、救急用の薬品、材料等を適切な管理の下に常備し、全職員が対応できるようにしておくこと。

2　食育の推進
（1）保育所の特性を生かした食育
ア　保育所における食育は、健康な生活の基本としての「食を営む力」の育成に向け、その基礎を培うことを目標とすること。

イ　子どもが生活と遊びの中で、意欲をもって食に関わる体験を積み重ね、食べることを楽しみ、食事を楽しみ合う子どもに成長していくことを期待するものであること。

ウ　乳幼児期にふさわしい食生活が展開され、適切な援助が行われるよう、食事の提供を含む食育計画を全体的な計画に基づいて作成し、その評価及び改善に努めること。栄養士が配置されている場合は、専門性を生かした対応を図ること。

（2）食育の環境の整備等
ア　子どもが自らの感覚や体験を通して、自然の恵みとしての食材や食の循環・環境への意識、調理する人への感謝の気持ちが育つように、子どもと調理員等との関わりや、調理室など食に関わる保育環境に配慮すること。

イ　保護者や地域の多様な関係者との連携及び協働の下で、食に関する取組が進められること。また、市町村の支援の下に、地域の関係機関等との日常的な連携を図り、必要な協力が得られるよう努めること。

ウ　体調不良、食物アレルギー、障害のある

子どもなど、一人一人の子どもの心身の状態等に応じ、嘱託医、かかりつけ医等の指示や協力の下に適切に対応すること。栄養士が配置されている場合は、専門性を生かした対応を図ること。

3　環境及び衛生管理並びに安全管理
（1）環境及び衛生管理
ア　施設の温度、湿度、換気、採光、音などの環境を常に適切な状態に保持するとともに、施設内外の設備及び用具等の衛生管理に努めること。

イ　施設内外の適切な環境の維持に努めるとともに、子ども及び全職員が清潔を保つようにすること。また、職員は衛生知識の向上に努めること。

（2）事故防止及び安全対策
ア　保育中の事故防止のために、子どもの心身の状態等を踏まえつつ、施設内外の安全点検に努め、安全対策のために全職員の共通理解や体制づくりを図るとともに、家庭や地域の関係機関の協力の下に安全指導を行うこと。

イ　事故防止の取組を行う際には、特に、睡眠中、プール活動・水遊び中、食事中等の場面では重大事故が発生しやすいことを踏まえ、子どもの主体的な活動を大切にしつつ、施設内外の環境の配慮や指導の工夫を行うなど、必要な対策を講じること。

ウ　保育中の事故の発生に備え、施設内外の危険箇所の点検や訓練を実施するとともに、外部からの不審者等の侵入防止のための措置や訓練など不測の事態に備えて必要な対応を行うこと。また、子どもの精神保健面における対応に留意すること。

4　災害への備え

(1)　施設・設備等の安全確保

ア　防火設備、避難経路等の安全性が確保されるよう、定期的にこれらの安全点検を行うこと。

イ　備品、遊具等の配置、保管を適切に行い、日頃から、安全環境の整備に努めること。

(2)　災害発生時の対応体制及び避難への備え

ア　火災や地震などの災害の発生に備え、緊急時の対応の具体的内容及び手順、職員の役割分担、避難訓練計画等に関するマニュアルを作成すること。

イ　定期的に避難訓練を実施するなど、必要な対応を図ること。

ウ　災害の発生時に、保護者等への連絡及び子どもの引渡しを円滑に行うため、日頃から保護者との密接な連携に努め、連絡体制や引渡し方法等について確認をしておくこと。

(3)　地域の関係機関等との連携

ア　市町村の支援の下に、地域の関係機関との日常的な連携を図り、必要な協力が得られるよう努めること。

イ　避難訓練については、地域の関係機関や保護者との連携の下に行うなど工夫すること。

第4章　子育て支援

　保育所における保護者に対する子育て支援は、全ての子どもの健やかな育ちを実現することができるよう、第1章及び第2章等の関連する事項を踏まえ、子どもの育ちを家庭と連携して支援していくとともに、保護者及び地域が有する子育てを自ら実践する力の向上に資するよう、次の事項に留

意するものとする。

1　保育所における子育て支援に関する基本的事項

(1)　保育所の特性を生かした子育て支援

ア　保護者に対する子育て支援を行う際には、各地域や家庭の実態等を踏まえるとともに、保護者の気持ちを受け止め、相互の信頼関係を基本に、保護者の自己決定を尊重すること。

イ　保育及び子育てに関する知識や技術など、保育士等の専門性や、子どもが常に存在する環境など、保育所の特性を生かし、保護者が子どもの成長に気付き子育ての喜びを感じられるように努めること。

(2)　子育て支援に関して留意すべき事項

ア　保護者に対する子育て支援における地域の関係機関等との連携及び協働を図り、保育所全体の体制構築に努めること。

イ　子どもの利益に反しない限りにおいて、保護者や子どものプライバシーを保護し、知り得た事柄の秘密を保持すること。

2　保育所を利用している保護者に対する子育て支援

(1)　保護者との相互理解

ア　日常の保育に関連した様々な機会を活用し子どもの日々の様子の伝達や収集、保育所保育の意図の説明などを通じて、保護者との相互理解を図るよう努めること。

イ　保育の活動に対する保護者の積極的な参加は、保護者の子育てを自ら実践する力の向上に寄与することから、これを促すこと。

(2)　保護者の状況に配慮した個別の支援

ア　保護者の就労と子育ての両立等を支援するため、保護者の多様化した保育の需要に

応じ、病児保育事業など多様な事業を実施する場合には、保護者の状況に配慮するとともに、子どもの福祉が尊重されるよう努め、子どもの生活の連続性を考慮すること。

イ　子どもに障害や発達上の課題が見られる場合には、市町村や関係機関と連携及び協力を図りつつ、保護者に対する個別の支援を行うよう努めること。

ウ　外国籍家庭など、特別な配慮を必要とする家庭の場合には、状況等に応じて個別の支援を行うよう努めること。

(3) 不適切な養育等が疑われる家庭への支援

ア　保護者に育児不安等が見られる場合には、保護者の希望に応じて個別の支援を行うよう努めること。

イ　保護者に不適切な養育等が疑われる場合には、市町村や関係機関と連携し、要保護児童対策地域協議会で検討するなど適切な対応を図ること。また、虐待が疑われる場合には、速やかに市町村又は児童相談所に通告し、適切な対応を図ること。

3　地域の保護者等に対する子育て支援

(1) 地域に開かれた子育て支援

ア　保育所は、児童福祉法第48条の4の規定に基づき、その行う保育に支障がない限りにおいて、地域の実情や当該保育所の体制等を踏まえ、地域の保護者等に対して、保育所保育の専門性を生かした子育て支援を積極的に行うよう努めること。

イ　地域の子どもに対する一時預かり事業などの活動を行う際には、一人一人の子どもの心身の状態などを考慮するとともに、日常の保育との関連に配慮するなど、柔軟に活動を展開できるようにすること。

(2) 地域の関係機関等との連携

ア　市町村の支援を得て、地域の関係機関等との積極的な連携及び協働を図るとともに、子育て支援に関する地域の人材と積極的に連携を図るよう努めること。

イ　地域の要保護児童への対応など、地域の子どもを巡る諸課題に対し、要保護児童対策地域協議会など関係機関等と連携及び協力して取り組むよう努めること。

第5章　職員の資質向上

第1章から前章までに示された事項を踏まえ、保育所は、質の高い保育を展開するため、絶えず、一人一人の職員についての資質向上及び職員全体の専門性の向上を図るよう努めなければならない。

1　職員の資質向上に関する基本的事項

(1) 保育所職員に求められる専門性

子どもの最善の利益を考慮し、人権に配慮した保育を行うためには、職員一人一人の倫理観、人間性並びに保育所職員としての職務及び責任の理解と自覚が基盤となる。

各職員は、自己評価に基づく課題等を踏まえ、保育所内外の研修等を通じて、保育士・看護師・調理員・栄養士等、それぞれの職務内容に応じた専門性を高めるため、必要な知識及び技術の修得、維持及び向上に努めなければならない。

(2) 保育の質の向上に向けた組織的な取組

保育所においては、保育の内容等に関する自己評価等を通じて把握した、保育の質の向上に向けた課題に組織的に対応するため、保育内容の改善や保育士等の役割分担の見直し等に取り組むとともに、それぞれの職位や職務内容等に応じて、各職

員が必要な知識及び技能を身につけられるよう努めなければならない。

2　施設長の責務

（1）施設長の責務と専門性の向上

　　施設長は、保育所の役割や社会的責任を遂行するために、法令等を遵守し、保育所を取り巻く社会情勢等を踏まえ、施設長としての専門性等の向上に努め、当該保育所における保育の質及び職員の専門性向上のために必要な環境の確保に努めなければならない。

（2）職員の研修機会の確保等

　　施設長は、保育所の全体的な計画や、各職員の研修の必要性等を踏まえて、体系的・計画的な研修機会を確保するとともに、職員の勤務体制の工夫等により、職員が計画的に研修等に参加し、その専門性の向上が図られるよう努めなければならない。

3　職員の研修等

（1）職場における研修

　　職員が日々の保育実践を通じて、必要な知識及び技術の修得、維持及び向上を図るとともに、保育の課題等への共通理解や協働性を高め、保育所全体としての保育の質の向上を図っていくためには、日常的に職員同士が主体的に学び合う姿勢と環境が重要であり、職場内での研修の充実が図られなければならない。

（2）外部研修の活用

　　各保育所における保育の課題への的確な対応や、保育士等の専門性の向上を図るためには、職場内での研修に加え、関係機関等による研修の活用が有効であることから、必要に応じて、こうした外部研修へ

の参加機会が確保されるよう努めなければならない。

4　研修の実施体制等

（1）体系的な研修計画の作成

　　保育所においては、当該保育所における保育の課題や各職員のキャリアパス等も見据えて、初任者から管理職員までの職位や職務内容等を踏まえた体系的な研修計画を作成しなければならない。

（2）組織内での研修成果の活用

　　外部研修に参加する職員は、自らの専門性の向上を図るとともに、保育所における保育の課題を理解し、その解決を実践できる力を身に付けることが重要である。また、研修で得た知識及び技能を他の職員と共有することにより、保育所全体としての保育実践の質及び専門性の向上につなげていくことが求められる。

（3）研修の実施に関する留意事項

　　施設長等は保育所全体としての保育実践の質及び専門性の向上のために、研修の受講は特定の職員に偏ることなく行われるよう、配慮する必要がある。また、研修を修了した職員については、その職務内容等において、当該研修の成果等が適切に勘案されることが望ましい。

児童福祉施設の設備と職員の基準
（児童福祉施設の設備及び運営に関する基準より）

施設名		設備の基準	職員の基準
乳児院	乳幼児10人以上入所	寝室、観察室、診察室、病室、ほふく室、相談室、調理室、浴室、便所	医師又は嘱託医、看護師、個別対応職員、**家庭支援専門相談員**、栄養士、調理員（調理業務の全部を委託する施設では調理員を置かなくてもよい）
		寝室の面積：乳幼児1人につき 2.47m² 以上 観察室の面積：乳児1人につき 1.65m² 以上	医師又は嘱託医：小児科の診療に相当の経験を有すること 乳幼児又はその保護者10人以上に心理療法を行う場合：**心理療法担当職員** 看護師の数：乳児及び満2歳に満たない幼児おおむね1.6人につき1人以上、満2歳以上満3歳に満たない幼児おおむね2人につき1人以上、満3歳以上の幼児おおむね4人につき1人以上（合計数が7人未満のときは、7人以上）（看護師は**保育士**又は児童指導員に代えることができるが、乳幼児10人の場合は2人、おおむね10人増すごとに1人以上看護師を置く） 乳幼児20人以下入所の施設：**保育士**を1人以上
	乳幼児10人未満入所	乳幼児の養育のための専用の室及び相談室	嘱託医、看護師、**家庭支援専門相談員**及び調理員又はこれに代わるべき者
		乳幼児の養育のための専用の室の面積：1室につき 9.91m² 以上、乳幼児1人につき 2.47m² 以上	看護師の数：7人以上（その1人を除き、**保育士**又は**児童指導員**に代えることができる）
母子生活支援施設		母子室、集会、学習等を行う室、相談室	**母子支援員**、嘱託医、少年を指導する職員及び調理員又はこれに代わるべき者
		母子室：調理設備、浴室及び便所を設け、1世帯につき1室以上で、面積は、30m² 以上 乳幼児30人未満入所：静養室 乳幼児30人以上入所：医務室及び静養室 乳幼児を入所させる場合で、付近にある保育所又は児童厚生施設が利用できない等必要があるとき：保育所に準ずる設備	母子10人以上に心理療法を行う場合：**心理療法担当職員** DV等を受けたために個別に特別な支援を行う場合：個別対応職員 母子10世帯以上20世帯未満入所：**母子支援員**2人以上 母子20世帯以上入所：**母子支援員**3人以上、少年を指導する職員2人以上
保育所	乳児又は満2歳未満の幼児入所	乳児室又はほふく室（保育に必要な用具を備える）、医務室、調理室及び便所	**保育士**、嘱託医、調理員（調理業務の全部を委託する施設では調理員を置かなくてもよい）
		乳児室の面積：乳児又は満2歳未満の幼児1人につき 1.65m² 以上 ほふく室の面積：乳児又は満2歳未満の幼児1人につき 3.3m² 以上	**保育士**の数：乳児おおむね3人につき1人以上、満1歳以上満3歳に満たない幼児おおむね6人につき1人以上、満3歳以上満4歳に満たない幼児おおむね15人につき1人以上、満4歳以上の幼児おおむね25人につき1人以上 保育所1か所につき2人を下回ることはできない
	満2歳以上の幼児入所	保育室又は遊戯室（保育に必要な用具を備える）、屋外遊戯場、調理室及び便所	
		保育室又は遊戯室の面積：満2歳以上の幼児1人につき 1.98m² 以上 屋外遊戯場の面積：満2歳以上の幼児1人につき 3.3m² 以上	

施設名	設備の基準	職員の基準
児童厚生施設	屋外の児童厚生施設には、広場、遊具及び便所 屋内の児童厚生施設には、集会室、遊戯室、図書室及び便所	**児童の遊びを指導する者**
児童養護施設	児童の居室、相談室、調理室、浴室、便所、入所児童の年齢・適性等に応じて職業指導に必要な設備	**児童指導員**、嘱託医、**保育士**、個別対応職員、**家庭支援専門相談員**、栄養士及び調理員、乳児が入所している施設では看護師（児童 40 人以下を入所させる施設では栄養士を、調理業務の全部を委託する施設では調理員を置かなくてもよい）
	児童の居室：1 室の定員 4 人以下、面積は 1 人につき 4.95m² 以上で、年齢等に応じて男女別 乳幼児のみの居室：1 室の定員は、6 人以下、面積は、1 人につき 3.3m² 以上 児童 30 人以上入所：医務室及び静養室 便所：男女別（少数の児童を対象とする施設では別にしなくてもよい）	心理療法を行う児童 10 人以上：**心理療法担当職員** 実習設備を設けて職業指導を行う場合：職業指導員 **児童指導員**及び**保育士**の総数：通じて、満 2 歳に満たない幼児おおむね 1.6 につき 1 人以上、満 2 歳以上満 3 歳に満たない幼児おおむね 2 人につき 1 人以上、満 3 歳以上の幼児おおむね 4 人につき 1 人以上、少年おおむね 5.5 人につき 1 人以上（児童 45 人以下を入所させる施設では、更に 1 人以上を加える） 看護師の数：乳児おおむね 1.6 人につき 1 人以上（1 人を下ることはできない）
福祉型障害児入所施設	※すべての施設に必要な設備 児童の居室、調理室、浴室、便所、医務室及び静養室 （児童 30 人未満入所で主に知的障害児入所の施設では医務室を、児童 30 人未満入所で主に盲ろうあ児入所の施設では医務室及び静養室を設けなくてもよい） 児童の居室：1 室の定員 4 人以下、面積は 1 人につき 4.95m² 以上で、年齢等に応じて男女別 乳幼児のみの居室：1 室の定員 6 人以下、面積：1 人につき 3.3m² 以上 便所：男女別 ※入所者によって異なる設備 ◆ 主に知的障害児入所の施設：職業指導に必要な設備 ◆ 主に盲児入所の施設：遊戯室、支援室、職業指導に必要な設備及び音楽に関する設備、浴室及び便所の手すり並びに特殊表示等身体の機能の不自由を助ける設備、階段の傾斜を緩やかにする ◆ 主にろうあ児入所の施設：遊戯室、支援室、職業指導に必要な設備及び映像に関する設備 ◆ 主に肢体不自由のある児童入所の施設：支援室及び屋外遊戯場、浴室及び便所の手すり等身体の機能の不自由を助ける設備、階段の傾斜を緩やかにする	嘱託医、**児童指導員**、**保育士**、栄養士、調理員、児童発達支援管理責任者（児童 40 人以下入所の施設では栄養士を、調理業務の全部を委託する施設では調理員を置かなくてもよい） 児童 5 人以上に心理支援を行う場合は心理担当職員 職業指導を行う場合は職業指導員 ※入所者によって必要となる職員 ◆ 主に知的障害児（自閉症児を除く）入所の施設 嘱託医：精神科又は小児科の診療に相当の経験を有する者 **児童指導員**及び**保育士**の総数：通じておおむね児童の数を 4 で除して得た数以上（児童 30 人以下入所の施設では更に 1 以上を加える） ◆ 主に自閉症児入所の施設：医師、看護職員 医師：児童を対象とする精神科の診療に相当の経験を有する者 看護職員の数：児童おおむね 20 人につき 1 人以上 嘱託医：精神科又は小児科の診療に相当の経験を有する者 **児童指導員**及び**保育士**の総数：通じておおむね児童の数を 4 で除して得た数以上（児童 30 人以下入所の施設では更に 1 以上を加える） ◆ 主に盲ろうあ児入所の施設 嘱託医：眼科又は耳鼻咽喉科の診療に相当の経験を有する者 **児童指導員**及び**保育士**の総数：通じて児童おおむね 4 人につき 1 人以上（児童 35 人以下入所の施設では、更に 1 人以上を加える） ◆ 主に肢体不自由のある児童入所の施設：看護職員 **児童指導員**及び**保育士**の総数：通じておおむね児童の数を 3.5 で除して得た数以上

施設名	設備の基準	職員の基準
医療型障害児入所施設	※すべての施設に必要な設備 医療法上の病院として必要な設備、支援室、浴室 ※入所者によって異なる設備 ◆ 主に自閉症児入所の施設：静養室 ◆ 主に肢体不自由児入所の施設：屋外遊戯場、ギブス室、特殊手工芸等の作業を支援するに必要な設備、義肢装具を製作する設備（義肢装具を製作する設備は他に適当な設備がある場合は不要） 階段の傾斜を緩やかにするほか、浴室及び便所の手すり等身体の機能の不自由を助ける設備	※入所者によって必要となる職員 ◆ 主に自閉症児入所の施設 医療法上の病院として必要な職員、**児童指導員、保育士**、児童発達支援管理責任者 **児童指導員**及び**保育士**の総数：通じておおむね児童の数を6.7で除して得た数以上 ◆主に肢体不自由のある児童入所の施設：理学療法士又は作業療法士 施設長及び医師：肢体の機能の不自由な者の療育に関して相当の経験を有する医師 **児童指導員**及び**保育士**の総数：通じて乳幼児おおむね10人につき1人以上、少年おおむね20人につき1人以上 ◆ 主に重症心身障害児入所の施設：理学療法士又は作業療法士、心理支援を担当する職員 施設長及び医師：内科、精神科、医療法施行令の規定により神経と組み合わせた名称を診療科名とする診療科、小児科、外科、整形外科又はリハビリテーション科の診療に相当の経験を有する医師
児童発達支援センター	※すべての施設に必要な設備 発達支援室、遊戯室、屋外遊戯場（児童発達支援センターの付近にある屋外遊戯場に代わるべき場所を含む）、医務室、相談室、調理室、便所、静養室並びに児童発達支援の提供に必要な設備及び備品等 発達支援室：1室の定員はおおむね10人、面積は児童1人につき2.47m² 以上 遊戯室：面積は、児童1人につき1.65m² 以上 ※場合に応じて必要な施設 ◆ 肢体不自由のある児童に対して治療を行う場合は医療法に規定する診療所として必要な設備	※すべての施設に必要な職員 嘱託医、児童指導員、保育士、栄養士、調理員及び児童発達支援管理責任者、日常生活を営むのに必要な機能訓練を行う場合には機能訓練担当職員、日常生活及び社会生活を営むために医療的ケアを恒常的に受けることが不可欠である障害児に医療的ケアを行う場合には看護職員 ※場合に応じて置かなくてもいい職員 ◆ 児童40人以下が通う施設では栄養士 ◆ 調理業務の全部を委託する施設では調理員 ◆ 医療機関等との連携により、看護職員を児童発達支援センターに訪問させ、当該看護職員が障害児に対して医療的ケアを行う場合は看護職員 ◆ 医療的ケアのうち喀痰吸引等のみを必要とする障害児に対し喀痰吸引等業務を行う場合は看護職員 ◆ 医療的ケアのうち特定行為のみを必要とする障害児に対し特定行為業務を行う場合は看護職員 ※場合に応じて必要な職員 ◆ 肢体不自由のある児童に対して治療を行う場合は医療法に規定する診療所として必要な職員 児童指導員、保育士、機能訓練担当職員及び看護職員の総数は、通じておおむね児童の数を4で除して得た数以上（そのうち半数以上は児童指導員又は保育士） 嘱託医は精神科又は小児科の診療に相当の経験を有する者 保育所、家庭的保育事業所等、幼保連携型認定こども園に入園している児童と児童発達支援センターに入所している障害児を交流させるときは、障害児の支援に支障がない場合に限り、障害児の支援に直接従事する職員はこれら児童への保育に併せて従事させることができる

施設名	設備の基準	職員の基準
児童心理治療施設	児童の居室、医務室、静養室、遊戯室、観察室、心理検査室、相談室、工作室、調理室、浴室及び便所	医師、**心理療法担当職員**、**児童指導員**、**保育士**、看護師、個別対応職員、**家庭支援専門相談員**、栄養士及び調理員（調理業務の全部を委託する施設では、調理員を置かなくてもよい）
	児童の居室：1室の定員は4人以下、面積は1人につき4.95㎡以上で、男女別 便所：男女別（少数の児童を対象とする施設では別にしなくてもよい）	医師：精神科又は小児科の診療に相当の経験を有する者 **心理療法担当職員**の数：おおむね児童10人につき1人以上 **児童指導員**及び**保育士**の総数：通じておおむね児童4.5人につき1人以上
児童自立支援施設	学科指導に関する設備は、小学校、中学校又は特別支援学校の設備の設置基準に関する学校教育法の規定を準用（学科指導を行わない場合はこの限りでない） 学科指導に関する設備以外の設備は、児童養護施設の規定を準用。ただし、居室は男女別	児童自立支援専門員、**児童生活支援員**、嘱託医、精神科の診療に相当の経験を有する医師又は嘱託医、個別対応職員、**家庭支援専門相談員**、栄養士並びに調理員（児童40人以下入所の施設では栄養士を、調理業務の全部を委託する施設では調理員を置かなくてもよい）
		児童10人以上に心理療法を行う場合：**心理療法担当職員** 実習設備を設けて職業指導を行う場合：職業指導員 児童自立支援専門員及び**児童生活支援員**の総数：通じておおむね児童4.5人につき1人以上
児童家庭支援センター	相談室	専門的な知識及び技術を必要とする相談を担当する職員（児童福祉司の要件に該当する者）
里親支援センター	事務室、相談室等の里親等が訪問できる設備、その他事業を実施するために必要な設備	里親制度等普及促進担当者、里親等支援員、里親研修等担当者

さ　く　い　ん（上巻）

さくいん

さくいん

さくいん

さくいん

さくいん

■ 監修：近喰 晴子

和田実学園学事顧問、東京教育専門学校副校長、目白幼稚園長。前秋草学園短期大学学長。日名子太郎に師事し、保育学に関する研究を重ねる。保育内容、保育者論、実習関係等のテキストを執筆。

■ 執筆者〔担当科目〕

1章　保育の心理学
　稲場　健
　新潟中央短期大学准教授

2章　保育原理
　山口 美和
　上越教育大学大学院教授

3章　子ども家庭福祉
　千葉 伸彦
　東北福祉大学准教授

4章　社会福祉
　上村 裕樹
　東北福祉大学准教授

■ 編著：コンデックス情報研究所

1990年6月設立。法律・福祉・技術・教育分野において、書籍の企画・執筆・編集、大学および通信教育機関との共同教材開発を行っている研究者・実務家・編集者のグループ。

■本文イラスト：オブチミホ

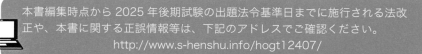

本書編集時点から 2025 年後期試験の出題法令基準日までに施行される法改正や、本書に関する正誤情報等は、下記のアドレスでご確認ください。
http://www.s-henshu.info/hogt12407/

上記掲載以外の箇所で正誤についてお気づきの場合は、**書名・発行日・質問事項**（該当ページ・行数・問題番号などと誤りだと思う理由）・**氏名・連絡先**を明記のうえ、お問い合わせください。
・web からのお問い合わせ：上記アドレス内【正誤情報】へ
・郵便または FAX でのお問い合わせ：下記住所または FAX 番号へ
※**電話でのお問い合わせはお受けできません。**

［宛先］　**コンデックス情報研究所**
　　　　　『保育士合格テキスト（上）'25 年版』係
　住所　　：〒 359-0042　所沢市並木 3-1-9
　FAX 番号：04-2995-4362　（10:00 ～ 17:00　土日祝日を除く）

※**本書の正誤以外に関するご質問にはお答えいたしかねます。**また受験指導などは行っておりません。
※ご質問の受付期限は、2025 年の各筆記試験日の 10 日前必着といたします。
※回答日時の指定はできません。また、ご質問の内容によっては回答まで 10 日前後お時間をいただく場合があります。
あらかじめご了承ください。

コンデックス情報研究所では、合格者の声を募集しています。
試験にまつわる様々なご意見・ご感想をお待ちしております。
こちらのアドレスよりお進みください。　http://www.condex.co.jp/gk

いちばんわかりやすい保育士合格テキスト[上巻] '25年版

2024年9月10日発行

監　修　　近喰晴子（こんじきはるこ）

編　著　　コンデックス情報研究所（じょうほうけんきゅうしょ）

発行者　　深見公子

発行所　　成美堂出版
　　　　　〒162-8445　東京都新宿区新小川町1-7
　　　　　電話(03)5206-8151　FAX(03)5206-8159

印　刷　　壮光舎印刷株式会社

©SEIBIDO SHUPPAN 2024 PRINTED IN JAPAN
ISBN978-4-415-23882-1
落丁・乱丁などの不良本はお取り替えします
定価はカバーに表示してあります